# 国際生活機能分類(ICF)―脳血管障害を例に

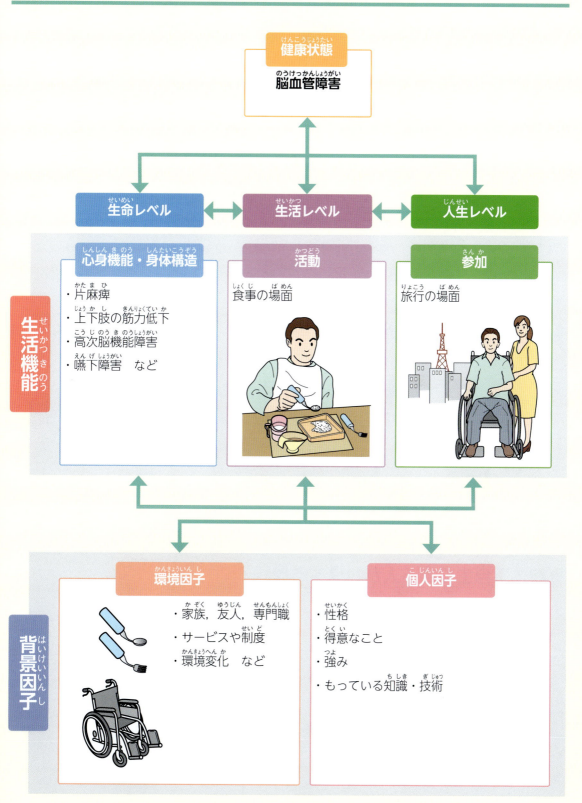

# 障害のある人が利用する機器の例

## ◆ 視覚障害のある人が利用する機器

### スマートフォン・アプリ

スマートフォンの音声読みあげ機能が視覚障害のある人に活用されている

### 音声点字PDA（携帯情報端末）

点字キーボードによって文書や電子メールの作成などができる

## ◆ 聴覚障害のある人が利用する機器

### スマートフォン・アプリ

メールや音声を文字化する機能が聴覚障害のある人に活用されている

## ◆ 肢体不自由のある人が利用する機器

### 上肢装具

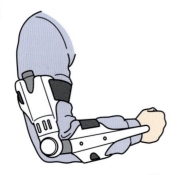

### 下肢装具

AIやロボット技術を応用した装具も開発されている

◆ 重度障害のある人が利用する機器

重度障害者用意思伝達装置

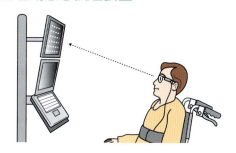

視線入力を使って、画面の文字や絵を見るだけで文章を書いたりすることができる

◆ 知的障害のある人が利用する機器

タイマー・アプリ

残り時間が色で表示されるタイマー・アプリは知的障害のある人に活用されている

◆ 発達障害のある人が利用する機器

防音保護具

タブレット端末

周囲の雑音を遮断し、落ち着いて作業ができる

読み・書き・覚えるなどの学習を支援するアプリケーションがある

# 内部障害の理解

内部障害は，外見からはわかりにくい障害です。介護福祉職は，内部障害のある人の日常生活を支援するため，障害の種類や代表的な使用機器について理解を深めることが大切です。

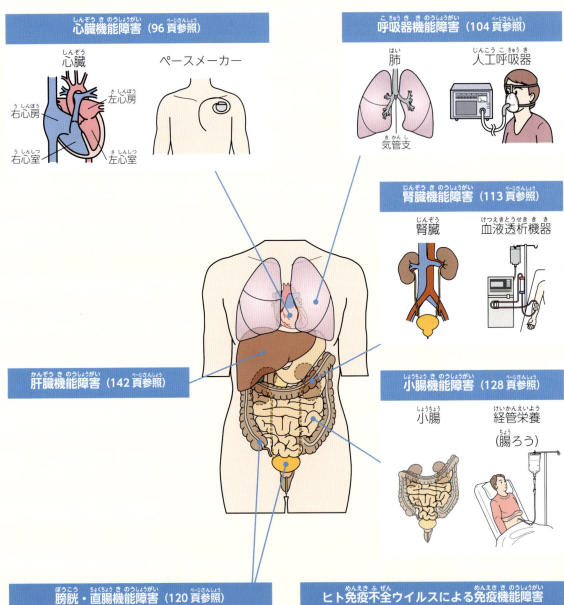

最新
介護福祉士養成講座
編集　介護福祉士養成講座編集委員会

14

# 障害の理解

第2版

中央法規

# 『最新 介護福祉士養成講座』初版刊行にあたって

　1987（昭和62）年に「社会福祉士及び介護福祉士法」が制定され、介護福祉職の国家資格である介護福祉士が誕生してから30年以上が経ちました。2018（平成30）年11月末現在、資格取得者（登録者）は162万3974人に達し、施設・在宅を問わず地域における介護の中核をになう存在として厚い信頼をえています。

　近年では、世界に類を見ないスピードで進む高齢化に対応する日本の介護サービスは国際的にも注目を集めており、アジアをはじめとする海外諸国から知識と技術を学びに来る学生が増えています。

　もともと介護福祉士が生まれた背景には、戦後の高度経済成長にともなう日本社会の構造的な変化がありました。資格誕生から今日にいたるまでのあいだも社会は絶えず変化を続けており、介護福祉士に求められる役割と期待はますます大きくなっています。そのような背景のもと、今後さらに複雑化・多様化・高度化していく介護ニーズに対応できる介護福祉士を育成するために、2018（平成30）年に10年ぶりに養成カリキュラムの見直しが行われました。

　当編集委員会は、資格制度が誕生した当初から、介護福祉士養成のためのテキスト『介護福祉士養成講座』を刊行してきました。福祉関係八法の改正、社会福祉法や介護保険法の施行など、時代の動きに対応して、適宜記述内容の見直しや全面改訂を行ってきました。そして今般、本講座を新たなカリキュラムに対応した内容に刷新するべく『最新 介護福祉士養成講座』として刊行することになりました。

　『最新 介護福祉士養成講座』の特徴としては、次の事項があげられます。

① 介護福祉士養成のための標準的なテキストとして国の示したカリキュラムに対応
② 現場に出たあとでも立ち返ることができ、専門性の向上に役立つ
③ 講座全体として科目同士の関連性も見える
④ 平易な表現や読みがなにより、日本人学生と外国人留学生がともに学べる
⑤ オールカラー（11巻、15巻）、ＡＲ（拡張現実：6巻、7巻、15巻）の採用などビジュアル面への配慮

　本講座が新しい時代にふさわしい介護福祉士の養成に役立ち、さらには本講座を学んだ方々が広く介護福祉の世界をリードする人材へと成長されることを願ってやみません。

2019（平成31）年3月
介護福祉士養成講座編集委員会

# はじめに

　「障害の理解」は、介護と医療の連携をふまえた実践力の向上を前提として、障害のある人の身体機能や心理を理解し、家族や地域を含めた障害のある人の生活支援について学習する科目です。

　第1章では、障害の概念、障害福祉の基本理念、障害者福祉制度などを取り上げています。ここでは、介護福祉職が障害のある人と向き合うための基本的な知識を記述しています。第2・3章では、それぞれの障害種別ごとの身体的・心理的側面をふまえた生活とそれに応じた支援について学びます。介護現場で重要なことは障害のある人の自立に向けた生活支援の視点であり、生活の理解が介護をするうえで基本的な知識となります。第4章では、障害のある人の地域生活を支えるさまざまな社会資源・関係機関との連携や、関係職種とのチームアプローチのあり方を解説しています。第5章では、障害のある人を支える家族に焦点をあて、家族支援のあり方を学ぶことができる内容となっています。

　第2版では、障害福祉を取り巻く最新の動向をふまえ、内容を更新しています。具体的には、障害を理由とする差別の解消の推進に関する法律（障害者差別解消法）の改正のほか、医療的ケア児の支援やケアラー（ヤングケアラーを含む）施策に関する記述を追加しました。

　全体を通じて、できる限りわかりやすい日本語表現を心がけ、図表やイラストを多く用いて読みやすさに配慮しました。

　本書を通じて、根拠にもとづいた障害のある人の生活支援を学び、よりよい介護実践の一助となれば幸いです。

　内容面に関しては最善を尽くしていますが、ご活用いただくなかでお気づきになった点は、ぜひご意見をお寄せください。いただいた声を参考にして、改訂を重ねていきたいと考えています。

編集委員一同

最新 介護福祉士養成講座14 **障害の理解** 第2版

# 目次

『最新 介護福祉士養成講座』初版刊行にあたって

はじめに

# 第1章 障害の概念と障害者福祉の基本理念

## 第1節 障害の概念 ………………………………………………… 2

1 障害のとらえ方 … 2
2 ICIDHからICFへの変遷 … 5
3 障害者の概数 … 7
4 障害者の定義 … 8

## 第2節 障害者福祉の基本理念 ……………………………… 13

1 ノーマライゼーション … 13
2 リハビリテーション … 14
3 インクルージョン … 17
4 エンパワメント … 18
5 ストレングス … 19
6 国際障害者年 … 20
7 障害者権利条約 … 22
8 アドボカシー … 24

## 第3節 障害者福祉に関連する制度 ………………………… 27

1 障害者総合支援法 … 27
2 障害者差別解消法 … 32
3 障害者虐待防止法 … 34
4 障害者の就労支援 … 36
5 成年後見制度 … 38

## 第4節 障害者福祉制度と介護保険制度 …………………… 39

1 障害者福祉制度と介護保険制度の違い … 39
2 障害福祉サービスと介護保険サービスの併用 … 42

演習1-1 障害者福祉の基本理念の理解 … 45
演習1-2 ICFの考え方 … 46

最新 介護福祉士養成講座14 **障害の理解** 第2版

# 第 **2** 章 障害別の基礎的理解と特性に応じた支援 I

## 第 **1** 節 障害のある人の心理 …………………………………………………… 48

1 人間の欲求 … 48
2 適応機制 … 50
3 障害受容の過程 … 51
4 心理的支援の方法 … 54

## 第 **2** 節 肢体不自由（運動機能障害）………………………………… 56

1 肢体不自由とは … 56
2 障害の種類 … 56
3 障害の原因 … 57
4 身体的特性の理解 … 57
5 障害の原因となるおもな疾患の理解 … 60
6 心理的側面の理解 … 63
7 生活面の理解 … 63
8 障害の特性に応じた支援 … 65

## 第 **3** 節 視覚障害 …………………………………………………………………… 68

1 視覚障害とは … 68
2 障害の種類 … 68
3 障害の原因 … 70
4 障害の特性の理解 … 72
5 障害の特性に応じた支援 … 73

## 第 **4** 節 聴覚・言語障害 ……………………………………………………… 76

1 聴覚障害 … 76
2 言語障害 … 82

## 第 **5** 節 重複障害 …………………………………………………………………… 87

1 重複障害とは … 87
2 障害の原因 … 88
3 障害の種類 … 88
4 重複障害児への支援 … 93

## 第 **6** 節 内部障害 …………………………………………………………………… 96

1 心臓機能障害 … 96
2 呼吸器機能障害 … 104

3　腎臓機能障害 … 113

4　膀胱・直腸機能障害 … 120

5　小腸機能障害 … 128

6　ヒト免疫不全ウイルスによる免疫機能障害 … 135

7　肝臓機能障害 … 142

## 第7節　重症心身障害 ……………………………………………………………… 149

1　重症心身障害とは … 149

2　障害の原因と分類 … 150

3　障害の特性の理解 … 152

4　障害の特性に応じた支援 … 155

演習2-1　身体障害の基礎的な理解 … 158

演習2-2　手書き文字による意思疎通 … 158

# 第3章　障害別の基礎的理解と特性に応じた支援 Ⅱ

## 第1節　知的障害 …………………………………………………………………… 160

1　知的障害とは … 160

2　障害の原因 … 162

3　障害の特性に応じた支援 … 162

4　ライフステージに応じたかかわり方 … 166

## 第2節　精神障害 …………………………………………………………………… 172

1　精神障害とは … 172

2　障害の種類 … 174

3　障害の特性の理解 … 175

4　心理面・身体面・生活面の理解 … 178

5　障害の特性に応じた支援 … 179

## 第3節　高次脳機能障害 …………………………………………………………… 184

1　高次脳機能障害とは … 184

2　障害の原因 … 186

3　障害の特性の理解 … 188

4　障害の特性に応じた支援 … 192

## 第4節　発達障害 …………………………………………………………………… 196

1　発達障害とは … 196

2　障害ごとの特性の理解 … 198

最新 介護福祉士養成講座14 **障害の理解** 第2版

3　生活の特性と生活支援 … 202

4　保護者への支援 … 204

5　支援機関 … 205

### 第 5 節　**難病** ……………………………………………………………… 208

1　難病とは … 208

2　おもな難病の理解 … 209

3　難病の特性の理解 … 213

4　難病の特性に応じた支援 … 214

演習3-1　障害の基礎的な理解 … 218

演習3-2　知的障害のある人の自立支援 … 219

## 第 4 章　連携と協働

### 第 1 節　**地域のサポート体制** ……………………………………………… 222

1　地域のサポート体制 … 222

2　障害福祉サービスの提供のしくみ … 226

3　相談支援事業等との連携 … 228

4　基幹相談支援センターとの連携 … 229

5　協議会との連携 … 231

6　地域生活支援拠点との連携 … 233

### 第 2 節　**チームアプローチ** ………………………………………………… 236

1　チームアプローチとは … 236

2　チームづくりの方法 … 239

3　保健医療関係職種の業務 … 245

演習4-1　連携と協働の基礎的な理解 … 248

演習4-2　自分が在住する地域の協議会を知る … 248

## 第 5 章　家族への支援

### 第 1 節　**家族への支援とは** ………………………………………………… 250

1　家族に障害のある人がいるということ … 250

2　障害のある人の家族への支援 … 252

3　家族支援とは何か … 258

## 第**2**節　家族の介護力の評価と介護負担の軽減 ············ 263

1　家族の介護力の評価 … 263
2　家族の介護力をふまえた支援 … 269

演習5-1　家族支援の基礎的な理解 … 276
演習5-2　障害のある人の家族を支えるために必要なこと … 276

## 索引 ······································································ 277

## 執筆者一覧

---

本書では学習の便宜をはかることを目的として、以下のような項目を設けました。

● 学習のポイント … 各節で学ぶべきポイントを明示
● 関連項目 ………… 各節の冒頭で、『最新 介護福祉士養成講座』において内容が関連する他巻の章や節を明示
● 重要語句 ………… 学習上、とくに重要と思われる語句について色文字のゴシック体で明示
● 補足説明 ………… 専門用語や難解な用語・語句をゴシック体で明示するとともに、側注でその用語解説や補足的な説明を掲載
● 演　　習 ………… 節末や章末に、学習内容を整理するふり返りや、理解を深めるためのグループワークなどの演習課題を掲載

# 第 1 章

# 障害の概念と
# 障害者福祉の基本理念

第 **1** 節　**障害の概念**

第 **2** 節　**障害者福祉の基本理念**

第 **3** 節　**障害者福祉に関連する制度**

第 **4** 節　**障害者福祉制度と介護保険制度**

# 第 1 節

# 障害の概念

## 学習のポイント

■ 障害のとらえ方について、医学モデル・社会モデル・国際生活機能分類（ICF）・各法律などから学ぶ
■ 日本の障害者数などについて知る
■ 各法律にもとづく障害者の定義について学ぶ

**関連項目**
② 『社会の理解』 ▶ 第5章「障害者保健福祉と障害者総合支援制度」
③ 『介護の基本Ⅰ』 ▶ 第4章「自立に向けた介護」

# 1 障害のとらえ方

近年、自治体が発行する広報紙等で「障がい」と表記されることが多くみられます。

「障害の"害"は『公害』『害悪』『害虫』の"害"であり、当事者の存在を害であるとする社会の価値観を助長してきた」と当事者団体等からの意見があり、「障害」の表記については長い間論争になっていました。

そのような経緯から、2010（平成22）年に内閣府の**障がい者制度改革推進会議❶**では、「障害」「障がい」のほか、「障碍」「チャレンジド」等の表記が検討されました。

結論としては、「法令等における『障害』の表記については、当面、現状の『障害』を用いることとし、今後、制度改革の集中期間内を目途に一定の結論を得ることを目指すべき」となりました。現在は自治体ごとの判断で使用されています。

## 1 医学モデルと社会モデルという概念

この検討のなかで、障害のとらえ方についても議論されたことは重要です。「障害は様々な障壁との相互作用によって生ずるものであるとい

❶**障がい者制度改革推進会議**
2009（平成21）年12月15日に、日本の障害者施策の推進に関する事項について意見を求めるため、障がい者制度改革推進本部長（内閣総理大臣）の決定により開催された会議。障害者団体のほか学識経験者等から構成され、障害者基本法改正のほかあらゆる分野の障害施策について議論が進められた。2012（平成24）年7月24日に廃止。

う障害者権利条約❷の考え方を念頭に置き」つつ、ICF（International Classification of Functioning, Disability and Health：国際生活機能分類）❸の障害の概念との整合性にも配慮するというものです。

これまでは、「障害」は個人がもっているもの（身体部位の欠損や麻痺、精神発達の遅滞等）であるとの考え方が強くありました。これは、治療し、あるいはできる限り回復させることで障害が軽くなるという、医学モデル（表1−1）の考え方です。

しかしながら、日本は障害者権利条約に署名し、批准❹に向けて国内法の整備を行うなかで、障害のとらえ方も大きく転換する必要がありました。それが、前述した「障害は様々な障壁との相互作用によって生ずるものである」という、社会モデル（表1−1）の考え方です。また、2001年にWHO総会で採択されたICFは医学モデルと社会モデルを統合した統合モデルとして登場しました。

❷障害者権利条約
p.22参照

❸ICF（国際生活機能分類）
p.6参照

❹批准
国と国との条約や協定を、国として同意すること。

| 表1−1 | 障害のとらえ方――3つのモデル |
|---|---|
| 障害の医学モデル | 障害を個人の問題としてとらえ、病気・外傷などから直接的に生じるととらえる。医療などの専門職による援助を必要とする。 |
| 障害の社会モデル | 障害のある人を統合できない社会の問題としてとらえる。その多くが社会的環境によってつくりだされたものとする。 |
| 障害の統合モデル | ICFでは、「医学モデル」と「社会モデル」を対立した概念としてみるのではなく統合してとらえる。 |

また、障害者権利条約の原文では、障害者を「persons with disabilities」と表記しており、最近では、日本においても「障害のある人」という呼び方が多く聞かれるようになりました。

つまり、さまざまな個性の1つとして障害という属性がある「人」ということです。「障害者」というカテゴリではなく、まず「人」であるという前提から出発した考え方です。

障害があってもなくても1人の人であることに違いはないというとらえ方は、人権という観点からも重要なことであり、障害のある人を対象にさまざまな業務を行う介護福祉職にとって忘れてはならない大切な理念です。

> **コラム** 「社会モデル」とは
>
> 　たとえば、車いすを使用している人が、階段を上れなくて店に入れず困っているという場面を想像してみてください。「階段」という障壁（バリア）があり、「お店に入れない」という不具合が生じているのですが、ここに、もしスロープやエレベーターがあればどうでしょうか。その人は自らの障害が回復したわけではないけれど、店に入ることが可能になります。つまり、「障害」は環境の側にあり、これを改善することにより店に入るという目的は達成することができ、「障害」はなくなったととらえることができます。これが「社会モデル」の考え方です。

##  障害者基本法の定義

　**障害者基本法**では、障害者について、次のように定義しています。

---

**障害者基本法**
（定義）
第2条　この法律において、次の各号に掲げる用語の意義は、それぞれ当該各号に定めるところによる。
　一　障害者　身体障害、知的障害、精神障害（発達障害を含む。）その他の心身の機能の障害（以下「障害」と総称する。）がある者であって、障害及び社会的障壁により継続的に日常生活又は社会生活に相当な制限を受ける状態にあるものをいう。
　二　社会的障壁　障害がある者にとって日常生活又は社会生活を営む上で障壁となるような社会における事物、制度、慣行、観念その他一切のものをいう。

---

　つまり、障害者基本法における定義は、何らかの機能の障害があるという要素と、環境から受ける不具合という要素の両面を概念として取り入れており、医学モデルと社会モデルを統合したものとなっています。
　障害者基本法をはじめとする法律の改正や制定も、障害者権利条約を批准するための法的整備の一環として行われたものであり、条約は日本の障害者施策を構築するための大きな指針となっています。
　障害福祉行政をすすめるうえでは、障害者の定義はさらに明確化する必要があります。身体障害者は身体障害者手帳の交付を受ける必要があり、障害児、知的障害者、精神障害者、難病等の人については、医師の

診断や更生相談所の判定等が必要となります。

## 2 ICIDHからICFへの変遷

ICF（International Classification of Functioning, Disability and Health：国際生活機能分類）は、人間の「生活機能と障害」の分類法として、2001年5月、世界保健機関（WHO）総会において採択されました。

これまでのICIDH（International Classification of Impairments, Disabilities and Handicaps：国際障害分類）がマイナス面を分類するという考え方が中心であったのに対し、ICFでは生活機能というプラス面からみるように視点を転換し、さらに環境因子等の観点を加えました。

### 1 ICIDHでの障害のとらえ方

ICIDHでは、病気や変調により、機能障害や形態障害が生じ、それが能力障害を引き起こし、社会的不利にいたるという考え方で障害をとらえています（図1-1）。

たとえば、「脳血管障害→片麻痺・構音障害が生じる→歩行不能、会話不能、着替えができない、入浴できないなどの能力障害を引き起こす→会社を退職せざるをえないといった社会的不利にいたる」という一直線上の不可逆的な（逆戻りしない）モデルとなっています。

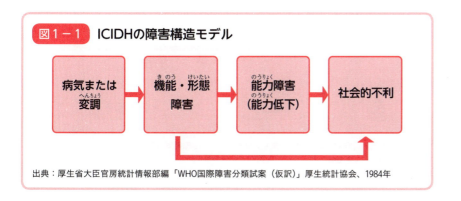

図1-1　ICIDHの障害構造モデル

出典：厚生省大臣官房統計情報部編「WHO国際障害分類試案（仮訳）」厚生統計協会、1984年

これを止めるため、治療によってできる限り回復させ、社会的不利を少なくしていこうという考え方です。これが先述の「医学モデル」という概念です。

しかしながら、いくら治療やリハビリテーションを行ったとしても、一定の障害が残る場合はあります。また、生まれつき重度の障害のある子どもや進行性の難病の人などの場合、社会的不利を軽減する方法がないのかという疑問にもぶつかります。

もともとICIDHは試用のために発行されたものでしたので、長い時間をかけてさまざまな検討が重ねられ、これらの疑問を解消するために、新たにICFが発表されました。

## 2 ICFでの障害のとらえ方

ICFでは、生活機能を心身機能・身体構造（生命レベル）、活動（生活レベル）、参加（人生レベル）の3つのレベルに分類し、さらに背景因子として環境因子と個人因子を加えました。そして、すべての構成要素間には双方向性の相互作用があるとされました（図1－2）。

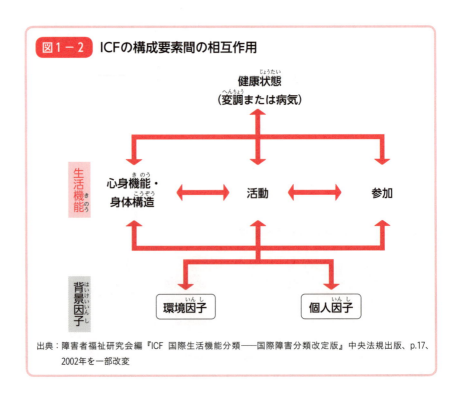

図1－2 ICFの構成要素間の相互作用

出典：障害者福祉研究会編『ICF 国際生活機能分類――国際障害分類改定版』中央法規出版、p.17、2002年を一部改変

第 1 節　障害の概念

　先述と同様の例で説明すれば、「脳血管障害により、片麻痺・構音障害が生じ、歩行不能、会話不能、着替えができない、入浴できないなどの能力障害を引き起こした。しかし、制度によって車いすを入手し、操作の練習により狭い室内での移動を獲得した。また、福祉サービスを利用して、入浴等のできない動作には介護を取り入れ、片麻痺でも就労可能なように環境を調整した。そして、会社に復帰することが可能となる」となります。

　「環境因子」（制度等の社会資源も含まれる）を活用することにより、「参加」が可能となるという、「社会モデル」にもとづいた概念も取り入れられています。いわば、「医学モデル」と「社会モデル」を統合した統合モデルという概念で障害をとらえているのです。

　この例では、その後、社会参加の幅を広げ、会社だけでなく趣味の仲間とも交流をもち、身体をよく動かすようになって意欲が向上し、よく笑うようになり充実した人生を送るということも想定されています。

　「参加」により「活動」や「個人因子」も変化していくということがありうるわけです。このような理由から、ICFの構成要素をつなぐすべての矢印が双方向になっているのです。

## 3　障害者の概数

　厚生労働省の障害者に関する統計調査によれば、障害者（児）の総数は、964万7000人と推計されています（図1－3）。この総数は、日本の人口の約7.6％に相当しています。そのうち、身体障害者（児）は436万人、知的障害者（児）は109万4000人、精神障害者は419万3000人です。

　障害者（児）総数のうち、在宅の障害者（児）は、914万人で全体の94.7％を占めており、施設等に入所・入院している障害者（児）は50万7000人で5.3％の割合です。

　施設等に入所・入院している障害者（児）を障害種別にみると、知的障害者（児）の割合がもっとも高く13.2万人で、全体の12.1％となっています。その次に、入院している精神障害者が30万2000人で、全体の7.2％となっており、身体障害者（児）の施設入所割合はもっとも低く7万3000人で、全体の1.7％となっています。

　年齢別にみると、障害者（児）の総数のうち、65歳未満が48％、65歳

> **図1-3** 障害者の数

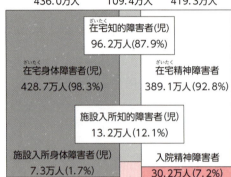
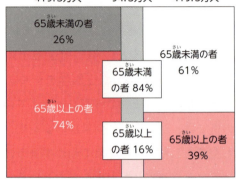

※身体障害者（児）及び知的障害者（児）数は平成28年（在宅）、平成30年（施設）の調査等、精神障害者数は平成29年の調査による推計。年齢別の身体障害者（児）、知的障害者（児）数は在宅者数（年齢不詳を除く）での算出。なお、身体障害者（児）には高齢者施設に入所している身体障害者は含まれていない。
※平成28年の調査における在宅身体障害者（児）及び在宅知的障害者（児）は鳥取県倉吉市を除いた数値である。
※在宅身体障害者（児）、在宅知的障害者（児）は、障害者手帳所持者数の推計。障害者手帳非所持で、自立支援給付等（精神通院医療を除く。）を受けている者は19.4万人と推計されるが、障害種別が不明のため、上記には含まれていない。
※複数の障害種別に該当する者の重複があることから、障害者の総数は粗い推計である。
資料：厚生労働省

以上が52％と、やや65歳以上が上回っています。

　障害種別に年齢をみると、身体障害者（児）は65歳未満が26％、65歳以上が74％となっており、高齢者の割合が圧倒的に高くなっています。知的障害者（児）では65歳未満が84％、65歳以上が16％であり、精神障害者では65歳未満が61％、65歳以上が39％となっており、身体障害者（児）と比較して高齢者の割合は低くなっています。

　しかし、前回調査と比べるといずれの障害種別でも高齢化が進み、障害者数は増加傾向にあります。

# 4 障害者の定義

　日本の障害者に関する法的定義は、障害福祉サービスの利用や障害基

礎年金の受給資格、**障害者雇用率❺**の算定対象など、関係法律の目的によってそれぞれ異なっています。ここでは、障害福祉サービスの利用に関係する法律の定義をみていきます。

**❺障害者雇用率**
p.37参照

## 1　障害者基本法による定義

障害者基本法は、障害者の自立および社会参加の支援等のための施策に関し、基本的理念を定めており、障害者に関係する法律の基本となっています。**障害者基本法の定義❻**は、第2条に規定されています。

**❻障害者基本法の定義**
p.4 参照

## 2　障害者総合支援法による定義

**障害者の日常生活及び社会生活を総合的に支援するための法律**（以下、**障害者総合支援法**）は、おもに障害者へのサービス給付を規定した法律です。この法律にもとづいて、障害者は居宅介護、短期入所、生活介護、自立訓練等の障害福祉サービスや補装具等のサービスを利用することができます。この法律の障害者の定義は第4条に規定されています。

福祉サービス等を提供する対象として考えた場合、障害のある人を幅広くとらえすぎると、どのような人がサービスを受ける対象なのかが明確ではなくなってしまいます。

---

**障害者総合支援法**
（定義）
**第4条**　この法律において「障害者」とは、身体障害者福祉法第4条に規定する身体障害者、知的障害者福祉法にいう知的障害者のうち18歳以上である者及び精神保健及び精神障害者福祉に関する法律第5条に規定する精神障害者（発達障害者支援法（平成16年法律第167号）第2条第2項に規定する発達障害者を含み、知的障害者福祉法にいう知的障害者を除く。以下「精神障害者」という。）のうち18歳以上である者並びに治療方法が確立していない疾病その他の特殊の疾病であって政令で定めるものによる障害の程度が厚生労働大臣が定める程度である者であって18歳以上であるものをいう。
2　この法律において「障害児」とは、児童福祉法第4条第2項に規定する障害児をいう。

---

障害者総合支援法における障害者（18歳以上）・障害児（18歳未満）は、身体障害者福祉法などの関係法律を根拠としています。また、いわ

**第1節　障害の概念**

**第1章　障害の概念と障害者福祉の基本理念**

9

**❼難病等**

2013（平成25）年４月から障害者総合支援法に定める障害児・者の対象に難病等が加わり、障害福祉サービス、相談支援等の対象となった。366の疾病が対象となっている（2021（令和３）年11月現在）。

ゆる難病等❼の者も含まれます。

## 3 身体障害者の定義

**身体障害者福祉法**では、第４条において身体障害者を定義しており、**身体障害者手帳**の交付を受けていることが要件となっています。

---

**身体障害者福祉法**

（身体障害者）

**第４条** この法律において、「身体障害者」とは、別表に掲げる身体上の障害がある18歳以上の者であって、都道府県知事から身体障害者手帳の交付を受けたものをいう。

---

身体障害者手帳は、視覚障害、聴覚または平衡機能の障害、肢体不自由、心臓・じん臓などの内部障害等の障害がある者で、その障害の程度が１級から６級に該当するものに交付されます。

## 4 知的障害者の定義

**知的障害者福祉法**では、知的障害者の定義が規定されていません。現在、知的障害者の定義として一般的に用いられているのは、「療育手帳制度について」（昭和48年９月27日厚生省発児第156号）による定義です。

**❽療育手帳**

療育手帳は法律による判定基準は存在しないため、「療育手帳制度について」（通知）にもとづき、都道府県知事または指定都市の長が療育手帳（またそれに準ずるもの）を交付している。「愛の手帳」「みどりの手帳」「愛護手帳」など、自治体によって名称が異なる。

療育手帳❽に関するこの通知において「手帳は、児童相談所又は知的障害者更生相談所において知的障害であると判定された者(以下「知的障害者」という。)に対して交付する」とされています。

その障害の程度は、18歳以上の場合、日常生活において常時介護を要する程度のものを重度のA区分とし、それ以外のものをB区分としています。一般的に「知的機能」は、標準化された知能検査による知能指数がおおむね70までの者、「日常生活能力」は、自立機能、運動機能、意思交換、探索操作、移動、生活文化、職業等について総合的に判定されています。

## 5 精神障害者の定義

**精神保健及び精神障害者福祉に関する法律**（以下、**精神保健福祉法**）

は、第 5 条において精神障害者を定義しています。

---

精神保健福祉法
（定義）
第 5 条　この法律で「精神障害者」とは、統合失調症、精神作用物質による急性中毒又はその依存症、知的障害、精神病質その他の精神疾患を有する者をいう。

---

精神障害者保健福祉手帳の交付については精神保健福祉法第45条に定められており、1 級から 3 級までの障害等級があります（表 1 － 2）。ただし、知的障害者には療育手帳の制度があるため、精神障害者保健福祉手帳の交付対象からは除かれています。

### 表 1 － 2　精神障害者保健福祉手帳の障害等級

| 障害等級 | 障害の状態 |
|---|---|
| 1 級 | 精神障害の状態が、日常生活の用を弁ずることを不能ならしめる程度のもの |
| 2 級 | 精神障害の状態が、日常生活でいちじるしい制限を受けるか、または日常生活にいちじるしい制限を加えることを必要とする程度のもの |
| 3 級 | 精神障害の状態が、日常生活もしくは社会生活が制限を受けるか、または日常生活もしくは社会生活に制限を加えることを必要とする程度のもの |

## 6　障害児の定義

児童福祉法では、第 4 条第 2 項において障害児を定義しています。

---

児童福祉法
第 4 条
②　この法律で、障害児とは、身体に障害のある児童、知的障害のある児童、精神に障害のある児童（発達障害者支援法（平成16年法律第167号）第 2 条第 2 項に規定する発達障害児を含む。）又は治療方法が確立していない疾病その他の特殊の疾病であって障害者の日常生活及び社会生活を総合的に支援するための法律（平成17年法律第123号）第 4 条第 1 項の政令で定めるものによる障害の程度が同項の厚生労働大臣が定める程度である児童をいう。

児童福祉法の定義では、身体、知的、精神に障害のある児童とされ、手帳の所持は要件となっていません。また、発達障害児が含まれることが明記されているほか、障害者総合支援法の対象となるいわゆる難病等の児童も含まれます。

◆ 参考文献

● 第26回障がい者制度改革推進会議「資料 2　「障害」の表記に関する検討結果について（「障害」の表記に関する作業チーム）」平成22年11月22日

# 第2節

# 障害者福祉の基本理念

## 学習のポイント

■ ノーマライゼーションの思想のあゆみを学ぶ
■ リハビリテーションの意義を学ぶ
■ インクルージョンやその他の重要な理念について学ぶ

| 関連項目 | ① 『人間の理解』 ▶ 第1章「人間の尊厳と自立」 |
| | ③ 『介護の基本Ⅰ』 ▶ 第1章「介護福祉の基本となる理念」 |
| | ③ 『介護の基本Ⅰ』 ▶ 第4章「自立に向けた介護」 |

# 1 ノーマライゼーション

## （1）ノーマライゼーションとは

　ノーマライゼーション（normalization）は、動詞のnormalizeに状態を示す-tionをつけた造語で、ノーマルな状態を維持（提供）しつづけたときの結果をあらわす用語です。当初は知的障害者の問題から始まりましたが、現在ではほかの領域でも広く一般的に用いられている思想といえます。デンマークのバンク-ミケルセン（Bank-Mikkelsen, N. E.）がノーマライゼーション原理を法律として実現化し、スウェーデンのニィリエ（Nirje, B.）、アメリカのヴォルフェンスベルガー（Wolfensberger, W.）によって体系化されていきました。

## （2）ノーマライゼーション原理

### ■ バンク-ミケルセンのノーマライゼーション原理

　バンク-ミケルセン❶は、ノーマライゼーションとは人権そのものであり、社会的支援を必要としている人々を「いわゆるノーマルな人にすることを目的としているのではなく、その障害を共に受容することであり、彼らにノーマルな生活条件を提供すること」と定義しました。現在では、世界にも通じる概念として広く支持されています。

❶バンク-ミケルセン

Neils Erik Bank-Mikkelsen（1919～1990）。デンマークの社会運動家。ノーマライゼーションを提唱し、社会省の行政官としてその理念を法律（いわゆる1959年法）に盛りこむなど、知的障害者の福祉向上に尽力した。「ノーマライゼーションの父」と呼ばれる。

## ❷ニィリエ

Bengt Nirje (1924～2006)。デンマークのバンク－ミケルセンが提唱したノーマライゼーションの理念を受け、1960年代にスウェーデンのニィリエは、障害者であっても、住居や教育、労働環境、余暇の過ごし方など、日常生活の条件をできる限り、障害のない人と同じような条件にする「ノーマライゼーションの8つの原理」を提唱した。「ノーマライゼーションの育ての親」といわれている。

## ❸ヴォルフェンスベルガー

Wolf Wolfensberger (1934～2011)。1950年代以降、アメリカに広がったノーマライゼーションを独自に再構築して発展させた。1983年には、ノーマライゼーションの原理にかわる新しい学術用語として「ソーシャルロール・バロリゼーション (Social Role Valorization：「価値のある社会的な役割の獲得」)」を提唱した。

## ❷ ニィリエのノーマライゼーション原理

ニィリエ❷は、「知的障害者に対して可能なかぎりノーマルに近い生存を得させる」というバンク－ミケルセンの言葉を引用しながら、「社会の主流となっている規範やパターンに可能な限り近接するような日常生活のパターンや条件を知的障害者に可能とすること」と定義しました。また、ノーマライゼーションの理念を次の8つの側面に構造化しました。「ノーマライゼーションの8つの原理」と呼ばれるものです。

① 1日のノーマルなリズム

② 1週間のノーマルなリズム

③ 1年間のノーマルなリズム

④ ライフサイクルにおけるノーマルな発達的経験

⑤ ノーマルな個人の尊厳と自己決定権

⑥ その文化におけるノーマルな性的関係

⑦ その社会におけるノーマルな経済的水準とそれを得る権利

⑧ その地域におけるノーマルな環境形態と水準

## ❸ ヴォルフェンスベルガーのノーマライゼーション原理

ヴォルフェンスベルガー❸は、「文化―特定的」にノーマライゼーション原理の概念を再構築しました。「文化―特定的」とは、「文化が異なることによって、通常ということの意味が違ってくることから、特定の文化には、特定の通常がある」という考え方です。それをふまえてノーマライゼーションを「可能なかぎり文化的に通常となっている手段を利用することで、可能なかぎり文化的に通常とされる個人の行動や特徴を確立したり、維持すること」と定義しました。

# 2 リハビリテーション

## （1）リハビリテーションとは

リハビリテーション（rehabilitation）は、更生、社会復帰、機能回復訓練などと訳されますが、これらの訳はきわめて一面的な訳でしかありません。語源は、接頭辞のre-（再び）と、語幹はラテン語の形容詞に由来するhabilis（適した、fitと同義）-ation（～にすること）からなっており、「再び適したものにすること」（to make fit again）を意味します。すなわち、リハビリテーションとは、「人間たるにふさわし

い権利・資格・尊厳・名誉が何らかの原因によって傷つけられた人に対し、それらを回復すること」を意味しています。歴史的には、中世のヨーロッパで、王がいったん剝奪した臣下の地位・身分を回復することや「破門の取消し」という宗教的な意味で使われました。近代に入って宗教関連ではない意味でも使われるようになり、名誉の回復、とくに「無罪の罪の取消し」をさすようになりました。リハビリテーションという語が障害者について用いられるようになったのは、1910年代から1920年代にかけての英米で、障害者のための医療・福祉の活動を、統合的にリハビリテーションと呼ぼうということが提唱されてからです。リハビリテーションとは、個々の身体部位の機能回復のみを目的とするのではなく、障害をもつ人間を全体としてとらえ、その人が再び「人間らしく生きられる」ようになること、すなわち全人間的復権を目標としています。

　リハビリテーションの定義については、1969年に世界保健機関（WHO）が、「リハビリテーションとは、医学的、社会的、教育的、職業的手段を組み合わせ、かつ、相互に調整して、訓練あるいは再訓練することによって、障害者の機能的能力を可能な限りの最高レベルに達せしめることである」とし、医学的リハビリテーション、社会的リハビリテーション、教育的リハビリテーション、職業的リハビリテーションの4つの専門的な分野を明確にしました。

　その後、国際連合（以下、国連）が1982年の「障害者に関する世界行動計画」のなかで、「リハビリテーションとは、身体的、精神的、かつまた社会的に最も適した機能水準の達成を可能とすることによって、各個人が自らの人生を変革していくための手段を提供することを目指し、かつ、時間を限定したプロセスである」と定義しました。

## （2）リハビリテーションの展開

　1914年に始まった第1次世界大戦による戦傷者に対する機能回復訓練や職業訓練をきっかけに、障害者分野におけるリハビリテーションが発展しました。1920年代から1930年代には、**ポリオ（急性灰白髄炎）**❹という大問題に取り組むことによってその学問的・技術的基礎を築き、対象者を広げていきました。1939年から始まった第2次世界大戦は、より多くの戦傷者を生み出しましたが、その人たちに対する治療や社会復帰に加え、障害がある一般市民へのリハビリテーションも実施されるよう

❹ポリオ（急性灰白髄炎）

エンテロウイルス属に分類されるポリオウイルスによる感染症。経口的にヒトの体内に入ったウイルスは、咽頭や小腸の粘膜で増え、血流を通して中枢神経系へ達し、脊髄運動神経に感染といった症状を示す。

になり、運動機能の回復を中心とした治療技術が発展しました。第2次世界大戦以降、リハビリテーションの対象は、戦傷者だけでなく、高齢者、疾病や事故による障害者、精神障害者などに広がりました。

　1960年代にアメリカで起こった自立生活運動（IL運動）は、世界に大きな影響を与えました。これは、アメリカのカリフォルニア大学バークレー校の学生だったロバーツ（Roberts, E.）らが中心となり起こった運動です。「重度の障害があっても自分の人生を自立して生きる」という考えのもと、自己決定できるように必要な社会サービスの構築を求めていきました。

　IL運動により、リハビリテーションの主体は障害者本人にあることが強調され、さらにノーマライゼーション理念の影響も受けながら、障害のあるなしにかかわらない社会の実現をめざすようになりました。その結果、障害者自身が運営し、障害者の権利擁護や、地域における自立生活に必要なサービスを供給する自立生活センター（Center for Independent Living：CIL）が設立され、その活動は世界に広がっていきました。

## （3）リハビリテーションの4つの領域

　リハビリテーションとは、障害のある人が1人の人間として社会のなかで充実した生活が営めるように、身体的、精神的、教育的、社会的、職業的、経済的機能を最大限に回復させることを目的としており、目的達成のためには、福祉や医療など、さまざまな専門職の連携が必要です。一般的にリハビリテーションは、以下の4つの分野に分類されます。

### ■1 医学的リハビリテーション

　医学的リハビリテーションとは、医師、理学療法士、作業療法士、言語聴覚士など、おもに医療職種によって行われるリハビリテーションの一過程で、病気の治療や機能回復訓練などを行うことです。

### ■2 社会的リハビリテーション

　社会的リハビリテーションとは、社会のなかで生活する力（social functioning ability：SFA）を身につけることを目的としたリハビリテーションの一領域です。具体的には、さまざまな社会的な状況のなかで自分のニーズを満たし、可能な限り最大限の豊かな社会参加が実現できるように援助する過程です。

### 3 教育的リハビリテーション

**教育的リハビリテーション**とは、先天性の原因や発達途上における後天的な原因により障害をもつことになった児童に対して、日常生活活動の獲得や学校教育、進路指導などを行うことです。

### 4 職業的リハビリテーション

**職業的リハビリテーション**とは、身体的および精神的障害のある人が適切な職業につき、かつそれを継続できるようにするための職業上の援助を行う、継続的で総合的なリハビリテーションの一過程です。

## 3 インクルージョン

### （1）インクルージョンの展開

**インクルージョン**は、1980年代末から1990年代初頭に、教育分野で登場してきました。教育分野では、古くからノーマライゼーション原理の影響を受けて**インテグレーション**（integration）という考え方がありました。インテグレーションは「統合」という意味で、障害児教育分野では、障害児を可能な限り通常学級内で受けとめるような試みがなされてきました。しかし、このインテグレーションでは場の共有だけで終わってしまうこともあり限界がみえてきました。そこで、障害児を含むすべての多様な子どもが必要かつ適切なサポートを受けつつ通常学校（学級）で教育指導を受けることができるよう、通常教育の見直しを行う過程としてインクルージョンが展開されました。

### （2）ソーシャルインクルージョンとは

現在、世界的に障害者の教育・福祉・労働をはじめとした各種の社会福祉施策分野で、**ソーシャルインクルージョン**（social inclusion）という用語が用いられており、日本語では「社会的包摂」と訳されています。ソーシャルインクルージョンとは、おもにイギリスやフランスで用いられた社会政策上の理念で、障害者や高齢者、ひきこもり、ホームレスや外国籍の人など、あらゆる人が包みこまれて共に生きる社会のあり方を示す言葉です。

ソーシャルインクルージョンの反対語である「社会的排除」を意味する用語は、ソーシャルエクスクルージョン（social exclusion）です。

# 4 エンパワメント

## （1）エンパワメントとは

エンパワメントという言葉から、みなさんは具体的にどのようなイメージをもつでしょうか。

英語の"empowerment"は、英和辞典をみると「権限を与えること、政治的権力強化、能力を高めること」などと記載されており、17世紀に法律用語として「公的な権威や法律的な権限を与えること」という意味で用いられていました。その後 1950年から1960年代にアメリカを中心として広まった公民権運動や1970年代のフェミニズム運動のなかで、エンパワメントの概念が注目されました。国際的に援助を必要とする難民や貧困の問題において、社会的にも、政治的にも抑圧された人々への支援の手法として用いられ、医療、看護や社会福祉などの分野に導入されていきました。日本では、エンパワメントは『広辞苑 第6版』に「力をつけさせること」と記載されており、現在ではさまざまな分野や文脈で使用されている比較的新しい概念です。

エンパワメントは、同じ環境にある人々のなかや社会・組織などのなかで差別を受けていたり、本来もっているべき権利や能力などを何らかの形で奪われていたりする人──いわゆる抑圧されている人々──が、実践者等の支援をえながら、その権利や能力を取り戻し、抑圧から解放されるプロセスであり、結果であるといえます。

「エンパワーされる」ということは、個人や家族、そして集団がさまざまな面で力をつけることです。エンパワメントは個人に対しては人間関係の修正や自己の成長、自己評価が高くなるなどの効果があるといわれています。

## （2）介護福祉におけるエンパワメントの理解

介護福祉におけるエンパワメントは、利用者本人の力や家族の力に加えて、ケアを提供する介護福祉職の支援の力を高めることができます。そのために、利用者本人、家族、そして介護福祉職のもつ潜在的な能力と可能性を、どのように引き出していくかが重要です。そして、単に引き出すだけではなく、利用者がかかえる課題を、どのように利用者自身が解決できるように支援するかということが重要です。

第2節　障害者福祉の基本理念

エンパワメントで重要なことは、支援者、利用者ともに依存しない関係をつくるということがあげられます。絶妙な距離を保ちながら、付かず離れず支援を行い、利用者がエンパワーされたあとは、それを見守り、気づかないうちに支援が必要なくなっているというのが理想ともいわれています。

このような支援をエンパワメント・アプローチと呼び、人々が何らかの原因で失ってしまった主体性や能力を取り戻し、可能な限り自分たちの課題を自分たちで解決していく力を強めていくことをめざしています。

私たちがエンパワメントを実践するうえで、ストレングスという概念が非常に重要になってきます。

# 5 ストレングス

## （1）ストレングスとは

福祉における**ストレングス**とは、支援を必要としている人のもっている意欲や能力、希望や長所などを含む意味をもちます。ストレングス（strengths）は「強さ、力、能力、精神的な強さ」等の意味をもつ“strength”の複数形です。日本語では、過去に「強さ」や「強み」等とも訳されています。近年では、身体的にも、心理的にも、広く「力」に関する意味をもつとされ、「ストレングス」のまま用いられることが一般的です。

## （2）ストレングス実践の概要

ストレングスは、1980年代にアメリカのカンザス大学のラップ（Rapp, C. A.）を中心としたグループによって「ストレングスモデル」として提唱されました。ラップらは、精神障害のある人々の実証的研究を行うなかで、社会や今まで支援してきた専門職のかかわりが、かえって抑圧につながっている点を指摘しました。かつては、病気や障害などの診断を中心とする医学モデルの考え方のもとに、本人のできないことや課題に着目されていました。また、治療や支援は専門職の意見や解釈主体で行われ、治療や支援を受ける本人の意思や希望が尊重されることはむずかしいとされていました。ストレングスモデルは、精神障害のあ

**❺リカバリー**
障害があっても、人として尊重され、充実した社会生活を送り、地域社会に参加できるようになること。

る人への支援で重要な**リカバリー❺**という概念とともに、専門職が主導する従来の支援とはまったく異なるアプローチとして広まっていきました。

## （3）介護福祉におけるストレングス理解

　ストレングスモデルは、1980年代当初は精神障害のある人々に対して、ストレングスアプローチを基盤として実践されていきました。しかし、すぐに雇用分野や児童分野など、多くの分野で応用されました。日本においては、ケアマネジメントの領域において、ケアプラン作成にかかる重要な要素の1つとして導入されています。

　ストレングスの理解で重要なことは、「自分自身のことは、自分自身で考え、自己決定できること」を介護福祉職が尊重し、支援することではないでしょうか。多くの場合、支援を必要とする人々は、その本来の力を発揮できていない状態で介護福祉職とのかかわりがはじまります。介護福祉職をはじめとする支援者は、利用者の潜在的な力を見つけ、それを活かす支援を行うことが、介護福祉におけるストレングス理解の第一歩となります。その意味では、ストレングス視点からエンパワメントにつなげていくことは、利用者自らが選択し、問題を解決していくための非常に重要なポイントになります。

# 6 国際障害者年

## （1）国際障害者年とは

　国連は、1970年代ごろから障害者施策の推進にかかる議決等を何度も行い、国際的な影響を与えてきました。

　国連は1981年を**国際障害者年**と定めるとともに、**完全参加と平等**をテーマにかかげ、各国の取り組みを求めることになりました。

　日本でもこれを受けて、「国際障害者年推進本部」を総理府（現・内閣府）に設置すること等を定め、関係行事や事業が行われるなど、障害者施策の総合的推進がいっそう大きく進むこととなりました。

## （2）国際障害者年の理念

　これまで、障害者に対する社会一般の理解や態度は、「弱者」として

「非生産的」な存在としてとらえられがちであり、障害者対策も救貧的、弱者保護的な側面が強かったという指摘がなされていました。

しかし、「すべての障害者は1人の人間としてその尊厳を有するものであり、障害があってもできる限り通常の人々と同様な生活をおくれるようにする」という、いわゆるノーマライゼーション❻の理念が、国際障害者年を契機に日本にも徐々に浸透していきました。

国際障害者年の理念として、もう1つ重視されたのがリハビリテーション❼でした。「機能障害は必ずしも能力障害を生ずるものではなく、また、能力障害が常に社会的不利に結びつくものでもない。機能障害があってもリハビリテーションにより残存能力が強化されれば、能力障害の程度は軽くなるし、職場や住宅等の社会環境が適切に整備されれば能力障害があっても障害者が健常者と同様な社会生活を営むことが可能となる」と当時の厚生白書[1]に記載されています。

ICIDH❽での障害のとらえ方をふまえながらも、社会環境の整備にふれ、この考え方も含めたリハビリテーションの重要性が啓発されました。当時はまだ障害者の福祉制度が十分でなく、医療サービスにゆだねられていた面も多々あったと思われます。

この2つの理念を密接に関連させながら、障害者をとらえなおそうとしていた時代だったのです。

❻ ノーマライゼーション
p.13参照

❼ リハビリテーション
p.14参照

❽ ICIDH
p.5参照

写真　国際障害者年記念国民会議
（写真提供：公益財団法人日本障害者リハビリテーション協会）

# 7 障害者権利条約

## （1）障害者権利条約とは

　国連総会で、障害者の権利に関する条約（以下、障害者権利条約）が採択されたのは、2006年12月のことです。

　この条約は、障害者の人権や人が生まれながらにもっている基本的自由についての権利を確保し、障害者の固有の尊厳の尊重を促進することを目的とした、障害者に関するはじめての国際条約です。

## （2）障害者権利条約の目的

　障害者権利条約は、その名のとおり、障害者の権利を実現するための措置等について規定しています。内容は、条約の原則（無差別、平等、社会への包容等）、政治的権利、教育・健康・労働・雇用に関する権利、社会的な保障、文化的な生活・スポーツへの参加、国際協力、締約国による報告等、幅広いものとなっています。

　条約の目的は、「全ての障害者によるあらゆる人権及び基本的自由の完全かつ平等な享有を促進し、保護し、及び確保すること並びに障害者の固有の尊厳の尊重を促進すること」です（第1条）。

　条約では、障害者の定義を「長期的な身体的、精神的、知的又は感覚的な機能障害であって、様々な障壁との相互作用により他の者との平等を基礎として社会に完全かつ効果的に参加することを妨げ得るものを有する者を含む」と規定しています（第1条）。

## （3）合理的配慮

　条約では、合理的配慮という考え方が取り入れられ、障害者の人権と基本的自由を確保するための「必要かつ適当な変更及び調整」であって、「均衡を失した又は過度の負担を課さないもの」と定義されています（第2条）。そして、障害にもとづく差別には「合理的配慮の否定」が含まれます。

　すべての障害者が、他の者と平等の権利をもっていることを認め、障害者が地域社会に包容され、参加することができるよう、効果的な措置をとることを定めています。

　また、教育や雇用の分野においても合理的配慮を提供することなどが

定められています。

## （4）「障害者権利条約」批准のための日本での取り組み

締約国が自国の法律上・行政上の制度にしたがって「条約の実施を監視するための枠組み」を自国内に設置することを定めています。

日本では、この規定を念頭に、2011（平成23）年に障害者基本法が改正され、障害者、障害者の自立・社会参加に関する事業の従事者および学識経験者から構成される障害者政策委員会が内閣府に設置されています。

条約の起草の段階から、各国の障害者団体には傍聴できるだけでなく、発言する機会も設けられました。

それは、障害者のあいだで使われているスローガン"Nothing about us, without us"（私たちのことを、私たち抜きに決めないで）にあらわれています。障害者が自身にかかわる問題に主体的に関与するとの考え方を反映し、名実ともに障害者のための条約を作成しようという、国際社会の総意のあらわれでした。

この条約では、障害のとらえ方について、第1章第1節でふれたように、「障害は様々な障壁との相互作用によって生ずるものである」とされ、「社会モデル」の概念が取り入れられています。

日本では、この条約を批准するためにさまざまな法律の改正や立法が行われました（表1-3）。そのすべてに、障害者権利条約の理念が盛りこまれました。

**表1-3** 障害者権利条約の批准に向けた主な法改正等

| | |
|---|---|
| 障害者基本法の改正 | 2011（平成23）年8月 |
| 障害者総合支援法の成立 | 2012（平成24）年6月 |
| 障害者差別解消法の成立 | 2013（平成25）年6月 |
| 障害者雇用促進法の改正 | 2013（平成25）年6月 |

# 8 アドボカシー

## （1）アドボカシーとは

　意思表明が困難な知的障害のある人や精神障害のある人など、本来個々人がもつ権利をさまざまな理由で行使できない状況にある人に代わり、その権利を代弁・擁護し、権利実現を支援する機能を**アドボカシー**（advocacy）、代弁・擁護者を**アドボケイト**（advocate）といいます。

　ベイトマン（Bateman, N.）は、アドボカシーを具体的に実践するときの原則として以下の6項目をあげています[2]。

① 　常にクライエント（相談者）の最善の利益に向けて行動する
② 　クライエントの自己決定を徹底的に尊重する
③ 　クライエントに対して逐一正確な情報を提供する
④ 　努力と有能さでクライエントの指示を実行する
⑤ 　クライエントに対して、率直で主体的な助言を行う
⑥ 　クライエントの秘密を厳守する

　日常生活を支える介護福祉職は、どんなに障害が重くとも障害のある人の「意思」と「自己決定」を尊重する必要があります。障害をめぐるさまざまな問題を「人権問題」として考え、本人が人権を回復していく過程を援助する視点が大切です。

## （2）意思決定支援

　2017（平成29）年に厚生労働省は**「障害福祉サービス等の提供に係る意思決定支援ガイドライン」**を作成しました。これは、意思決定が困難な障害者に対して、障害福祉サービスの一環として**意思決定支援**を行うというものです。

　これまでは、日常生活における選択や施設入所を継続するかどうかといった大きな人生の選択の場面において、親や職員の想像によって「多分これでよいだろう」と、本人の意思を軽視してきた場面がありました。しかし、「意思決定支援ガイドライン」にもとづく支援では、あくまでも本人の自己決定を尊重することが求められます。

## （3）意思決定支援の基本原則

　ガイドラインでは、次の基本原則があげられています。

① 本人への支援は、自己決定の尊重にもとづき行うことが原則である。

（必要な情報の説明は、本人が理解できるよう工夫して行うこと。幅広い選択肢から選ぶことがむずかしい場合には、選択肢をしぼったなかから選べるようにしたり、絵カードや具体物を手がかりに選べるようにしたりするなど、本人の意思確認ができるようなあらゆる工夫を行い、本人が安心して自信をもち自由に意思表示できるよう支援すること）

② 職員等の価値観においては不合理と思われる決定でも、他者への権利を侵害しないのであれば、その選択を尊重するよう努める姿勢が求められる。

（本人が意思決定した結果、本人に不利益がおよぶことが考えられる場合には、意思決定した結果については最大限尊重しつつも、それに対して生じるリスクについて、どのようなことが予測できるかを考え、対応について検討しておくことが必要であること）

③ 本人の自己決定や意思確認がどうしてもむずかしい場合には、本人をよく知る関係者が集まって、本人の日常生活の場面や事業者のサービス提供場面での表情や感情、行動に関する記録などの情報に加え、これまでの生活史、人間関係等さまざまな情報を把握し、根拠を明確にしながら本人の意思や選好を推定する。

## ◆ 引用文献

1）厚生省編『昭和56年版　厚生白書』1981年
2）N.ベイトマン、西尾祐吾訳『アドボカシーの理論と実際──社会福祉における代弁と擁護』八千代出版、1998年

## ◆ 参考文献

● 河東田博『ノーマライゼーション原理とは何か──人権と共生の原理の探求』現代書館、2009年

● 清水貞夫『インクルーシブな社会をめざして──ノーマリゼーション・インクルージョン・障害者権利条約』クリエイツかもがわ、2010年

● 上田敏『リハビリテーションを考える──障害者の全人間的復権』青木書店、1983年

● 澤村誠志編著『リハビリテーション論』メヂカルフレンド社、2005年

● P.フレイレ、小沢有作・楠原彰・柿沼秀雄・伊藤周訳『被抑圧者の教育学（A. A. LA教育・文化叢書４）』亜紀書房、1979年

● 小田兼三・杉本敏夫・久田則夫編著『エンパワメント実践の理論と技法──これからの福祉サービスの具体的指針』中央法規出版、1999年

● 久木田純・渡辺文夫編「エンパワーメント──人間尊重社会の新しいパラダイム」『現代のエスプリ』第376号、1998年

● J.フリードマン、斉藤千宏・雨森孝悦監訳『市民・政府・NGO──「力の剥奪」からエンパワーメントへ』新評論、1995年

● 松岡廣路「福祉教育・ボランティア学習の新基軸──当事者性・エンパワメント」『日本福祉教育・ボランティア学習学会年報』第11巻、2006年

● チャールズ. A. ラップ・リチャード. J. ゴスチャ、田中英樹監訳『ストレングスモデル　第３版──リカバリー志向の精神保健福祉サービス』金剛出版、2014年

● 栄セツコ「病いの経験に意味を見出すストレングスモデル」『精神科』第25巻第６号、2014年

● 内閣府編『平成26年版　障害者白書』2014年

● 厚生省編『昭和56年版　厚生白書』1981年

● 外務省「障害者権利条約パンフレット」

● 厚生労働省「障害福祉サービス等の提供に係る意思決定支援ガイドライン」2017年

# 第3節

# 障害者福祉に関連する制度

## 学習のポイント

■ 障害者福祉に関する歴史を学ぶ
■ 障害者総合支援法にもとづくサービスを学ぶ
■ 障害者にかかる法律の概要について学ぶ

**関連項目**　② 『社会の理解』 ▶ 第5章「障害者保健福祉と障害者総合支援制度」
　　　　　② 『社会の理解』 ▶ 第6章「介護実践に関連する諸制度」

## 1 障害者総合支援法

### （1）障害者総合支援法とは

　**障害者の日常生活及び社会生活を総合的に支援するための法律**（以下、障害者総合支援法）は、2012（平成24）年6月に、前身である障害者自立支援法が改正され成立しました。

　この法律は、障害者等へのサービス給付等の支援を総合的に行い、障害の有無にかかわらず国民がお互いに人格と個性を尊重し安心して暮らすことのできる地域社会の実現に役立つことを目的としています。

　先に改正された障害者基本法の基本理念をふまえ、障害者権利条約でうたわれた障害の社会モデルの概念も反映されたものとなっています。

### （2）障害者総合支援法制定の経緯

　障害者へのサービス給付については、歴史的な経緯をみていく必要があります。

　**図1-4**は、障害保健福祉施策の現在にいたる経緯です。戦後からの発展過程を示しています。

　まず戦後、日本国憲法により基本的人権が規定され、障害者福祉に関するさまざまな法律が制定されました。当初は、障害者については施設入所中心の施策となっていました。

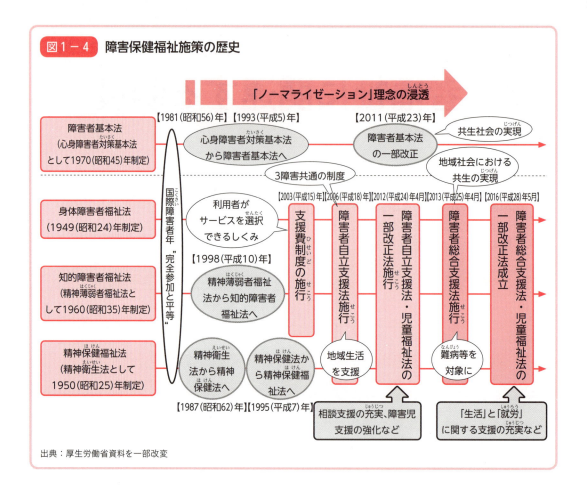

図1-4 障害保健福祉施策の歴史

出典：厚生労働省資料を一部改変

　障害保健福祉施策が大きく変わる契機となったのが、国連の**国際障害者年**[1]です。ノーマライゼーションの理念が浸透し、措置制度から利用契約制度となりました（**支援費制度**）。

　そして、身体・知的・精神の3障害へのサービス給付が一元化され（**障害者自立支援法**）、地域の共生社会の実現を目的とした障害者総合支援法へと進みました。

## （3）障害者総合支援法の福祉サービス

　図1-5は、障害者総合支援法にもとづく給付・事業の全体像を示したものです。

### 1 福祉サービスの給付

　サービス給付の主体となる**自立支援給付**には、「**介護給付**」「**訓練等給付**」「**相談支援（基本相談支援・地域相談支援・計画相談支援）**」「**自立支援医療**」「**補装具**」があります。市町村が実施主体となり、障害者・

[1] **国際障害者年**
p.20参照

第 3 節　障害者福祉に関連する制度

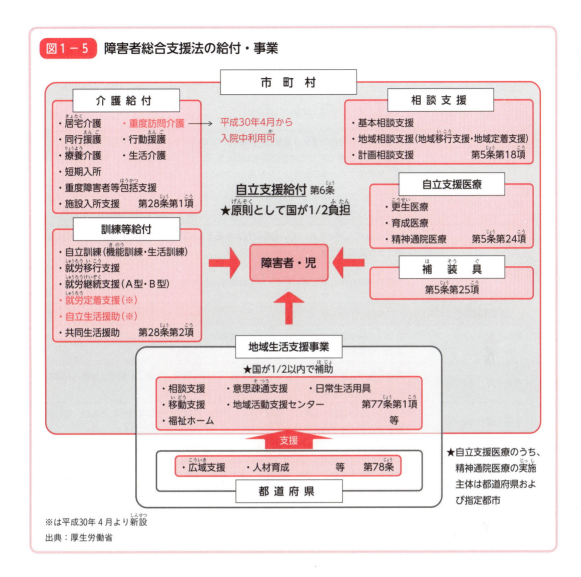

障害児に支給します。実際にサービス提供を行う事業者は、都道府県（一部市町村）から指定を受ける必要があります。

地域生活支援事業には、市町村事業と都道府県事業がありますが、市町村はおもに障害者・児に直接サービスを提供する事業を行い、都道府県はおもに人材育成（研修の実施）や広域支援（市町村間の調整等）を行い、市町村をバックアップします。

ただし、障害児の通所・入所の支援、障害児相談支援については、児童福祉法に規定されています。

各サービスの内容は表1－4のとおりです。

## 2 サービスの利用

サービス利用の手続き❷は、まず市町村の窓口に申請し、障害支援区

❷サービス利用の手続き
p.227参照

| 表1-4 | 福祉サービスの内容 |

| | 〈訪問系サービス〉 | サービス内容 |
|---|---|---|
| 介護給付 | 居宅介護（ホームヘルプ）（者・児） | 自宅で、入浴、排泄、食事の介護等を行う |
| | 重度訪問介護（者のみ） | 重度の肢体不自由者または重度の知的障害もしくは精神障害により行動上いちじるしい困難を有する者であって常に介護を必要とする者に、自宅で、入浴、排泄、食事の介護、外出時における移動支援、入院時の支援等を総合的に行う |
| | 同行援護（者・児） | 視覚障害により、移動にいちじるしい困難を有する者が外出するとき、必要な情報提供や介護を行う |
| | 行動援護（者・児） | 自己判断能力が制限されている者が行動するときに、危険を回避するために必要な支援、外出支援を行う |
| | 重度障害者等包括支援（者・児） | 介護の必要性がとても高い者に、居宅介護等複数のサービスを包括的に行う |
| | 〈日中活動系サービス〉 | |
| | 短期入所（ショートステイ）（者・児） | 自宅で介護する者が病気の場合などに、短期間、夜間も含めた施設で、入浴、排泄、食事の介護等を行う |
| | 療養介護（者のみ） | 医療と常時介護を必要とする者に、医療機関で機能訓練、療養上の管理、看護、介護および日常生活の世話を行う |
| | 生活介護（者のみ） | 常に介護を必要とする者に、昼間、入浴、排泄、食事の介護等を行うとともに、創作的活動または生産活動の機会を提供する |
| | 〈施設系サービス〉 | |
| | 施設入所支援（者のみ） | 施設に入所する者に、夜間や休日、入浴、排泄、食事の介護等を行う |
| 訓練等給付 | 〈居住支援系サービス〉 | |
| | 自立生活援助（者のみ） | 1人暮らしに必要な理解力・生活力等をおぎなうため、定期的な居宅訪問や随時の対応により必要な支援を行う |
| | 共同生活援助（グループホーム）（者のみ） | 夜間や休日、共同生活を行う住居で、相談、入浴、排泄、食事の介護、日常生活上の援助を行う |
| | 〈訓練系・就労系サービス〉 | |
| | 自立訓練（機能訓練）（者のみ） | 自立した日常生活または社会生活ができるよう、一定期間、身体機能の維持、向上のために必要な訓練を行う |
| | 自立訓練（生活訓練）（者のみ） | 自立した日常生活または社会生活ができるよう、一定期間、生活能力の維持、向上のために必要な支援、訓練を行う |
| | 就労移行支援（者のみ） | 一般企業等への就労を希望する者に、一定期間、就労に必要な知識および能力の向上のために必要な訓練を行う |
| | 就労継続支援（A型）（者のみ） | 一般企業等での就労が困難な者に、雇用して就労する機会を提供するとともに、能力等の向上のために必要な訓練を行う |
| | 就労継続支援（B型）（者のみ） | 一般企業等での就労が困難な者に、就労する機会を提供するとともに、能力等の向上のために必要な訓練を行う |
| | 就労定着支援（者のみ） | 一般就労に移行した者に、就労にともなう生活面の課題に対応するための支援を行う |

第3節 障害者福祉に関連する制度

| 〈障害児通所系サービス〉 | サービス内容 |
|---|---|
| 児童発達支援 | 日常生活における基本的な動作の指導、知識技能の付与、集団生活への適応訓練などの支援を行う |
| 医療型児童発達支援 | 日常生活における基本的な動作の指導、知識技能の付与、集団生活への適応訓練などの支援および治療を行う |
| 放課後等デイサービス | 授業の終了後または休校日に、児童発達支援センター等の施設に通わせ、生活能力向上のための必要な訓練、社会との交流促進などの支援を行う |
| 〈障害児訪問系サービス〉 | |
| 居宅訪問型児童発達支援 | 重度の障害等により外出がいちじるしく困難な障害児の居宅を訪問して発達支援を行う |
| 保育所等訪問支援 | 保育所、乳児院・児童養護施設等を訪問し、障害児に対して、障害児以外の児童との集団生活への適応のための専門的な支援などを行う |
| 〈障害児入所系サービス〉 | |
| 福祉型障害児入所施設 | 施設に入所している障害児に対して、保護、日常生活の指導および知識技能の付与を行う |
| 医療型障害児入所施設 | 施設に入所または指定医療機関に入院している障害児に対して、保護、日常生活の指導および知識技能の付与ならびに治療を行う |
| 〈相談支援系サービス〉 | |
| 計画相談支援（者・児） | 【サービス利用支援】<br>・サービス申請にかかる支給決定前にサービス等利用計画案を作成<br>・支給決定後、事業者等と連絡調整等を行い、サービス等利用計画を作成<br>【継続利用支援】<br>・サービス等の利用状況等の検証（モニタリング）<br>・事業所等と連絡調整、必要に応じて新たな支給決定等にかかる申請の勧奨 |
| 障害児相談支援（児通所のみ）[児童福祉法] | 【障害児支援利用援助】<br>・障害児通所支援の申請にかかる給付決定の前に利用計画案を作成<br>・給付決定後、事業者等と連絡調整等を行うとともに利用計画を作成<br>【継続障害児支援利用援助】 |
| 地域移行支援（者のみ） | 住居の確保等、地域での生活に移行するための活動に関する相談、各障害福祉サービス事業所への同行支援等を行う |
| 地域定着支援（者のみ） | 常時、連絡体制を確保し障害の特性に起因して生じた緊急事態等における相談、障害福祉サービス事業所等と連絡調整など、緊急時の各種支援を行う |
| 〈その他〉 | |
| 自立支援医療（者・児） | 【更生医療】（市町村）<br>・身体障害者で、その障害を除去・軽減する手術等の治療によって確実に効果が期待できる者に対して提供される、更生のために必要な自立支援医療費の支給を行う<br>【育成医療】（市町村）<br>・障害児（障害にかかる医療を行わないときは将来障害を残すと認められる疾患がある児童を含む）で、その身体障害を除去、軽減する手術等の治療によって確実に効果が期待できる者に対して提供される、生活の能力を得るために必要な自立支援医療費の支給を行う<br>【精神通院医療】（都道府県・指定都市）<br>・精神障害者で、通院による精神医療を継続的に要する病状にある者に対し、その通院医療にかかる自立支援医療費の支給を行う |

左側の縦見出し：
- 障害児支援にかかる給付（児童福祉法）
- 相談支援にかかる給付
- その他

| | | |
|---|---|---|
| その他 | 補装具（者・児） | 障害者が日常生活を送るうえで必要な移動等の確保や、就労場面における能率の向上をはかることおよび障害児が将来、社会人として独立自活するための素地を育成助長することを目的として、身体の欠損または損なわれた身体機能を補完・代替する用具について、補装具費を支給する |

分の認定を受けます。市町村は、**相談支援専門員**が作成する**サービス等利用計画案**などをふまえ、支給決定します。

支給決定されたあとには**サービス担当者会議**が開催され、連絡調整を行います。実際に利用する**サービス等利用計画**にもとづき、サービス利用が開始されます。

介護福祉職は、サービス担当者会議に参加し、サービス提供の内容等について調整していくことになります。

### ③ 利用者負担

利用者負担は、生活保護受給者および低所得者は無料であり、一般の所得がある人にも2段階の負担上限が設けられています。なお、自己負担以外の障害福祉サービスに関する財源については、全額税財源となっています。

## 2 障害者差別解消法

### （1）障害者差別解消法とは

**障害を理由とする差別の解消の推進に関する法律**（以下、**障害者差別解消法**）は、2013（平成25）年6月に制定され、2016（平成28）年4月から施行されました（図1－6）。

❸障害者権利条約
p.22参照

この法律は、**障害者権利条約**❸の締結に向けた国内法制度の整備の一環として、「全ての国民が、障害の有無によって分け隔てられることなく、相互に人格と個性を尊重し合いながら共生する社会の実現」に向け、障害を理由とする差別の解消を推進することを目的としています。

2013（平成25）年6月に改正された障害者基本法の第4条第1項においては「何人も、障害者に対して、障害を理由として、差別することその他の権利利益を侵害する行為をしてはならない」ことを規定し、差別の禁止を具体的に実行するために制定されました。

第 3 節　障害者福祉に関連する制度

| 図1-6 | 障害者差別解消法の概要 |

| 障害者基本法<br>第4条<br><br>基本原則<br>差別の禁止 | 第1項：障害を理由とする差別等の権利侵害行為の禁止 | 第2項：社会的障壁の除去を怠ることによる権利侵害の防止 | 第3項：国による啓発・知識の普及を図るための取組 |
|---|---|---|---|
| | 何人も、障害者に対して、障害を理由として、差別することその他の権利利益を侵害する行為をしてはならない。 | 社会的障壁の除去は、それを必要としている障害者が現に存し、かつ、その実施に伴う負担が過重でないときは、それを怠ることによつて前項の規定に違反することとならないよう、その実施について必要かつ合理的な配慮がされなければならない。 | 国は、第1項の規定に違反する行為の防止に関する啓発及び知識の普及を図るため、当該行為の防止を図るために必要となる情報の収集、整理及び提供を行うものとする。 |

**具体化**

**I．差別を解消するための措置**

**差別的取扱いの禁止**

国・地方公共団体等　民間事業者 ⇒ 法的義務

**合理的配慮の不提供の禁止**

国・地方公共団体等 ⇒ 法的義務
民間事業者 ⇒ 努力義務＊

**具体的な対応**

(1) 政府全体の方針として、差別の解消の推進に関する基本方針を策定（閣議決定）

(2)
●国・地方公共団体等⇒当該機関における取組に関する要領を策定※
●事業者　　　　　　⇒事業分野別の指針（ガイドライン）を策定　※地方の策定は努力義務

**実効性の確保**　●主務大臣による民間事業者に対する報告徴収、助言・指導、勧告

**II．差別を解消するための支援措置**

**紛争解決・相談**　●相談・紛争解決の体制整備⇒既存の相談、紛争解決の制度の活用・充実

**地域における連携**　●障害者差別解消支援地域協議会における関係機関等の連携

**啓発活動**　●普及・啓発活動の実施

**情報収集等**　●国内外における差別及び差別の解消に向けた取組に関わる情報の収集、整理及び提供

施行日：平成28年4月1日（施行後3年を目途に必要な見直し検討）
＊令和3年5月の改正により、努力義務から法的義務への変更が予定されている。

資料：内閣府

第1章　障害の概念と障害者福祉の基本理念

## （2）差別を解消するための取り組み

差別を解消するため、国・地方公共団体・民間事業者に、法的義務として不当な差別的取扱いの禁止が課されました。

❹合理的配慮
p.22参照

一方、**合理的配慮**❹の提供については、国・地方公共団体等は法的義務、民間事業者は努力義務となっていましたが、2021（令和3）年5月に障害者差別解消法が改正され、民間事業者にも義務づけられることとなりました。

さらに、①政府全体の方針として、差別の解消の推進に関する基本方針を策定すること、②国・地方公共団体等はこの基本方針にもとづき、それぞれの機関における取組に関する対応要領を策定すること（地方自治体の策定は努力義務）、③民間事業者は、主務大臣が事業分野別に策定する対応指針（ガイドライン）にもとづき対応すること、となりました。法律が正しく実行されるよう、主務大臣によって民間事業者への報告徴収、助言、指導、勧告を行うことができます。

ただし、雇用の分野における障害を理由とする差別の解消については、2013（平成25）年6月に改正された**障害者の雇用の促進等に関する法律**（以下、**障害者雇用促進法**）において対応しています。

## （3）差別を解消するための支援

差別を解消するための支援では、既存の相談・紛争解決の制度の活用、充実により対応すること、地域における連携のため、**障害者差別解消支援地域協議会**における関係機関等の連携を行うこと等を行うことになりました。

# 3 障害者虐待防止法

## （1）障害者虐待防止法とは

**障害者虐待の防止、障害者の養護者に対する支援等に関する法律**（以下、**障害者虐待防止法**）は、2011（平成23）年6月に制定されました。

この法律は、障害者に対する虐待が障害者の尊厳を傷つけるものであり、障害者の自立や社会参加にとって障害者虐待を防止することがきわめて重要であるため、障害者に対する虐待の禁止、国等の責務、障害者虐待を受けた障害者に対する保護および自立の支援のための措置、養護

第 3 節　障害者福祉に関連する制度

### 図1-7　障害者虐待防止法の概要

（平成23年6月17日成立、同6月24日公布、平成24年10月1日施行）

**[目的]**

障害者に対する虐待が障害者の尊厳を害するものであり、障害者の自立及び社会参加にとって障害者に対する虐待を防止することが極めて重要であること等に鑑み、障害者に対する虐待の禁止、国等の責務、障害者虐待を受けた障害者に対する保護及び自立の支援のための措置、養護者に対する支援のための措置等を定めることにより、障害者虐待の防止、養護者に対する支援等に関する施策を促進し、もって障害者の権利利益の擁護に資することを目的とする。

**[定義]**

1　「障害者」とは、身体・知的・精神障害その他の心身の機能の障害がある者であって、障害及び社会的障壁により継続的に日常生活・社会生活に相当な制限を受ける状態にあるものをいう。
2　「障害者虐待」とは、①養護者による障害者虐待、②障害者福祉施設従事者等による障害者虐待、③使用者による障害者虐待をいう。
3　障害者虐待の類型は、①身体的虐待、②放棄・放置、③心理的虐待、④性的虐待、⑤経済的虐待の5つ。

**[虐待防止施策]**

1　何人も障害者を虐待してはならない旨の規定、障害者の虐待の防止に係る国等の責務規定、障害者虐待の早期発見の努力義務規定を置く。
2　「障害者虐待」を受けたと思われる障害者を発見した者に速やかな通報を義務付けるとともに、障害者虐待防止等に係る具体的スキームを定める。

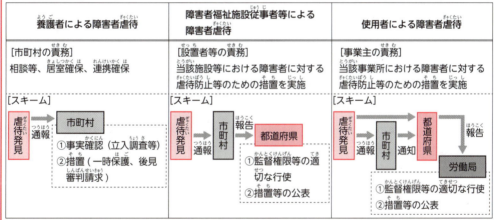

3　就学する障害者、保育所等に通う障害者及び医療機関を利用する障害者に対する虐待への対応について、その防止等のための措置の実施を学校の長、保育所等の長及び医療機関の管理者に義務付ける。

**[その他]**

1　市町村・都道府県の部局又は施設に、障害者虐待対応の窓口等となる「市町村障害者虐待防止センター」・「都道府県障害者権利擁護センター」としての機能を果たさせる。
2　市町村・都道府県は、障害者虐待の防止等を適切に実施するため、福祉事務所その他の関係機関、民間団体等との連携協力体制を整備しなければならない。
3　国及び地方公共団体は、財産上の不当取引による障害者の被害の防止・救済を図るため、成年後見制度の利用に係る経済的負担の軽減のための措置等を講ずる。
4　政府は、障害者虐待の防止等に関する制度について、この法律の施行後3年を目途に検討を加え、必要な措置を講ずるものとする。

※虐待防止スキームについては、家庭の障害児には児童虐待防止法を、施設入所等障害者には施設等の種類（障害者施設等、児童養護施設等、養介護施設等）に応じてこの法律、児童福祉法又は高齢者虐待防止法を、家庭の高齢障害者にはこの法律及び高齢者虐待防止法を、それぞれ適用。

資料：厚生労働省

者に対する支援のための措置等を定めることにより、障害者虐待の防止、養護者に対する支援等に関する取り組みを進め、これらをもって障害者の権利や利益の擁護に役立つことを目的とした法律です。

国や地方公共団体、障害者福祉施設従事者等、使用者（雇用主等）に障害者虐待の防止等のための責務を義務として位置づけ、障害者虐待を受けたと思われる障害者を発見した人に対しては通報義務が定められています（図1－7）。

### （2）障害者虐待の定義

障害者虐待とは、次の3つをいいます。
① 養護者による障害者虐待
② 障害者福祉施設従事者等による障害者虐待
③ 使用者による障害者虐待

障害者虐待の類型には、次の5つがあります。
① 身体的虐待（暴力、身体拘束など）
② 放棄・放置（いちじるしい減食や長時間の放置など。ネグレクトともいう）
③ 心理的虐待（いちじるしい暴言、いちじるしく拒絶的な対応など）
④ 性的虐待（わいせつな行為をすること、させること）
⑤ 経済的虐待（財産を不当に処分、不当に財産上の利益をえるなど）

## 4 障害者の就労支援

障害者の就労意欲は近年急速に高まっており、障害者が職業を通じ、誇りをもって自立した生活を送ることができるよう、障害者の就労支援が行われています。

障害者の就労支援には、一般企業等への就労支援（障害者雇用促進法にもとづく対応）と、就労継続支援事業所等での福祉的就労支援（障害者総合支援法にもとづく対応）の大きく分けて2つの対応があります。

### （1）一般企業等への就労支援（障害者雇用促進法）

障害者雇用促進法にもとづく対応については、民間企業に対して、雇用する労働者の2.3％に相当する障害者を雇用することを義務づけてい

ます（**障害者雇用率制度**）。これを満たさない企業からは納付金を徴収しており、この納付金をもとに雇用義務数より多く障害者を雇用する企業に対して調整金を支払ったり、障害者を雇用するために必要な施設設備費等の助成をしたりしています（**障害者雇用納付金制度**）。

また、障害者本人に対しては、職業訓練や職業紹介、**職場適応援助者（ジョブコーチ）❺**派遣等の職業リハビリテーションを実施し、障害特性に応じたきめ細かな支援がなされるよう配慮されています。

また、こころの健康問題（うつ病など）から、休職期間が長期化している人、休職と復職をくり返している人を対象として、**職場復帰支援（リワーク支援）❻**が、都道府県の障害者職業センター等で実施されています。復職に向けてのウォーミングアップ（リワーク支援）として、うつ病などをわずらっていても、対処方法を身につけながら、無理なく復職できるよう、生活リズムの立て直しやコミュニケーションスキルの習得、職場ストレスへの対処法の獲得を目的とするプログラム（リワークプログラム）が提供されています。

## （2）福祉的就労支援（障害者総合支援法）

障害者総合支援法にもとづく対応については、自立支援給付の訓練等給付として、「**就労移行支援**」「**就労継続支援**（A型・B型）」「**就労定着支援**」があります（**表1－5**）。

| 表1－5 | 障害者総合支援法にもとづく就労支援サービス |
| --- | --- |
| **サービス名** | **サービス内容** |
| 就労移行支援 | 一般企業等への就労を希望する人に、一定期間、就労に必要な知識および能力の向上のために必要な訓練を行う |
| 就労継続支援（A型） | 一般企業等での就労が困難な人に、雇用して就労する機会を提供するとともに、能力等の向上のために必要な訓練を行う |
| 就労継続支援（B型） | 一般企業等での就労が困難な人に、就労する機会を提供するとともに、能力等の向上のために必要な訓練を行う |
| 就労定着支援 | 一般就労に移行した人に、就労にともなう生活面の課題に対応するための支援を行う |

**❺ 職場適応援助者（ジョブコーチ）**

職場等に出向いて、障害特性をふまえた直接的で専門的な支援を行い、障害者の職場適応、定着をはかる役割をもつ。障害のある人がその仕事を遂行し、職場に対応するため、具体的な目標を定めた支援計画にもとづいて実施される。事業所や障害者の家族も支援の対象となる。「配置型ジョブコーチ」「訪問型ジョブコーチ」「企業在籍型ジョブコーチ」の3種類がある。

**❻ 職場復帰支援(リワーク支援)**

こころの健康問題により休業する労働者へ対応するため、全国の地域障害者職業センターで「こころの健康問題により休業した労働者の職場復帰支援の手引き──メンタルヘルス対策における職場復帰支援」（厚生労働省、2004年。改訂版は2009年）を活用した支援事業が行われている。この支援事業のことを「リワーク支援」と呼んでおり、ほかの公的機関や民間の医療機関等でも行われている。

### （3）一般就労支援と福祉的就労支援の連携

前述の**（1）（2）**は、密接に連携しながら進められています。たとえば、就労移行支援で職業人としての最低限のマナーやスキル、集中力や耐久力を身につけ、**ハローワーク**で職業あっせんを受け、就職後にはジョブコーチ派遣を受けて、安定した就業をめざす、というように効果的に障害者の就労が進むような体制が構築されています。

コーディネート役の相談機関として、福祉施策側は相談支援事業所があり、雇用施策側は**障害者就業・生活支援センター**があります。円滑な雇用につながるよう双方が連携する場合があります。

## 5 成年後見制度

**成年後見制度**とは、認知症、知的障害、精神障害などの理由により物事を判断する能力が十分でない人について、本人の財産や権利を守る援助者（「成年後見人」等）を選ぶことで本人を保護し法律的に支援する制度です。

成年後見制度には、**法定後見制度と任意後見制度**があります。

法定後見制度とは、家庭裁判所によって、援助者として成年後見人等（成年後見人・保佐人・補助人）が選ばれる制度のことで、本人の判断能力に応じて、「**後見**」「**保佐**」「**補助**」の3つの類型があります。

任意後見制度とは、本人が契約の締結に必要な判断能力があるうちに、将来、判断能力が不十分となった場合に備え、「だれに」「どのように支援してもらうか」をあらかじめ契約により決めておく制度です。

しかしながら、成年後見制度が十分に利用されている状況とはいえない現状をふまえ、**成年後見制度の利用の促進に関する法律（成年後見制度利用促進法）**が2016（平成28）年4月に制定され、同年5月に施行されました。

また、成年後見制度の利用の促進に関する施策を総合的かつ計画的に推進するための、基本理念、国の責務、基本方針等が定められた「成年後見制度利用促進基本計画」が、2017（平成29）年3月24日に閣議決定されました。この基本計画にもとづき、2018（平成30）年より厚生労働省に設置された成年後見制度利用促進室において施策を総合的かつ計画的に推進していくこととなっています。

# 第**4**節

# 障害者福祉制度と介護保険制度

## 学習のポイント

■ 障害者福祉制度と介護保険制度の違いを学ぶ
■ 両制度の併用のしくみについて学ぶ

関連項目　② 『社会の理解』▶ 第4章「高齢者保健福祉と介護保険制度」
　　　　　② 『社会の理解』▶ 第5章「障害者保健福祉と障害者総合支援制度」

## 1 障害者福祉制度と介護保険制度の違い

　現在の障害者福祉制度を体系づけた障害者自立支援法は、介護保険制度創設後に制定されており、介護保険を参考に制度設計されているため、一見似ているところも多いのですが、細かくみていくと異なるところも多く、その根底には両制度の理念に違いがあることに気づきます。まずは、両制度を比較してみます（**表1－6**）。

### （1）理念の違い

　障害者福祉制度は障害者権利条約の理念にもとづき、ほかの者との平等を基礎に、同年代の人と同様にふつうに暮らす権利を実際につかうために必要なサービスを利用するという「ノーマライゼーションの理念」があります。同年代と同様なふつうの暮らしですから、幼少期、学齢期、成年期とさまざまなライフステージがあることも、介護保険制度とは異なる部分です。

　一方で、介護保険制度は、平均寿命が延び、要介護高齢者を長年にわたって家族だけで世話をすることに限界が生じたことに加えて共働き家庭も増えるなか、**介護の社会化**を行う必要性の高まりを受けて社会保険という方法でこれに対応したものです。社会保険である以上、給付されるサービスには上限が設定され、サービス給付が増えれば保険料も増えるという関係が明確なことも、税財源である障害者福祉制度と異なる点

| 表1－6 | 障害者福祉制度と介護保険制度の違い | |
|---|---|---|
| | 障害者福祉制度 | 介護保険制度 |
| 対象者 | ・障害児（18歳未満）<br>・障害者（18歳以上） | ・65歳以上の高齢者<br>・40～64歳で特定疾病（加齢にともなう疾病）により要介護・要支援状態となった者 |
| 財源 | 税 | 保険料＋税 |
| 認定区分 | 障害支援区分1～6 | 要支援1・2・要介護1～5 |
| 支給限度 | 市町村が本人・家族の意向をふまえ、状況を勘案し支給量を決定 | 要介護度別に支給限度あり |
| 利用者負担 | 原則応能負担（大多数は無料） | 原則1割負担（一定所得以上2～3割） |
| 実施主体 | 市町村 | 市町村（保険者） |
| 目的・理念 | ・共生社会の実現<br>・障害者・児が基本的人権を享有する個人としての尊厳にふさわしい日常生活または社会生活を営むことができるよう、必要なサービスを提供（＝ノーマライゼーションの理念） | ・介護の社会化<br>・国民の共同連帯（社会保険）<br>・要介護高齢者の尊厳保持、自立支援<br>・介護、機能訓練、看護等の提供 |

の1つです。

## （2）サービス名・サービス内容の違い

　障害福祉サービスと介護保険サービスでは、同様のサービスであっても呼称が異なるもの（訪問介護と居宅介護など）、介護保険制度にしかないもの、障害者福祉制度にしかないものがあります（表1－7）。

　障害福祉サービスには訪問入浴介護がないため、市町村地域生活支援事業で行っています。また、障害福祉サービスには、視覚障害者（盲ろう者を含む）に特化した同行援護、行動障害に特化した行動援護といった外出支援サービスがあるのが特徴です。

　訓練系のサービス（表1－7の下線部）では、介護保険制度にも通所リハビリテーションがありますが、障害者福祉制度の訓練系のサービスは多様であり、身体機能・生活能力の維持向上のため利用する自立訓練（機能訓練・生活訓練）、一般就労をめざす人に対する就労移行支援、作業を行いながら一般就労をめざす就労継続支援などがあります。

40

第4節　障害者福祉制度と介護保険制度

### 表1-7　障害福祉サービスと介護保険サービス

下線は訓練系サービスを示す

| サービス類型 | 障害福祉サービス | 介護保険サービス |
|---|---|---|
| 訪問系 | 居宅介護<br>重度訪問介護<br>同行援護<br>行動援護　等 | 訪問介護<br>訪問看護<br>訪問入浴介護<br>定期巡回・随時対応型訪問介護看護　等 |
| 通所系 | 生活介護<br><u>自立訓練（機能訓練・生活訓練）</u><br><u>就労移行支援</u><br><u>就労継続支援</u>　等 | 通所介護<br><u>通所リハビリテーション</u>　等 |
| 短期滞在系 | 短期入所（福祉型・医療型） | 短期入所生活介護　等 |
| 居住系 | 共同生活援助 | 特定施設入居者生活介護<br>認知症対応型共同生活介護　等 |
| 入所系 | 障害者支援施設 | 介護老人福祉施設<br>介護老人保健施設<br>介護医療院　等 |
| 予防系 | － | 介護予防通所リハビリテーション<br>介護予防訪問看護　等 |
| 計画作成 | 相談支援専門員 | 介護支援専門員 |
| 基幹センター | 基幹相談支援センター | 地域包括支援センター |

　障害者福祉制度の共同生活援助（グループホーム）は、2014（平成26）年４月から共同生活介護（ケアホーム）と一元化され、障害の程度が重く身体介護が必要な人も介護サービスを利用して入居できるようになりました。介護保険制度のグループホームは認知症対応型共同生活介護等であり、障害者福祉制度のグループホームのほうが対象を幅広く設定しています。

## （3）計画作成の違い

　介護保険制度では、原則介護保険サービスを利用する要介護者・要支援者全員にケアプランを作成しますが、障害者福祉制度でも2012（平成24）年から、原則障害福祉サービス利用者全員に、**サービス等利用計画❶**を作成する方針となりました。

❶サービス等利用計画
　p.228参照

高齢障害者の場合、基本的には**介護支援専門員**（ケアマネジャー）が障害関係の計画も含めて作成することとなります。障害の状況が複雑であることが理由で、介護支援専門員単独での計画作成が困難な場合には、市町村の判断により**相談支援専門員❷**と共同で計画作成を行う、いわゆる**ダブルケアマネ**も可能となっています。

❷相談支援専門員
p.224参照

## 2 障害福祉サービスと介護保険サービスの併用

障害福祉サービスと介護保険サービスの併用については、「障害者の日常生活及び社会生活を総合的に支援するための法律に基づく自立支援給付と介護保険制度との適用関係等について」（平成19年3月28日障企発第0328002号・障障発第0328002号）を理解しておく必要があります。

基本的には、障害者についても、65歳以上の人や40歳以上65歳未満の医療保険加入者は、原則として介護保険の被保険者となり、介護保険サービスを利用します。ただし、障害者支援施設等に入所している人については、介護保険の被保険者とはならないこと（適用除外）とされています。

そのうえで、障害者総合支援法にもとづく自立支援給付と介護保険制度との適用関係については、次のように整理されています。

（1）**優先される介護保険サービス**
　　自立支援給付に優先する介護保険サービスは、介護給付、予防給付および市町村特別給付ならびに第1号事業（地域支援事業）である。

（2）**介護保険サービス優先のとらえ方**
①　サービス内容や機能から、障害福祉サービスに相当する介護保険サービスがある場合は、基本的には、この介護保険サービスにかかる保険給付または地域支援事業を優先して受け、または利用することとなる。しかしながら、障害者が同様のサービスを希望する場合でも、その心身の状況やサービス利用を必要とする理由は多様であり、介護保険サービスを一律に優先させ、これにより必要な支援を受けることができるか否かを一概に判断することは困難であることから、障害福祉サービスの種類や利用者の状況に応じて当該サービスに相当する介護保険サービスを特定し、一律に当該介護保険サービスを優先的に利用するものとはしないこととされている。

　　したがって、市町村において、申請にかかる障害福祉サービスの利用に関する具体的な内容（利用意向）を聴き取りにより把握したうえで、申請

者が必要としている支援内容を介護保険サービスにより受けることが可能か否かを適切に判断する必要がある。

② サービス内容や機能から、介護保険サービスには相当するものがない障害福祉サービス固有のものと認められるもの（同行援護、行動援護、自立訓練（生活訓練）、就労移行支援、就労継続支援等）については、当該障害福祉サービスが受けられる（いわゆる「横出しサービス」）。

**(3) 具体的な運用**

(2)により、申請にかかる障害福祉サービスに相当する介護保険サービスにより必要な支援を受けることが可能と判断される場合には、基本的には障害福祉サービスを受けることはできないが、以下のように、当該サービスの利用について介護保険法の規定による保険給付が受けられない場合、または地域支援事業を利用することができない場合には、障害福祉サービスを受けることが可能である。

① 在宅の障害者で、申請にかかる障害福祉サービスについて当該市町村において適当と認める支給量が、当該障害福祉サービスに相当する介護保険サービスにかかる区分支給限度基準額の制約から、介護保険のケアプラン上において介護保険サービスのみによって確保することができないものと認められる場合（いわゆる「上乗せ支給」）。

② 利用可能な介護保険サービスにかかる事業所または施設が身近にない、あっても利用定員に空きがないなど、当該障害者が実際に申請にかかる障害福祉サービスに相当する介護保険サービスを利用することが困難と市町村が認める場合。

③ 介護保険サービスによる支援が可能な障害者が、介護保険法にもとづく要介護認定等を受けた結果、非該当と判定された場合など、当該介護保険サービスを利用できない場合であって、なお申請にかかる障害福祉サービスによる支援が必要と市町村が認める場合。

[介護保険法による保険給付が受けられない場合には障害者福祉制度から給付]

・介護保険の支給限度額を超える場合
・介護保険サービス事業所が身近にない場合
・要介護認定で非該当になった場合

障害者福祉制度

上乗せ

介護保険と障害者福祉制度で共通するサービス

※介護保険からの給付が優先

横出し

[介護保険にないサービスは障害者福祉制度から給付]
・同行援護
・行動援護
・自立訓練（生活訓練）
・就労系サービス　等

障害者を担当するケアマネジャーは、障害者の個別性をふまえたニーズ把握、アセスメント、ケアプラン作成に心がけ、単純な介護保険サービスのみをあてはめることは厳につつしまなければなりません。

介護保険サービスにない訓練系サービス等の横出しサービスの追加や、重度障害者への訪問系サービスの上乗せ支給について、ケアプラン上に位置づけたうえで市町村と相談し、利用者の意向にそったプランを作成することが望まれています[1]。

なお、2018（平成30）年4月から、介護保険サービス事業者が**障害福祉サービス等事業者**[3]に、障害福祉サービス等事業者が介護保険サービス事業者になりやすいよう指定基準の特例が設けられました（**共生型サービス**）。これにより、なじみのある事業所が共生型サービスの指定を受けることで、65歳以上になっても引き続き利用することが可能となります。

**❸障害福祉サービス等事業者**
障害者総合支援法および児童福祉法の指定を受けているもので介護保険と共通するサービス（居宅介護等）の事業者。

◆引用文献

1）髙木憲司「スムーズな移行につなげるための障害福祉サービスの基礎知識」『ケアマネジャー』第16巻第10号、2014年

## 演習1−1　障害者福祉の基本理念の理解

次の文章の空欄に入る適切な語句を考えてみよう。

- ICF（国際生活機能分類）は、「医学モデル」と「社会モデル」を統合した「①　　　　モデル」である。

- リハビリテーションは、「医学的リハビリテーション」「②　　　　リハビリテーション」「③　　　　リハビリテーション」「④　　　　リハビリテーション」の4つの領域に分類されている。

- おもに障害者へのサービス給付等の支援を総合的に行い、地域の共生社会の実現を目的とする法律は、⑤　　　　である。

- 障害者差別解消法は、⑥　　　　の基本的な理念のもと、障害のある人に対して、正当な理由なく障害を理由とした差別の禁止などについて規定している。

- 障害者の人権や基本的自由の権利の確保、障害者の固有の尊厳の尊重を促進することを目的とした⑦　　　　条約には、障害者が地域社会に包容され、参加することができるよう効果的な措置として⑧　　　　を定めている。

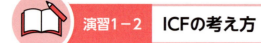

## 演習1-2　ICFの考え方

次の事例を読んで、Ａさんの障害とICF（国際生活機能分類）との関係について、❶・❷についてグループに分かれて話し合ってみよう。

> Ａさん（46歳、男性）は、脳血管障害の後遺症による右片麻痺と言語障害を負い、病院での治療を終え、現在は自宅で妻と小学３年生の長男と暮らしています。車いすを利用した生活であり、入浴、排泄、更衣に介助が必要な状態のため、妻に介護の負担がかかっています。相手の言葉は理解できますが、思ったとおりに言葉が出てこないため、コミュニケーションに時間がかかります。左手足を使い屋内での車いす移動が可能ですが、外出は一人では困難です。子どもと外で遊ぶことが好きだったＡさんですが、それができなくなって落ち込んでいます。以前勤めていた会社は退職しており、自分に合った就職先をみつけて新たに就職したいと考えています。

❶ ICFの考え方にそって、Ａさんの事例における「機能障害」「活動制限」「参加制約」が何かを整理してみよう。

❷ Ａさんの「活動制限」「参加制約」を軽減・解消するための支援方法や、「環境因子」（社会や環境）のあり方について話し合ってみよう。

# 第 2 章

# 障害別の基礎的理解と
# 特性に応じた支援 Ⅰ

第 1 節　障害のある人の心理

第 2 節　肢体不自由（運動機能障害）

第 3 節　視覚障害

第 4 節　聴覚・言語障害

第 5 節　重複障害

第 6 節　内部障害

第 7 節　重症心身障害

# 第1節

# 障害のある人の心理

## 学習のポイント

- ■ 人間の欲求や適応機制について知る
- ■ 障害受容に影響を与える要因を理解する
- ■ 障害受容の段階に応じた支援のポイントを理解する

**関連項目** ⑪『こころとからだのしくみ』▶第1章「こころのしくみを理解する」

　病気や事故などによって何らかの障害がある状態になると、受傷前にはできていたことができなくなることがあります。それにより不安やストレスを感じ、自己否定や生きることに希望が見いだせなくなってしまいます。場合によっては、抑鬱状態など精神的ダメージを受けることも少なくありません。

　では、障害者になると、一生このような状態が続くのでしょうか。本節では、中途障害を例に、受傷後どのような過程を経て生きる力を取り戻していくのか、そのためにはどのような支援が適切なのかについて考えます。

# 1 人間の欲求

## （1）マズローの自己実現理論

**❶マズロー**

Abraham Harold Maslow（1908－1970）。アメリカの心理学者。動物の行動や病的な人格ではなく、一般的健康な人間について研究すべきことを主張し、自己実現、創造性、至高体験などについて研究した。主著は『可能性の心理学』（1966年）など。

　障害によって人間の欲求が阻害されることは、心理的に大きな影響を与えます。欲求には、単に物的な欲求だけでなく、社会のなかで自分の存在価値を認められたいといった自己実現欲求までを含みます。それでは、人間の欲求にはどのようなものがあるかを整理してみましょう。

　アメリカの心理学者**マズロー❶**（Maslow, A. H.）は人間の基本的欲求が階層的になっているという仮説（**欲求階層説**）を立てています（図2－1）。

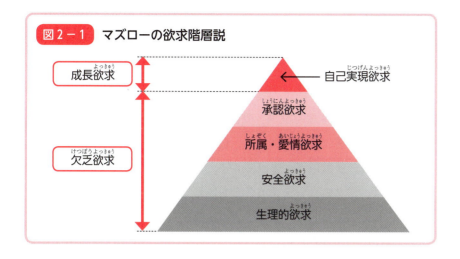

## 1 生理的欲求
食べることや寝ることなど、生命を維持していくうえで必要不可欠な本能的欲求です。

## 2 安全欲求
安全欲求も、生命を維持することに関係する欲求ですが、生命がおびやかされないような安全・安心な環境を求めることです。安全な家や環境で暮らしたいといったことです。身の安全だけでなく、身分の安定（収入など）も含まれます。

## 3 所属・愛情欲求
家族、学校、職場、地域など社会のなかで孤独になりたくない、一員として認められたい、愛情を受けたいといった欲求です。人は1人でいる時間もほしいのですが、それは所属する集団や社会があったうえでのことです。自分がどこの集団にも所属せず「根無し草」のような状態になると、不安になります。

## 4 承認欲求
「尊厳の欲求」とも呼ばれており、他者から認められたい、自分がその集団や社会のなかで役に立っていると感じたい、尊敬されたいなどの欲求です。この欲求が阻害されると自信を失い、劣等感や無力感を感じやすくなります。

## 5 自己実現欲求
この欲求は、自分の能力をもっと高めて創造的な活動がしたいといったもっとも高度な欲求です。ほかの欲求とは質が異なり、欲求の強さに

は大きな個人差があります。

### （2）欲求の段階

階層（段階）仮説では、人間の欲求は欠けていて満たされないことで生じる欠乏欲求（生理的欲求、安全欲求、所属・愛情欲求、承認欲求）が下の層から順番に満たされると、自分のやりたいことを実現し、成長したいという成長欲求が生まれてくるとされています。

たとえば、日々の食料をえることも困難で、戦争によって生命の危険にさらされているとします。そのような環境で暮らすと、まず命を守ることに精一杯で、他者から認められたいとか、自分の能力を高めて創造的活動がしたいとは思えないでしょう。

## 2 適応機制

次に、人間の欲求が阻害されたとき、人はどのように対処するのかについて考えてみましょう。

適応とは、さまざまな領域の学問で定義がありますが、心理学的には「欲求が満たされないとき、葛藤や不満を生じさせないようにしていくこと」といわれています。

適応機制（防衛機制ともいう）というのは、欲求が満たされないときに、そこから受けるストレス（緊張や不安）などを軽減して、こころの安定をはかるために無意識に選択するさまざまな行動や考え方のことです。適応機制の種類については、『こころとからだのしくみ』（第11巻）第1章第3節「こころのしくみの基礎」を参照ください。

人は日ごろから適応機制をはたらかせています。そのなかには、無意識に行っていることも多くあります。

適応機制は心理的安全装置のような役割をもっていますので、ある程度は必要ですし、代償や昇華のように社会的にも受け入れられるかたちのものもあります。

しかし、適応機制のはたらかせ方が極端になる、適応機制の行動ばかりになると、事実と向き合えなくなり、ストレスに対する対応力が弱くなったり、あるいは、適切に欲求の阻害を防いで乗り越えることができなくなったりする危険性があります。精神的な課題をかかえ、社会生活

第1節　障害のある人の心理

に影響をおよぼすこともあります。

# 3 障害受容の過程

　人はさまざまな欲求を現実のなかで調整しながらこころの安定をはかり、社会生活を送っています。障害があることは欲求を阻害する1つの現実的大きな要因です。障害者はその現実をどのように受けとめていくのかを理解しておく必要があります。

## （1）障害の受容

　上田は障害の受容を次のように定義しています。

　　障害の受容とはあきらめでも居直りでもなく、障害に対する価値観（感）の転換であり、障害をもつことが自己の全体としての人間的価値を低下させるものではないことの認識と体得を通じて、恥の意識や劣等感を克服し、積極的な生活態度に転ずること[1]。

　障害の受容は、①あきらめたり開き直ったりすることではない、②障害があるから何もできなくなった（価値がなくなった）ということではない、③できることに目を向けて積極的に生きていくようにすること、といえます。

　障害受容を考えるうえで、受容は大きく5つに分かれた段階的な過程で進むという理論が一般的にいわれています（図2－2）。

　これは、あくまでモデルですから、すべての障害者にあてはまるわけではありません。また、各段階を行ったり来たりすることもあります。

### ■1 ショック期

　受傷直後の状況です。ショックを受けていますが、治療をしており「回復」するだろうと思っています。意外と不安は強くはありません。

### ■2 否認期

　障害が残るのではないかといった不安も出てきて、「自分には障害はない」と思うなど障害があることを打ち消す拒否の適応機制がはたらく段階です。

第2章　障害別の基礎的理解と特性に応じた支援 I

51

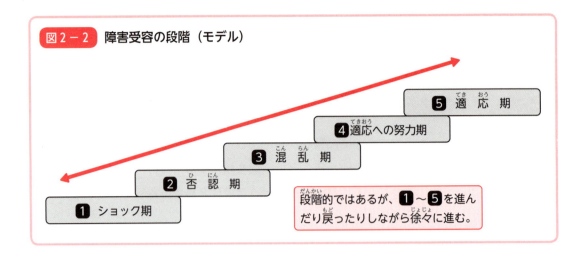

### 3 混乱期

　障害の告知を受け、否認することができず、周囲にあたりちらすなどの「攻撃」といった適応機制がはたらくことが多い段階です。攻撃が内側（自分に）向けられた場合、自分が悪いのだと悲観し、抑鬱症状が出たり、場合によっては自殺企図を起こしたりすることもあります。

### 4 適応への努力期

　障害があってもできることがあることに気づく（価値の転換）など、前向きな努力をします。

### 5 適応期

　4 適応への努力期にえた「障害があってもできることがある」という新しい価値観をもって生きていく段階です。

## （2）環境的要因の影響

　このモデルでは、障害のある人がどのような心理的過程を経ていくのかを説明していますが、障害受容は当事者個人の問題だけではありません。家族の態度や考え方、あるいは本人を取り巻く環境的要因（社会の姿）が大きく影響をおよぼします。

## （3）欲求を阻害する「障壁」

　本節の冒頭で、「障害がある状態になったとき、受傷前にはできていたことができなくなったりすることで、さまざまな不安やストレスを感じ、自分を否定したり、生きることへの希望を失ったりすることがある」と述べましたが、実は障害という心身の状況だけが、欲求を阻害す

第 1 節　障害のある人の心理

| 表2－1 | 障害者を取り巻く4つの障壁 |
|---|---|
| 障壁の種類 | 内容 |
| 物理的障壁 | 歩道の段差、車いす利用者の通行をさまたげる障害物、乗降口や出入口の段差などの物理的な障壁 |
| 制度的障壁 | 障害があることを理由に資格・免許等の付与を制限するなどの制度的な障壁 |
| 情報の障壁 | 音声案内、点字、手話通訳、字幕放送、わかりやすい表示の欠如などによる文化・情報面での障壁 |
| 意識的障壁 | こころない言葉や視線、障害者をかばい守るべき存在としてとらえるなどの偏見などの意識上の障壁 |

る原因ではないということが大変重要な点です。

　たとえば、下肢の麻痺があり、歩行が困難で車いす利用の場合、階段を上るといった動作自体は物理的に困難です。階段を上れないから電車に乗れず、会社に通えないという状況や車いす利用では雇用されないといった状況があると、先述した集団への所属欲求や承認欲求が阻害されます。

　しかし、エレベーターが設置されれば電車に乗れ、通勤手段を自動車にすれば会社に通えることや、車いす利用者を雇用する企業があれば、これらの欲求阻害は生じなくなります。このように、障害自体ではなく、さまざまな「障壁」が心理的影響に深く関係しています。

　障害者を取り巻く「障壁」は、**表2－1**のように整理できます。

## （4）障害受容の道のり

　「障害受容の道のり」とは、障害を受け入れるというよりも、障害があってもいろいろなことができることに気づき、その気づきにもとづいて、どのように自分の望む生活や人生を送っていくかを考え、自ら行動することでさまざまな経験を通じて自己実現（それぞれの望む生き方）をしていくプロセスだといえます。

# 4 心理的支援の方法

　「障害受容の過程」のそれぞれの段階で適切な支援、適切な情報提供をすることが、障害受容の過程での支援を進めるうえで大切になります。

## （1）障害の告知

　受傷直後からしばらくは、生命の維持が第1の目的です。全身状態が落ちついたあと、障害が残ることやその後のさまざまな可能性について、医師から正確に伝える必要があります。

　本人は障害について正確な理解ができていないことが大半です。告知を受けることは本人にとって大変ショックな出来事であり、告知後のショック期から否認期、混乱期はつらい日々になります。

　しかし、「かわいそうだから……」「ショックを受けるから……」ということで現実を正しく伝えないことは、そのあとの段階に進んでいくことを遅らせてしまいますし、のちに、より大きなショックを与えてしまう可能性もあります。家族、看護師、理学療法士や作業療法士などとともに、今後の可能性や支援することを伝える必要があります。

## （2）ピアサポート

　「どのような可能性があるのか」「どんなことができるのか」といった情報は、本人に具体的に伝えることが重要です。「こうすればできるから」といくら可能性を示されても、本人は半信半疑です。

　ピアサポートは、同じ障害のある人たちと話したり、実際の動作を見たりすることにより、自分の可能性についてより具体的な情報をえることができます。また、受傷してから同じような体験を共有する人と話すことは、自分の思いに共感してもらえたり、受けとめてもらえたりするなどの心理的効果があります。

## （3）社会的障壁の除去

　社会全体の考え方や取り組みとして、バリアフリーを進めることや偏見のない正しい理解などが重要です。

　「階段を上れなければエレベーターを設置する」という例を先ほど示

しました。「エレベーターを使って障害者の社会活動が活発になる」こ
とは、ひいては障害者に限らず、子どもや妊婦、高齢者などによる利用
も便利になり、ますますバリアフリーが進む、というように、環境と障
害者の活動・社会参加は相互的関係になっています。

　また、ICF（国際生活機能分類）❷では、障害者が障壁を感じる場合、
その原因は本人だけの問題ではなく、環境を加えた周囲との関係ととら
えています。

❷ICF（国際生活機能分類）
p.6参照

---

◆引用文献

1）上田敏「障害の受容――その本質と諸段階について」『総合リハビリテーション』第8
　　巻第7号、515～521頁、1980年

## 第 2 節

# 肢体不自由（運動機能障害）

### 学習のポイント

- 肢体不自由の状態を理解する
- 肢体不自由の特性を理解する
- 肢体不自由のある人の支援のあり方を理解する

**関連項目**
⑧『生活支援技術Ⅲ』 ▶ 第2章第1節「肢体不自由に応じた介護」
⑪『こころとからだのしくみ』 ▶ 第2章「からだのしくみを理解する」

## 1 肢体不自由とは

　肢体不自由とは四肢や体幹が病気やけがで損なわれ、長期にわたり日常生活動作に困難がともなう状態をいいます。原因は事故や病気による手足や脳・脊髄の損傷、病気や後遺症による関節や脊柱の変形等があります。障害の部位や程度には個人差があり、日常生活が比較的自立している、車いすや杖、義足の使用で自立している、内部障害や知的障害を重複している、寝たきり状態である、などとなります。

## 2 障害の種類

　「平成28年 生活のしづらさなどに関する調査（全国在宅障害児・者等実態調査)」（厚生労働省）によると、在宅の肢体不自由のある人（児を含む）の数は約193万1000人で、身体障害者全体の45％を占めています。また、肢体不自由のある人全体のうち約7割が65歳以上の高齢者となっています。

　図2－3は肢体不自由の障害種類別の割合をあらわしたものです。四肢の肢体不自由は、麻痺、関節の拘縮や変形、上下肢の切断で起こります。下肢の肢体不自由は全体の5割を占めています。体幹の肢体不自由

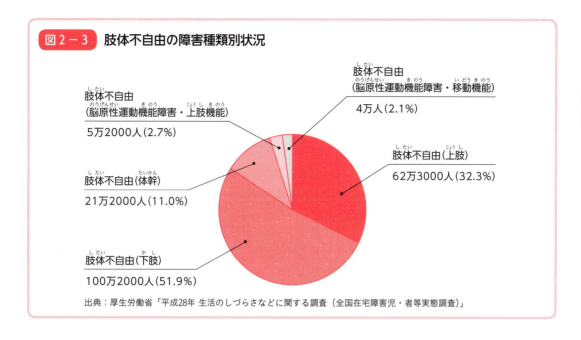

図2-3 肢体不自由の障害種類別状況

肢体不自由（脳原性運動機能障害・上肢機能） 5万2000人（2.7%）
肢体不自由（脳原性運動機能障害・移動機能） 4万人（2.1%）
肢体不自由（上肢） 62万3000人（32.3%）
肢体不自由（体幹） 21万2000人（11.0%）
肢体不自由（下肢） 100万2000人（51.9%）

出典：厚生労働省「平成28年 生活のしづらさなどに関する調査（全国在宅障害児・者等実態調査）」

は、四肢、体幹の麻痺や内臓機能の低下も起こります。脳原性運動機能障害は脳を病変とし、脳や神経の損傷部位に応じて運動障害、感覚障害をともなう場合が多いです。

## 3 障害の原因

肢体不自由は、中枢神経系（脳と脊髄）の疾患、筋原性疾患、骨・関節系疾患が原因とされ、先天性と後天性に分けられます。
おもな疾患には、脳性麻痺、筋萎縮性側索硬化症（ALS）、脳血管障害、脊髄小脳変性症、慢性関節リウマチなどがあり、介護保険の特定疾病や**難病**❶に指定されているものが多くあります。外傷や疾患により脊髄の損傷を受けたものを脊髄損傷といい、体幹から四肢が切り離されたものを四肢切断といいます。

❶難病
p.208参照

## 4 身体的特性の理解

### （1）麻痺

麻痺は神経または筋肉組織の損傷、疾病等により、筋肉の随意的な運

❷完全麻痺
運動機能と感覚機能が完全になくなっている状態。

❸不完全麻痺
運動機能や感覚機能が少し残っている状態。

動機能が低下または消失した状態のことで、**完全麻痺**❷と、**不完全麻痺**❸に分けられます。さらに、部位別に単麻痺（四肢の一肢の麻痺）、片麻痺（左右どちらか片側の麻痺）、対麻痺（両下肢が麻痺）、四肢麻痺（首から下の麻痺）に分けられます（図2－4）。

片麻痺は脳血管障害および脳の腫瘍や外傷でみられ、病変の反対側の身体に麻痺が出現します。四肢や体幹の麻痺に加え、顔面（頬・口唇・舌）の麻痺により、発声や発語、咀嚼や嚥下機能も低下します。脳血管障害の急性期では弛緩性麻痺をあらわし、回復とともに関節が拘縮することがあります。

単麻痺は大脳皮質運動野の病変や脊髄・神経筋接合部の損傷で起こり、大脳皮質の病変では反対側の上肢あるいは下肢のみの麻痺になります。

対麻痺、四肢麻痺は脊髄損傷（図2－5）でみられます。頸髄損傷や脳幹部の出血では広範囲の体幹麻痺をともないます。

## （2）感覚障害

感覚障害は、何らかの原因で末梢神経が障害され感覚機能が低下することです。手足がしびれる、感覚が鈍い、温度や痛みがわかりにくいなど、リハビリテーションを行っても改善されにくい後遺症です。褥瘡、手指・足趾（足の指）のこわばり、浮腫等も起こりやすくなります。

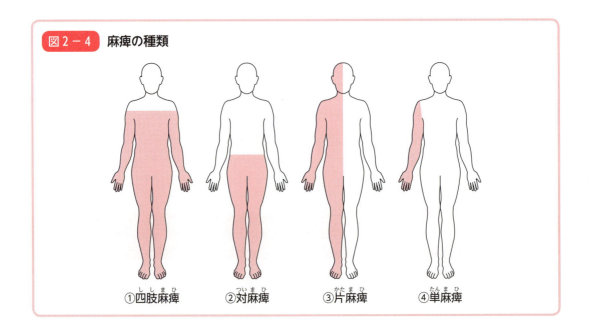

図2－4 麻痺の種類
①四肢麻痺　②対麻痺　③片麻痺　④単麻痺

第 2 節　肢体不自由（運動機能障害）

## 図2-5　脊髄の損傷レベルと介助方法

| 脊髄損傷 | 損傷レベル | 可能な動作と介助方法（例） |
|---|---|---|
| 脊髄が損傷すると損傷部位より下位の神経領域の感覚と運動機能が失われる。 | $C_{1-3}$ | 呼吸障害・四肢麻痺等の重度な障害のため全介助。 |
| | $C_4$ | 自発呼吸は可能だが援助が必要。首と肩甲骨の一部を動かせる程度のため全介助。 |
| | $C_5$ | 肩と肘の一部を動かせる程度で寝返りや起き上がり動作は全介助。座位保持も介助が必要。 |
| | $C_6$ | 肩はまだ十分な力はない。肘は伸ばす力はないが、曲げる力はあるのでロープ等で腕をからませて起きることができるが介助が必要。 |
| | $C_7$ | 肘を伸ばす力（プッシュアップ）があるので寝返り、起き上がり、座位移動が可能。介助は必要に応じて行う。 |
| | $C_8 - T_1$ | 上肢全体を使える。介助は必要に応じて行う。 |
| | $T_{2-6}$ | 座位バランスはやや安定する。耐久力はある。介助は必要に応じて行う。 |
| | $T_{7-12}$ | 座位バランスはほぼ安定する。耐久力は増加する。介助は必要に応じて行う。 |
| | $L_{1-2}$ | 座位バランスは安定。長下肢装具をつけ、杖などを使えば歩行可能であるが、実用性は車いす使用。 |
| | $L_{3-4}$ | 座位バランスは安定。短下肢装具と杖により、立ち上がりも行え実用的な歩行が可能。 |
| | $L_5 - S_3$ | 足関節の動きが十分ではない。おおむね介助は必要としない。 |

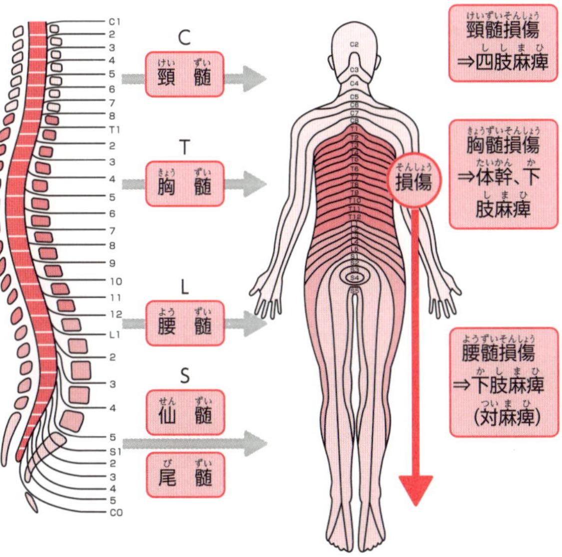

C　頸髄　頸髄損傷⇒四肢麻痺
T　胸髄　胸髄損傷⇒体幹、下肢麻痺
L　腰髄
S　仙髄　腰髄損傷⇒下肢麻痺（対麻痺）
尾髄

損傷

注：受傷者は、男性、若年層に多い傾向がある。受傷原因は、交通事故や転倒・転落などが多い。

## （3）拘縮

　関節や皮膚、関節周囲の筋肉、靭帯、腱が何らかの原因で短縮や癒着を起こし、弾性を失い他動的に伸張しても正常の長さにならず、関節が固くなり可動域に制限が起きている状態です。

## （4）四肢欠損（切断）

　何らかの原因で四肢が欠損した状態です。切断時の本人の健康状態によって予後は異なり、その後の回復過程にも個人差がみられます。

# 5 障害の原因となるおもな疾患の理解

**❹脳性麻痺**
脳性麻痺は、英名をCerebral Palsyといい、略称でCPと呼ばれることがある。

## （1）脳性麻痺

脳性麻痺❹は、妊娠中から生後4週までに起きた脳損傷による運動麻痺で、胎児・新生児仮死、核黄疸、出生後の脳炎や髄膜炎、脳血管障害等が原因で起こります。また妊娠中の母体が風疹感染、薬物や毒物中毒なども原因となり、胎児に影響が出ます。早産児では正期産児より脳性麻痺の発症リスクが高いとされます。脳性麻痺の分類は**表2-2**のとおりです。

## （2）脳血管障害

脳血管障害は、脳出血や脳梗塞により起こる脳の病変です。病変の反対側に運動障害や感覚障害を起こし、片麻痺となります。病変が運動野の広範囲の場合や脳幹部に近いほど麻痺の程度は重くなり、生命の危険性も高く、寝たきりにもなりやすくなります。高次脳機能障害や認知症を併発することもあります。

**表2-3**は脳血管障害による代表的な後遺症をまとめたものです。

麻痺側は筋の萎縮から代謝が低下するため、体温が低下し健側との体温差が起こります。発汗量も減少し体温調節はおおむね健側で行われます。体幹の片側も機能低下が生じるため、呼吸・消化・排泄系への影響も起こります。このような後遺症から肺炎、誤嚥、便秘や失禁が起こりやすい状態になります。

## （3）脊髄損傷

交通事故や労働災害などでの外傷、日常での転倒や打撲、悪性腫瘍等により、損傷した脊髄より下位に機能障害が起こります。受傷した部位から下方へ中枢神経からの刺激が伝達されないため、四肢の機能低下以外にも全身症状を起こします。老化現象にともない身体が脆弱化することで、軽微な転倒などによる脊髄損傷を起こす高齢者の割合が増えつつあります。

脊髄損傷では対麻痺や四肢麻痺が起こり、さらに頸髄損傷では上肢や手指の機能が低下するため、筆記や食事、自動車の運転等に自助具や専用の装置が必要になります。受傷後長期間が経過しても、麻痺の四肢に

60

第2節　肢体不自由（運動機能障害）

### 表2-2　脳性麻痺の分類

| 分類・割合 | 運動機能障害 | 麻痺部位 | その他の障害 |
|---|---|---|---|
| 痙直型・固縮型 70% | ①緊張が強くなる<br>②痙性*1（ジャックナイフ現象）や固縮*2が起こる<br>③上肢は屈曲内転気味、下肢は伸展気味となる（ウェルニッケ・マン肢位*3） | 四肢麻痺<br>対麻痺 | ・斜視やその他の視覚障害<br>・痙攣発作<br>・嚥下障害<br>・知的障害 |
| アテトーゼ型 20% | ①興奮や運動により過緊張と低緊張をくり返す<br>②姿勢が不安定で、協調運動がさまたげられる<br>③音や刺激で筋緊張が強くなる | 四肢麻痺 | ・重度な発語困難<br>・核黄疸の場合は、難聴や視線を上に向けにくくなる |
| 運動失調 5% | ①協調運動障害による筋力低下、ものに手を伸ばすと振戦が起こる<br>②素早い動きや細かい動きが困難となる<br>③両足を広げた不安定な歩行になる | 四肢麻痺<br>片麻痺 | |
| 混合型 | 上記の2つが複合したもの | | 重度の知的障害 |

＊1：他動的に動かす際、はじめは抵抗があるのに突然減弱するもの。
＊2：抵抗が弱まらず一定であるもの。
＊3：下肢を伸展して肘関節、手関節、指関節を屈曲し手を握りしめた姿勢。下肢が交差して歩くはさみ足歩行や、つま先立ち歩行がみられる。

### 表2-3　脳血管障害の代表的な後遺症

| | 右脳障害 | 左脳障害 |
|---|---|---|
| 麻痺 | 左片麻痺 | 右片麻痺 |
| 言語障害 | 無 | 有 |
| 空間認識障害 | 有 | 無 |
| 身体失認 | 有 | 無 |
| 感情のコントロールが困難 | 有 | |
| その他高次脳機能障害 | 有 | |

不快感を生じることがありますが、この感覚は周囲には理解されにくく、睡眠や休息を阻害する因子となります。さらに内臓機能も低下するため、肺炎や褥瘡、深部静脈血栓症、起立性低血圧等の合併症を引き起こし、生命をおびやかすこともあります。

脊髄損傷では自律神経も障害されます。麻痺の部位は体温調節機能が低下し発汗量が減少し、健常な部位でしか体温調節ができなくなります。麻痺の程度により発汗や熱の放散量が変わるため、気温や体温の上昇でうつ熱[5]となります。健常部分は発汗量が増えて皮膚の自浄作用が活発になるため、汚染が目立ちます。冬期には麻痺部の四肢の冷感や体温の低下がみられることがあります。排泄では尿意や便意を感じられず、蓄尿（蓄便）や排尿（排便）のコントロールができないなど、排尿・排便障害が起こります。

## （4）脊髄小脳変性症

脊髄小脳変性症は、運動失調[6]を主症状とする神経疾患で、小脳および脳幹から脊髄にかけての神経細胞の破壊や消失があります。難病や介護保険の特定疾病にも指定され、孤発型と遺伝型に分けられます。孤発型は全体の3分の2を、遺伝型は全体の3分の1を占めています。

オリーブ橋小脳萎縮症は孤発型で、おもに40～60歳で発症します。下肢の運動失調による歩行障害と構音障害、上肢の運動失調、パーキンソン症状が出現します。自律神経症状をともない、発症後、多くは5～8年で車いす利用、寝たきり状態となります。

遺伝性は顕性遺伝が多いとされます。運動失調や痙性対麻痺が起こります。痙性対麻痺はゆっくりと進行します。

## （5）筋ジストロフィー

筋ジストロフィー[7]は筋肉が徐々に変性し、萎縮していく病気で、遺伝性慢性進行性の疾患です。原因不明で現時点で根本的な治療法がなく、進行を止められない難病の一つとされています。最も多い型がデュシェンヌ型で、男性のみにみられ、3、4歳頃に立ち上がりや歩行、階段昇降が困難となり症状が進行し、車いすの生活となります。

筋ジストロフィーの領域では、新しい治療薬の開発が進められています。近年の医学の進歩はめざましく、2020（令和2）年にデュシェンヌ型の一部に効果を示す薬が開発され、他のタイプについても薬品の研究開発が進んでいます。

## （6）四肢切断

交通事故や労働災害、悪性腫瘍や凍傷、動脈硬化などの循環障害で上

---

**[5] うつ熱**

うつ熱は発熱とは違い、衣服内の温度や室温・外気温の上昇時などに、からだで産生された熱が、放散された熱よりも大きくなった場合に体温上昇として起こる。また、高齢者や幼児など、体温調節機能がスムーズにはたらかない場合に起こりやすくなる。

**[6] 運動失調**

起立や歩行時のふらつき、手がうまく使えない、しゃべるときに口や舌がもつれるなどの症状。

**[7] 筋ジストロフィー**
p.213参照

第2節　肢体不自由（運動機能障害）

肢や下肢が体幹から、手指や足趾が四肢から切り離された状態です。部位は、上腕や前腕、大腿や下腿部、手指や足趾の末梢となります。

　急性期は壊死、筋肉・腱の機能障害、感染、切断端の**幻肢痛**❽、断端神経腫が起こります。創部の治癒が困難で退院時以降にもおよぶ例では、感染予防に注意します。幻肢痛は長期にわたることもあり、切断した下肢の筋力低下や精神的な不安などから持続するケースもあります。

**❽幻肢痛**
手や足を切断したあとも、手や足が存在するような感覚が残り、ないはずの手や足に痛みを感じる現象のこと。

# 6　心理的側面の理解

　中途障害では、障害の受容までにさまざまな葛藤が起こります。脊髄損傷では、見た目は麻痺の部分が健常なときと変化が少ないため、「動くかもしれない」と期待が生じ、葛藤が強いと否認期の経過が長くなります。また、幻肢痛が起こると、実際の身体と身体イメージのずれが、否認期や混乱期の心理に影響を与えます。時を経て障害が受容されて前向きな生活を送っているようにみえても、内面には深い葛藤があり、**障害受容**❾の経過が長くなっていることがあります。最新医療への期待は、障害受容の経過を長びかせることにもつながる可能性があります。一方で、障害の受容ができていると、実際に治療に踏み切らなくても、治療を受ける選択肢があること自体が生活の励みにつながります。

　切断後の喪失感は切断直後より時間の経過とともに強くなり、事実を受け入れることで次第になくなります。切断の時期が思春期の場合、外観の変化に対して周囲の視線が気になり悩むことがあります。これは先天性の障害のある人であっても同じで、成長とともに周囲と自分の身体的な違いを自覚せざるをえないため、葛藤が起きます。また、義肢は生活を支え自分の可能性を広げますが、周囲の視線に対する困惑も起こるため、その思いに配慮するようにしましょう。

**❾障害受容**
p.51参照

# 7　生活面の理解

## （1）四肢切断

　四肢切断で利き腕・利き足（または両腕・両足）を喪失すると、これまでの生活や仕事に支障をきたし、活動の幅がいちじるしく狭くなるこ

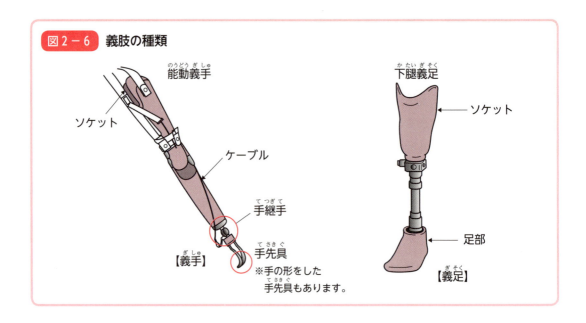

図2-6 義肢の種類

とで就職や転職がむずかしくなることがあります。このような状態に少しでも貢献できるよう、義肢が製作されました。義肢により100％ではないにしても、これまで同様の生活が維持されるようになりました。義肢とは、外傷や病気などで手足を失った場合に用いる人工の手足です。おもに義手と義足の2つに分類されます（図2-6）。

義手は外見の再現を考えた装飾義手と、日常の生活動作のための能動義手があります。

義足は歩行を目的としています。歩行能力によって構成部品を選択し、調整していきます。義足は活動性や安定性など利用者のニーズに応じて製作されます。

### （2）脊髄損傷

脊髄損傷では、便秘や尿閉傾向で失禁を起こしやすくなるため、移動手段の確保と排泄の管理が必要です。管理の方法として、自己導尿や採尿方法の確立、排便習慣のコントロールがあります。日常生活中に突然便失禁や尿失禁が起こると、始末に追われます。自宅以外では周囲の反応から自尊心が傷つくこともあります。外出の際はあらかじめ障害者用の設備のある公共施設の情報が必要です。外出先での失禁を防ぐために、定期的な導尿や採尿で残尿をなくすことが大切です。これは尿路感染症の予防にもつながります。便秘や便失禁対策としても定期的に緩下剤を使用し、適宜摘便をして外出前に残便をなくしておくことが大切です。

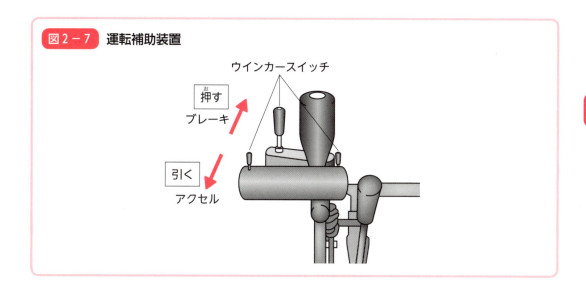

図2－7 運転補助装置

歩行は車いすとなることが多く、長時間の座位は座骨結節部位への褥瘡の原因となるため、15分から20分おきに**プッシュアップ**[10]を行います。また、損傷の部位によっては感覚機能がない場合が多く、けがに気づきにくいので、朝や夜の着替えの際にけがや褥瘡がないか、衣服に血がついていないかなど自己チェックが必要ですが、自己では限界があるため周囲の人の観察が必要です。

自動車の運転ができると行動範囲が広がり社会参加の機会も増えますが、図2－7のような運転補助装置などの補助具が必要になります。

上肢の筋力にもよりますが、1人で活動する場合には、車いすから自動車へ移乗したあとは自力で車いすをたたみ後部座席へ入れる行為を行います。高齢になり筋力が低下すると、移乗や車いすの積みこみが1人ではできなくなるため、介助が必要になります。

四肢麻痺や重度の拘縮があると、日常生活全般に介助が必要になります。外出は1人では困難になり、常に家族やボランティア、介護福祉職等の手助けが必要になります。

[10]プッシュアップ
手で車いすや床面を押してからだを持ち上げること。

## 8 障害の特性に応じた支援

肢体不自由のある人は、年齢に応じて障害者の日常生活及び社会生活を総合的に支援するための法律（障害者総合支援法）や介護保険法などにもとづくサービスを利用して、日常生活の自立をめざしています。利

| 表2－4 | 自立支援医療で対象となる治療の例 |

■更生医療、育成医療
① 肢体不自由……関節拘縮 → 人工関節置換術　等
② 視覚障害………白内障 → 水晶体摘出術　等
③ 聴覚障害………高度難聴 → 人工内耳埋込術
④ 内部障害
・心臓機能障害 → 弁置換術、ペースメーカー埋込術
・腎臓機能障害 → 腎移植、人工透析
・小腸機能障害 → 中心静脈栄養
・ヒト免疫不全ウイルスによる免疫機能障害 → 抗HIV療法　等
・肝臓機能障害 → 肝臓移植、抗免疫療法
■精神通院医療
・精神疾患 → 向精神薬、精神科デイケア　等

用できるサービスには、介護給付、訓練等給付、地域相談支援給付、計画相談支援給付、自立支援医療（**表2－4**）のほか障害者（児）への諸手当などがあります。

　日常生活の援助として食事・排泄・入浴等の介護サービス、福祉用具給付や住宅改修の助成、おむつの助成、車いす貸し出しや介助犬貸与、福祉タクシーやリフト付きタクシーの利用券の交付など、生活全般にかかわるサービスがあります。

## （1）肢体不自由のある人の生活の広がり

　肢体不自由のある人は、サービスを有効活用することで地域のなかで日常生活を自立できるようになりました。重度の肢体不自由があっても24時間を通してサービスを活用することで、1人暮らしが可能になっています。

　さらに外出も可能となり、コンサートやセミナー、国内外の旅行も可能になっています。重度でもストレッチャーやリクライニング式の車いすを活用しながら、必要時には医療的な処置も受け、複数の介助者やボランティアの支援を受けながら活動範囲がどんどん広がっています。

　スポーツの分野では、パラリンピックなどでも多くの肢体不自由のある人が活躍しています。スポーツやサークルを通して自身の体力の向上をはかるのみならず、生活の質の向上や災害時の対応等についても情報

共有がなされています。障害者スポーツは、同じ障害のある人が支え合う場として大きな意義をもっています。

## （2）チームアプローチ

　肢体不自由のある人は運動機能や感覚機能の低下により転倒・転落事故や褥瘡が起こりやすく、またなかには内部障害や知的障害、高次脳機能障害等を重複している人もいます。現在の身体機能を維持するためにさまざまな訓練を受ける人や、痰の吸引や経管栄養、人工呼吸器等の医療処置が必要な人もいます。医療的ケアや緊急時の対応等で医療関係者との連携は欠かせません。誤嚥対策については、歯科衛生士や管理栄養士、言語聴覚士等との連携が不可欠です。

## （3）ライフステージに応じた支援

　思春期から青年期にかけては、異性への興味も起こります。排泄や入浴介助の場面では利用者に誤解を生じさせないよう同性介護が検討されます。また、からだが不自由だからと、自己表現を控えることがないように、おしゃれや趣味なども楽しめる支援が必要です。

　脳性麻痺は小児期に診断され、その障害が進行することはありません。しかし成長や加齢にともない、疼痛、股関節や脊柱の変形、排泄困難などの身体問題、自尊心の低下や羞恥心などの情緒問題、養育者の高齢化にともなう介護問題が浮上してきます。介護福祉職は、この3側面を十分にアセスメントし、支援を導く必要があります。

　肢体不自由のある人は、加齢とともに四肢や体幹の残存機能がおとろえると、排泄動作の自立が低下します。QOLの低下を防ぎ、自立した生活を維持するために、腸や膀胱に異常がなくても**ストーマ**[11]（人工肛門や人工膀胱）を造設することがあることを理解しましょう。

**[11]ストーマ**
p.121参照

------------------------------------------------------------------------

### ◆ 参考文献

- 厚生労働省「平成28年 生活のしづらさなどに関する調査（全国在宅障害児・者等実態調査）」
- 梶浦一郎・鈴木恒彦編『脳性麻痺のリハビリテーション実践ハンドブック』市村出版、2014年
- 日本リハビリテーション医学会監『脳性麻痺リハビリテーションガイドライン 第2版』金原出版、2014年
- 別府重度障害者センター理学療法部門「運転免許証の取得・更新と自動車の購入・改造」『在宅生活ハンドブック No.23』2015年

## 第3節

# 視覚障害

### 学習のポイント

■ 視覚障害の状態を理解する
■ 視覚障害の特性を理解する
■ 視覚障害の支援のあり方を理解する

| 関連項目 | | |
|---|---|---|
| | ⑤ 『コミュニケーション技術』 ▶ | 第3章第2節「さまざまなコミュニケーション障害のある人への支援」 |
| | ⑧ 『生活支援技術Ⅲ』 ▶ | 第2章第2節「視覚障害に応じた介護」 |
| | ⑧ 『生活支援技術Ⅲ』 ▶ | 第2章第4節「重複障害＜盲ろう＞に応じた介護」 |
| | ⑪ 『こころとからだのしくみ』 ▶ | 第2章「からだのしくみを理解する」 |

## 1 視覚障害とは

　視覚障害とは、何らかの原因で先天的、後天的にものの見え方に障害が起こり、生活に支障をきたした状態をいいます。「平成28年 生活のしづらさなどに関する調査（全国在宅障害児・者等実態調査）」（厚生労働省）によると、2016（平成28）年時点の視覚障害のある身体障害者手帳保持者は約31万人となっています。

## 2 障害の種類

### （1）視覚の機能

　視覚の機能には、視力、視野、色覚や光覚があります。

　視力は視覚的に対象を認識する能力です。5mの距離からランドルト環と呼ばれる指標（**図2-8**）を見て検査します。0.1以下の視力では視標までの距離を近づけて測定し、眼前3mで0.1の視標が識別できるときは0.06、同じく50cmでは0.01となります。光がわからない状態を

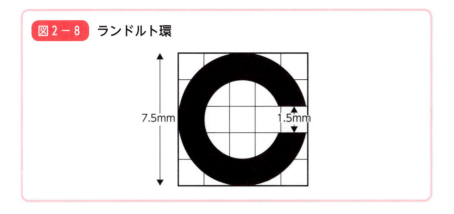

図2-8 ランドルト環

視力0とします。

視野は眼球を動かさずに見える範囲のことです。光覚は光の明るさの差を認識する能力で、色覚は光の波長の違いを色として識別する感覚です。

## （2）視覚の異常

視覚の異常には近視、遠視、乱視、色盲、視野異常、夜盲などがあります。光が網膜より前に焦点を結ぶ状態を近視といい、遠くを見るときには像がぼけて見え、近くを見るときにははっきり見えます。小児期の強度な近視は、将来、黄斑変性、緑内障、網膜剥離などになるリスクが上がります。

遠くを見たとき光が網膜より後に焦点を結ぶ状態を遠視、角膜や水晶体の歪みにより、像がぼけて見える状態を乱視といいます。

色覚異常とは、正常とされる多くの人と色の見え方が異なる状態をいいます。先天性と後天性があります。前者は遺伝による錐体の異常で日本人男性の約5％、女性の0.2％にみられます。それ以外は後天性となります。慌てていたり、暗いところでは見誤りやすいのですが、注意深く見ると間違いが少なくなります。識別のむずかしさには個人差があり、先天色覚異常では、多くは視力は正常に保たれています。

視野異常は、網膜や視神経などの病気で起こります。代表的な病気として緑内障などがあります。視野異常には狭窄、半盲、暗点の3種類があります。視野狭窄（図2-9）とは視野が狭くなるもので、全体が狭くなる求心狭窄と一部分が不規則な形で狭くなる不規則狭窄があります。視野の右半分や左半分が見えなくなるのが半盲、視野のなかに見え

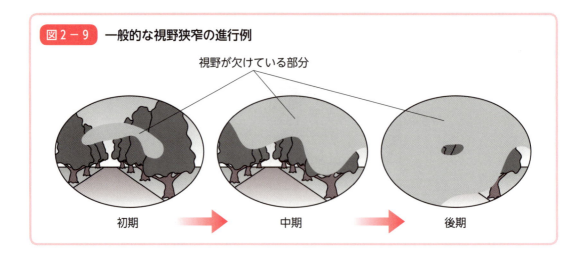

図2-9 一般的な視野狭窄の進行例

視野が欠けている部分

初期 → 中期 → 後期

**❶明暗順応**

明るいところから暗いところに移ったときに暗さに慣れることを暗順応、暗いところから明るいところに移ったときに明るさに慣れることを明順応という。高齢者では暗順応が遅くなる。

ない部分があるものを暗点といいます。

明暗順応❶のうち暗順応機能がはたらかず、暗いところでものが見えにくい状態を夜盲症といいます。先天性・後天性があり、先天性は遺伝が関係するものが多く、後天性はビタミンAの不足が原因とされます。ゆえにビタミンAの摂取は夜盲症の予防に効果があるとされます。網膜色素変性も夜盲症状を起こすことがあります。

# 3 障害の原因

　後天性の視覚障害は中途視覚障害と呼ばれます。視覚障害が高齢者になると増加するのは、加齢や病気が原因で視覚に障害をもつ場合が多いからです。日本人の視覚障害の原因の第1位は緑内障、第2位は糖尿病網膜症、第3位は網膜色素変性となっています（図2-10）。

## （1）緑内障

　眼圧が上昇し視神経が圧迫されるために起こる視野が狭くなるなどの状態を緑内障といいます。自覚のない視野狭窄に始まり、徐々に自覚し、その後失明することもあります。急性緑内障発作では、眼痛・充血・目のかすみ、頭痛や吐き気等の症状が起こり、苦痛が大きく失明の緊急性が高いため、早期治療を要します。治療は、点眼薬、レーザー治療、手術があります。正常眼圧でも起こる「正常眼圧緑内障」では自覚症状がないため、気づいたときには視野障害が悪化していることが多く

第3節 視覚障害

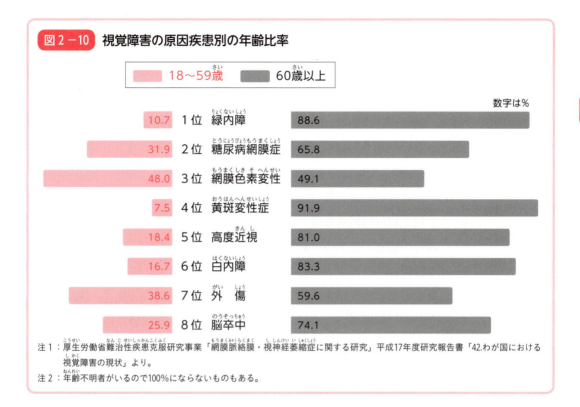

図2-10 視覚障害の原因疾患別の年齢比率

| | 18～59歳 | 60歳以上 |
|---|---|---|
| 1位 緑内障 | 10.7 | 88.6 |
| 2位 糖尿病網膜症 | 31.9 | 65.8 |
| 3位 網膜色素変性 | 48.0 | 49.1 |
| 4位 黄斑変性症 | 7.5 | 91.9 |
| 5位 高度近視 | 18.4 | 81.0 |
| 6位 白内障 | 16.7 | 83.3 |
| 7位 外傷 | 38.6 | 59.6 |
| 8位 脳卒中 | 25.9 | 74.1 |

数字は%

注1：厚生労働省難治性疾患克服研究事業「網膜脈絡膜・視神経萎縮症に関する研究」平成17年度研究報告書「42.わが国における視覚障害の現状」より。
注2：年齢不明者がいるので100％にならないものもある。

あります。

## （2）糖尿病網膜症

**糖尿病網膜症**は、糖尿病（性）腎症・糖尿病（性）神経障害とともに糖尿病の三大合併症のうちの1つです。高血糖が持続することで網膜の毛細血管が動脈硬化を起こし、脆弱な新生血管ができます。新生血管は出血しやすくその後かさぶた様になると網膜剥離を起こしやすくなります。糖尿病網膜症は糖尿病の中期に出現することが多く、それまでは自覚症状がない場合もあります。治療は、網膜光凝固術や硝子体手術などが行われます。

## （3）網膜色素変性

**網膜色素変性**は遺伝性の病気で、人口10万人に対し18.7人の患者がいると推定されています。まず夜盲に始まり、視野狭窄、視力低下があらわれます。数年あるいは数十年をかけて進行します。進行順やスピードには個人差があり、視力低下の次に夜盲を自覚する人もいます。根本的な治療はありません。

# 4 障害の特性の理解

## （1）身体的特性の理解

視覚障害は、盲と弱視に分けられます。盲は視覚情報をまったくえられない、あるいは少ない状態です。盲のなかでも、全盲、光覚弁❷、手動弁❸の3つに分類されます。

盲は社会的盲、教育的盲ともいいます。社会的盲は、残存する視機能と視覚以外の感覚を使って生活をしている状態です。教育的盲は、視覚以外の感覚の使い方の教育が必要な状態です。

弱視はロービジョンとも呼ばれます。視力低下、視野狭窄、羞明、夜盲などの症状が統合されてあらわれます。小児期の弱視は、遠視・乱視などの屈折異常のために視機能の発達が止まった状態であれば、6歳ごろまでの眼鏡矯正や訓練で改善が期待できます。しかし、斜視の程度が大きい場合には、幼少期に斜視手術が必要なケースもあります。

私たちが外界から取り入れる情報の約8割は、視覚情報とされています。視覚が絶たれてしまうと、それ以外の感覚器からの情報に頼るしかありません。中途障害では自分の視覚情報を信頼して生きてきた生活から一変し、ほかの感覚器の活用ができるようになるまでに時間がかかります。すぐ目の前にあるものを取るだけでもスムーズに手を動かせず、行動のスピードが遅くなり、周囲についていけなくなったり、ついていこうとして転倒や転落、人やものにぶつかるなど危険な状態となります。

## （2）心理的側面の理解

視覚からの情報を失うことは、障害をもった直後に大きな絶望がおとずれても不思議ではありません。視覚障害のある人の半数近くが、うつ病やうつ状態になっているとの結果も報告されています。

中途視覚障害は見えていた経験があるがゆえに、過去の視覚的情報に影響されやすく、見えない喪失感は大きいでしょう。カウンセリングやリハビリテーション、生活訓練を受けることで視覚以外の感覚から情報をえる方法を知り、生活できる自信を取り戻すことで障害は受容されやすくなります。

先天的な障害や3歳ごろまでに障害を発症した場合は、視覚的な情報

---

❷光覚弁
明暗のみを区別できる。

❸手動弁
眼前の手の動きのみを認識できる。全盲＞光覚弁＞手動弁と症状は軽くなる。

第3節　視覚障害

の影響は受けにくく、ほかの感覚器を使った生活が確立されています。しかし、視覚以外からの情報収集となるため、晴眼者（見える人）との現実の認識の違いから誤解が生じ、コミュニケーションにストレスが起こることもあります。

### （3）生活面の理解

視覚情報がえられない場合、安全な生活が困難になります。視覚障害のある人は訓練を受け、徐々に生活に慣れていきます。視覚機能の低下とともに視覚以外の感覚が敏感になりますが、多様な音声が入り混じる環境や人混みでの移動は聴覚や**体性感覚**[4]の活用が困難です。近年、視覚障害のある人が、駅のホームや階段から転落する事故が多く、ニュースでも頻繁に取り上げられています。点字ブロックがあっても、大勢の人が行きかう場所では進行方向を見失い、自分の聴覚や体性感覚だけでは安全の判断が難しくなると考えられます。駅や繁華街のような人の流れの激しい場所での周囲の人の声かけは、視覚障害のある人の大きな安心につながるといえます。

> **[4]体性感覚**
> 表在感覚（皮膚や粘膜の受容器によって起こる痛覚、触覚、温度感覚）と深部感覚（筋・腱・関節・骨膜などの受容器によって起こる感覚）の2つがある。固有感覚ともいわれ、位置覚（からだの各パーツの位置）、運動覚（関節運動の方向・運動の状態）、重量覚（重力の大きさ）などがある。

## 5　障害の特性に応じた支援

### （1）視覚障害のある人への支援と生活の広がり

障害者の日常生活及び社会生活を総合的に支援するための法律（障害者総合支援法）など法制度によって、視覚障害のある人はさまざまな支援を受けて、日常生活の自立をめざしています。各種サービスや社会資源を活用することで、視覚障害のある人の生活は広がりが生まれます。

白杖や盲導犬を使用し、点字ブロックや点字案内、音声ガイドなどを活用しながら、1人での外出が可能になります。同行援護等の移動支援サービスを利用すれば、行動範囲はさらに広がります。身体障害者手帳の交付を受けることにより、等級によっては交通費や施設利用料金が免除・減額されるため、日常生活に加えて旅行でも利用することができます。

「目が見えないから……」とあきらめていた水泳や陸上競技などのスポーツに参加する人も増えてきました。視覚障害のある人のみで競うこともできますが、視覚に障害のない伴走者をともなったマラソンや、視

覚に障害のない人がアイマスクを付けてプレーをするフロアバレーボールという競技もあります。見える人も見えない人もともにスポーツが楽しめるようにルールがアレンジされています。

### 1 補装具の支給
視覚障害のある人の視覚機能の補完や代替えとして、視覚障害者安全つえ（白杖❺）、遮光眼鏡等があります（図2－11）。

### 2 同行援護
**同行援護**では、移動にいちじるしい困難を有する人に、移動に必要な情報提供や外出支援を行います。専門的な研修を受けたガイドヘルパーが同行して、視覚障害のある人が生活するうえで困らないよう適切な情報提供を行います。

### 3 自立訓練
歩行訓練、パソコン訓練、日常生活訓練などがあります。視覚障害のある人の特性に配慮し、自立した日常生活または社会生活を営むことができるよう、技術や知識など総合的な訓練を実施します。

### 4 就労移行支援
養成施設で、あん摩マッサージ指圧師・はり灸師の国家資格取得をめざす理療教育を行います。

---

❺ **白杖**
白杖の携行については、道路交通法第14条に「目が見えない者（目が見えない者に準ずる者を含む。以下同じ）は、道路を通行するときは、政令で定めるつえを携え、又は政令で定める盲導犬を連れていなければならない」と規定されている。
白杖には、①視覚障害をもつことを周囲に知らせる、②触覚を通じて路面の情報を収集する、③路面上にある障害物を検知するという3つの機能がある。

図2－11　白杖・遮光眼鏡
遮光眼鏡
白杖

## 5 日常生活用具の給付

自立生活支援用具、情報・意思疎通支援用具等が給付または貸与されます。電磁調理器、点字器、視覚障害者用ポータブルレコーダー、視覚障害者用活字文書読上げ装置、視覚障害者用拡大読書器、視覚障害者用時計などがあります。

## 6 盲導犬の貸与

対象要件に該当する障害の程度であり、盲導犬を利用した歩行を希望すれば、盲導犬の貸与を受けることができます。盲導犬との外出を積極的に希望し、4週間の盲導犬との共同訓練を受け盲導犬の適切な管理ができることが要件となります。無償貸与ですが、犬の食事や犬具類、医療費等にかかる一切の経費は利用者負担となります。

## （2）チームアプローチ

視覚障害の原因が生活習慣等によるものであれば、病気の悪化等により医療と連携をとる場面が必要になります。利用者の視覚障害の原因を把握し、どのような場面で異常が起こりやすいかについて、医師、看護師、介護支援専門員、相談支援専門員等より情報をえておくことが大切です。

--------------------------------------------------------------------------------

### ◆ 参考文献

- 厚生労働省「平成28年 生活のしづらさなどに関する調査（全国在宅障害児・者等実態調査）」
- 芝田裕一『視覚障害児・者の理解と支援 新版』北大路書房、2015年
- 相原一編『ここが知りたい＆今さら聞けないに答える 眼科疾患診断・治療マニュアル』南江堂、2018年
- 柏倉秀克『中途障害者の心理と支援──視覚に障害のある人々を中心に 第2版』久美、2011年
- 同行援護従業者養成研修テキスト編集委員会編『同行援護従業者養成研修テキスト 第3版』中央法規出版、2014年

# 第 **4** 節

# 聴覚・言語障害

### 学習のポイント

- ■ 聴覚・言語障害の種類、原因を理解する
- ■ 聴覚・言語障害者（児）の身体的・心理的・社会的側面の特性をとらえたうえで
  支援方法を理解する

| 関連項目 | ⑤『コミュニケーション技術』 | ▶ 第3章第2節「さまざまなコミュニケーション障害のある人への支援」 |
| | ⑧『生活支援技術Ⅲ』 | ▶ 第2章第3節「聴覚・言語障害に応じた介護」 |
| | ⑧『生活支援技術Ⅲ』 | ▶ 第2章第4節「重複障害＜盲ろう＞に応じた介護」 |
| | ⑪『こころとからだのしくみ』 | ▶ 第2章「からだのしくみを理解する」 |

## 1 聴覚障害

### 1 聴覚障害とは

**❶聴力**
聴力は、オージオメーター（聴力検査器）を用いて計測でき、聴力の程度や障害の部位を知る手がかりにする。

　**聴覚障害**とは、音の伝導にかかわる聴覚が損傷を受けて、音による情報がえられない状態です。聴覚障害は、**聴力**❶のレベルや障害の部位、発症の時期に応じて分類されています。

### （1）聴覚の程度による分類

　音が聞こえにくい状態を**難聴**といい、聴力検査の音の強さ（dB：デシベル）により「軽度難聴」「中等度難聴」「高度難聴」「重度難聴」の4つのレベルに分類されます。まったく聞こえない状態を**失聴（ろう）**といいます。

## （2）聴覚の部位による分類

聴覚の障害を受ける部位により、伝音性難聴、感音性難聴、混合性難聴に分けられます。

### 1 伝音性難聴

伝音性難聴は、外耳から中耳の間で、音を振動として伝える部位（伝音器）に支障をきたした状態です。おもな原因には、外耳道に耳垢がたまる、鼓膜が傷つく、中耳に水や膿がたまる、耳小骨の損傷があります。原因となる耳垢や膿を除去することで、難聴は改善されます。

### 2 感音性難聴

感音性難聴は、内耳から聴神経の間で音を電気信号に変換して脳に伝える部位（感音器）に支障をきたした状態です。おもな原因には、遺伝子の異常、妊娠中のウイルス感染、薬剤の副作用、頭部外傷、騒音、加齢（老人性難聴）があります。音の伝達をおぎなうためには補聴器を用いたり、治療や手術により改善できない場合、**人工内耳❷**を装用することがあります。

❷人工内耳
p.79参照

### 3 混合性難聴

混合性難聴は、伝音性難聴と感音性難聴が同時に引き起こされた状態です。

## （3）発症時期による分類

障害の発症時期により、先天性難聴と後天性難聴に分類されます。後天性難聴のなかで、完全に聞こえなくなった状態を中途失聴といいます。

### 1 先天性難聴

先天性難聴は、生まれたときから聴覚に障害が生じている状態です。おもな原因には、遺伝子の異常、妊娠中のウイルス感染、低体重児、薬剤の副作用があります。

先天性難聴は、新生児約1000人に対して1人の確率でみられます。

### 2 後天性難聴

生まれたときには正常であった聴力が、その後の成長過程において、さまざまな原因により聴覚に障害が生じた状態を、後天性難聴といいます。おもな原因には、感染症、薬剤の副作用、頭部外傷、騒音、加齢、ストレスがあります。

原因となる感染症のうち、とくに流行性耳下腺炎（おたふくかぜ）と

細菌性髄膜炎は、難聴の発症頻度が高いといわれています。

## 2 障害の特性の理解

聴覚障害は、耳から音の情報をえることができないため、成長発達段階や日常生活上で支障がともないます。しかし、聴覚に障害を受けた時期や程度には個人差があります。そのため、一人ひとりを理解し、他職種と連携をはかりながら、適切にかかわる必要があります。

### （1）成長発達過程における理解

人は生後2、3か月で、言語を獲得する前段階の喃語を発し、その後の成長過程において周囲の音を聞き取り、段階的に言語を獲得します。先天性難聴の場合、自分で発した喃語を楽しむことや周囲の人の声を聞き取り、意味のある言語を獲得する機会が阻害されます。

乳児の発達状態は声や反応からもわかり、重度の聴覚障害がある場合には異常が顕著にあらわれるため、生後早い段階で発見されます。一方、中・軽度の聴覚障害では、発見が遅れる傾向があります。幼児期以降では、実用的なコミュニケーションがはかれなければ、就学、就職などに影響がみられます。

後天性難聴では、言語発達への影響は少ないのですが、新たな情報を円滑に活用することはむずかしくなります。また、障害受容の過程では、絶望や混乱、不安などもあるため、精神面での支援のほか、それまでの生活の継続への支援が必要になります。

### （2）コミュニケーションの制限による生活上の困難

聴覚障害は外見から障害の有無や状況がわかりにくいため、周囲の人から障害について理解が十分にえられないことがあります。他者からの問いかけに対して適切な反応や行動がとれないと、「無視している」「やる気がない」など、誤解を受けやすくなります。障害のある人は、遠慮や疎外感、孤立感、劣等感などの精神的苦痛によって、行動範囲が縮小するなど日常生活での孤立につながります。

生活の場面では、電車やバスで遅延のアナウンスが聞こえない、病院や役所での呼び出しや説明が聞こえないなど、適切な情報がえられず生活上の困難が生じます。さらに、道路を歩行中、車のクラクションが聞

こえないと事故に遭う危険性が高くなります。また、緊急時に警察や消防へ連絡が取れない、災害時に情報が伝わらないなど、非常時の情報伝達の困難さは、生命の危険につながります。現在、駅等では電光掲示板による情報の提供、災害時の自治体の対応などが整いつつあります。

## 3 障害の特性に応じた支援

聴覚障害のある人は、コミュニケーションに困難がありますが、補聴器や手話通訳や要約筆記の支援などを受けて、就労や通学など地域生活を営み、社会に参加しています。

## （1）コミュニケーションの手段

聴覚障害の人の多くが活用する福祉用具として、補聴器があります。また、代表的なコミュニケーションの手段として、筆談、手話、読話、口話、身振り（ジェスチャー）があります。これらは情報の入手、意思疎通に用いられます。すべての障害者が同じ手段を用いているわけではないため、個々が受けた教育や活用のしやすさに応じて、それぞれに適した方法を選択します。

### ① 補聴器

補聴器は、周囲の音を増幅させて伝える機器で、ポケット型、耳掛け型（図2-12）、耳穴型、骨導型があります。これを用いることで、伝音性難聴では音が聞きやすくなります。感音性難聴で効果がえられない場合には、人工内耳❸（図2-13）を装用することがあります。

補聴器を取り扱う際には、落としてこわしたり、水にぬらしたりしないように注意します。汗や耳垢による汚れは布でふき取り、適宜電池を交換します。装用しない場合は乾燥ケースに保管します。

### ② 筆談

中途失聴者とのコミュニケーションでは、一般的に筆談が有効です。文字を用い、紙等に記載します。手のひらや空中に文字を書く方法もあります（空書き）。文字を用いるため、伝達内容の間違いは少なくなりますが、筆談には文字の読み書きの時間が必要になります。文の意味を変更することなく、読みやすく書きます。

講演会などでは、話した内容の要約をパソコン等を使ってスクリーンに投影する要約筆記を利用することが多いです。

---

❸人工内耳

重度の聴覚障害者に用いる人工臓器。手術により内耳の蝸牛に電極を装入して、聴神経を介して電気刺激を脳に伝える。補聴器では効果がえられない、感音性難聴の場合に装用されることが多い。健康保険の適用になり、自立支援医療費の対象となる。

図2-12 補聴器
耳掛け型

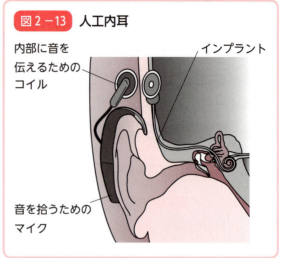

図2-13 人工内耳
内部に音を伝えるためのコイル
インプラント
音を拾うためのマイク

### 3 手話

　先天性聴覚障害者では、一般的に手話が有効です。単語で表現が困難な場合は、日本語50音を指の動きで一文字ずつ表現する指文字を用います。

### 4 読話、口話

　読話は話し手の口や頬の動きを読み取ります。暗い場所、離れた距離は控え、逆光に位置しないなど注意が必要です。

　口話は相手の音声言語を口の形によって理解し、自らも発話をして意思伝達を行うことです。

## （2）障害福祉制度による社会的資源

　聴覚障害者は、身体障害者福祉法のほか障害者の日常生活及び社会生活を総合的に支援するための法律（障害者総合支援法）をはじめとするさまざまな制度において、身体障害者手帳の交付や福祉用具の活用（表2-5）など社会資源を利用することができます。しかし、当事者に情報が適切に伝達されないことで制度が活用できないことがないよう、配慮することが必要です。

　障害者総合支援法にもとづく意思疎通支援により、手話通訳者や要約筆記者が養成され、公的な場などに派遣されています。リアルタイムの情報を獲得できることで講演や観劇など余暇活動の楽しみが広がります。

　また、障害を理由とする差別の解消の推進に関する法律（障害者差別

第4節 聴覚・言語障害

| 表2-5 | 聴覚障害のある人を対象とした日常生活用具の例 |

| 種目 | | 用途 |
|---|---|---|
| 聴覚障害者用屋内信号装置 | 聴覚障害者用屋内信号灯 | インターホンや電話機などに接続して、来客や電話、ファックスの着信を光や振動で知らせる装置 |
| | フラッシュベル | 電話補助機器の1つ、点灯して、光で電話の着信を知らせる |
| | 振動型腕時計 | 時間や来客、電話など身の回りの情報を文字や振動で知らせる受信機 |
| | 振動型目覚まし装置 | 時間を振動で知らせる時計 |
| 福祉電話（貸与）<br>ファックス（貸与）<br>聴覚障害者通信装置 | テレビ電話<br>ファックスなど | 文字によるやりとりが可能なファックスや福祉電話。電話の着信音や会話音を増幅する電話機や受話器用アンプがある |
| 聴覚障害者情報受信装置 | 字幕機器 | CS障害者放送デジタル受信機。文字や字幕放送デコーダが内蔵されている |

解消法）に規定された合理的配慮により、役所や駅、学校、職場では通信機器や情報機器の活用や要約筆記、手話や筆談などを取り入れることが定められ、他者とのコミュニケーションがスムーズになっています。

　情報伝達の手段として、かつては電話やファックスが主流でしたが、近年は、パソコンやタブレット、スマートフォン、携帯電話の普及により、メールで視覚的な情報伝達をしたりビデオ通話を用いてリアルタイムで手話で会話をしたりするなど、ICTを活用したコミュニケーションが広がっています。駅などの電光掲示板、テレビの字幕など聴覚障害者にとって視覚的に有効な情報は、だれにとっても便利なユニバーサルデザインとして、日常に取り入れられています。

　このように日常生活でスムーズなコミュニケーションがはかれる環境を整備することで、聴覚障害者の社会参加が拡大されます。

第2章 障害別の基礎的理解と特性に応じた支援 I

81

# 2 言語障害

## 1 言語障害とは

**言語障害**は、大脳の言語中枢や発声器官などが損傷を受けて、言語を用いたコミュニケーションに支障をきたした状態です。

### （1）失語症

大脳の言語中枢が後天的に損傷を受け、「聞く」「話す」「読む」「書く」ことが困難な状態を**失語症**といいます。おもな原因は、脳血管疾患や脳挫傷、脳腫瘍などであり、脳の損傷による高次脳機能障害でもみられる場合があります。

#### 1 感覚性失語（ウェルニッケ失語）

文字や音を理解する役割をもつ感覚性言語中枢（ウェルニッケ中枢）の障害により、聞いて理解することが困難です。発語は自発的で流暢ですが、他者から話しかけられた内容の理解ができず、会話の成立、意思疎通が困難になります。

#### 2 運動性失語（ブローカ失語）

感覚性言語中枢（ウェルニッケ中枢）から伝えられた情報を言葉にする役割がある運動性言語中枢（ブローカ中枢）の障害により、自発的な発語が困難になります。言語の理解は比較的保たれていますが、話せても単語や短文になりたどたどしく話したり、**錯語**[4]がみられたりします。

#### 3 全失語

感覚性、運動性の両方の失語症の症状がみられます。「聞く」「話す」「読む」「書く」ことのすべてが困難な状態です。

### （2）発声発語障害

#### 1 音声障害

発声にかかわる器官の障害により音声が発せられない状態です。**表2－6**に示すとおり、2つの種類に分けられます。

#### 2 構音障害

発音にかかわる器官の疾病や障害により語音がつくり出せない状態を

---

[4]**錯語**
見たものや対象物の言葉の一部、あるいは言語そのものをあやまって表出することを錯語という。

第 **4** 節　聴覚・言語障害

| 表2-6 | 音声障害の種類 | | |
|---|---|---|---|
| 種類 | 状態 | | おもな原因 |
| 器質性音声障害 | 発声器官に病変や障害を認め、音声に障害が起こる状態 | | 喉頭炎、喉頭浮腫、喉頭がん、声帯結節、声帯ポリープ、声帯麻痺 |
| 機能性音声障害 | 器質的な病変や障害がないにもかかわらず、音声に障害が起こる状態 | | 精神的ショックにより小声、ささやき声になる（心因性失声症）、おもに低音が割れ、声がふるえ弱くなる（音声衰弱症）など |

| 表2-7 | 構音障害の種類 | | |
|---|---|---|---|
| 種類 | 状態 | | おもな原因 |
| 器質性構音障害 | 先天的な形態の異常や欠損と後天的な病変や障害などにより、発音に異常が起こる状態 | | 口唇裂、口蓋裂、口唇口蓋裂、舌小帯短縮症、舌がん |
| 運動性構音障害 | 脳の神経が障害を受け、ろれつが回らない、言葉が途切れる、話す速度が遅いなど発音に異常が起こる状態 | | 脳卒中、パーキンソン病、筋萎縮性側索硬化症（ALS） |
| 機能性構音障害 | 器質的な病変や障害がないにもかかわらず、構音に障害が起こる状態 | | 構音動作の遅れや誤った習慣で、小児期に多く発症 |

構音障害といいます。構音障害は**表2-7**に示すとおり、3つの種類に分けられます。

### （3）視覚失認・失読・失書

　視力に支障がなく、大脳の視覚野が損傷したことで形や色などの認識ができなくなる状態を視覚失認といいます。言葉の意味や読み方を理解する聴覚野の損傷により、読解や音読が困難になる状態を失読といいます。運動機能に障害はなく、ペンを持つことができても文字を書くことができない状態を失書といいます。

## 2　障害の特性の理解

　言語の障害により意思の疎通を図ることができないため、他者とのコミュニケーションに支障がともないます。日常生活におけるさまざまな

状態に応じ、他職種と連携をはかりながら適切なかかわり方が必要になります。

### （1）成長発達過程における理解

　乳幼児期の言語障害は、乳幼児健診で経過をみながら、個人差が小さくなる3歳ごろに診断されることが多いです。幼児期の少ない語彙数や不適切な文の構成など言語発達の遅滞の原因のなかには、聴覚障害や知的障害があり、言語障害と断定することができないこともあります。また、医療面では、精神科や耳鼻咽喉科、小児科など多くの領域との連携が必要になります。幼児期に言語の発達が遅れると、就学・就職に影響がみられます。後天的な言語障害では、障害受容の過程における絶望や混乱、不安などがあるため、精神面での支援のほか、それまでの生活の継続への支援が必要になります。

　音声器官は、呼吸や摂食、嚥下にも関与しているため、これらのはたらきに障害をきたすことがあり、生活支援では他職種との連携が必要になります。

### （2）コミュニケーションの制限による生活上の困難

　言語障害では、言語の理解や意思の表出ができないことで、相互理解に支障が生じて、他者とのコミュニケーションが制限されます。失語症などは、外見上、障害を有することが伝わりにくいため、周囲からの障害についての理解が不十分になります。一方、口唇裂、口蓋裂、口唇口蓋裂などは、外見上の変形があるため、偏見の一因になることもあります。当事者は、周囲への遠慮や疎外感、孤立感、劣等感など精神的な苦痛をもつことが多く、生活範囲の縮小など影響を及ぼします。

　会話が不自由だとひきこもりになりがちですが、言語機能の活性化の意味でも、なるべく社会参加ができるようなはたらきかけが大切です。

##  3　障害の特性に応じた支援

　言語障害のある人は、「聞く」「話す」「読む」「書く」という言葉を用いたコミュニケーションに困難がありますが、さまざまなコミュニケーション支援機器を活用して、会社や学校へ行くなど地域生活を営み、社会に参加しています。

## （1）コミュニケーションの手段

　言語障害のある人には、言語の理解や表出の状態に応じて、コミュニケーション技術や筆談、文字盤、絵文字（カード）などを効果的に活用します。発声の機能を失った人のなかには人工喉頭を用いてコミュニケーションをとる人もいます。

### ▊ コミュニケーション技術の活用

　発語による意思の表出が困難なブローカ失語の人には、「はい」「いいえ」で答えられる閉じられた質問が適しています。言語の理解が困難なウェルニッケ失語の人には、質問や会話に合っていない返事をしたり、言い間違いが多かったりすることがみられますが、指摘や否定はしないようにコミュニケーションをはかります。

### ▉ コミュニケーションエイド

　キーボードなどを押すことで、合成音声を出せる機器です。

### ▊ 重度障害者用意思伝達装置

　重度障害者用意思伝達装置は、重度の肢体不自由と言語障害があり、意思の伝達が困難な場合に使用されています。ディスプレイ上で点灯する文字や単語をスイッチで操作して、意思を伝える等の機能をもつ装置です。身体のわずかな動きを感知するさまざまなセンサーでスイッチを操作することができます。

### ▉ 筆談、文字盤（透明文字盤）

　構音障害などにより「話す」ことができない人に対しては、文字を用います。筆談以外に、50音表の文字盤は、指や眼球で文字を指し示します。透明文字盤は、裏からも文字が読めるので、対面して視線で文字を指し示すことができます。

### ▊ 絵文字（カード）

　文字を「読む」「書く」ことができない人に対して、絵文字を用いることができます。絵や図でメッセージを示す工夫をします。

### ▉ 人工喉頭

　喉頭がんなどにより発声の機能を失った人に対しては、人工喉頭を使って発声する方法があります。

## （2）障害福祉制度による社会的資源

　言語障害者は、身体障害者福祉法のほか障害者総合支援法などさまざまな制度において、身体障害者手帳の交付や福祉用具の活用（表2－

| 表2-8 | 言語障害者を対象とした日常生活用具の例 |

| 種目 | | 用途 |
|---|---|---|
| 携帯用会話補助装置 | トーキングエイド | 50音のキーボードで文章の作成、出力音声、表示で意思を伝える |
| | 読上げ装置 | 文字板の点灯や音声ガイドにしたがい、スイッチを押して文章の作成や呼び出し・表示・読み上げをする |
| | マイク拡声スピーカー | 小型軽量で持ち運びの利便性が高く、音を大きくする拡声器 |
| ファックス（貸与） | ファックス | 文字により送受信をする |
| 人工喉頭 | | 笛式：気管切開孔に笛をあて、呼気で出された音をチューブで口腔内に送り、発声する<br>電気式：頸部に発振器をあて、咽頭粘膜を振動させて発声する |

8）など社会資源を利用することができます。

　障害者差別解消法に規定された合理的配慮では、構音障害等により発音が不明瞭で聞き取りにくくても理解をしたふりなどしないで、内容を確認して本人の意向を適切にとらえるなど会話の配慮も含まれます。

　言語障害者にとって便利な、パソコンやタブレット、スマートフォン、携帯電話のメールがコミュニケーションツールとして活用されています。回転ずしのタッチパネルによる商品注文やインターネットを通じた商品購入、ホテルの予約などは、言語を用いずに用件を満たすことができ、社会参加が広がります。

◆ 参考文献
● 小嶋知幸『図解 やさしくわかる言語聴覚障害』ナツメ社、2016年
● 後藤和宏監『図解入門よくわかる最新「脳」の基本としくみ』秀和システム、2009年
● 全難聴・全要研合同テキスト委員会『要約筆記奉仕員養成講座テキスト（基礎課程）』全日本難聴者・中途失聴者団体連合会・全国要約筆記問題研究会、2000年
● 厚生労働省「平成18年 身体障害児・者実態調査結果」2008年

## 第 **5** 節

# 重複障害

### 学習のポイント

- 重複障害の種類、原因を理解する
- 重複障害がある人の身体的・心理的・社会的側面の特性をとらえ、支援方法を理解する

**関連項目**
⑧『生活支援技術Ⅲ』▶ 第2章第4節「重複障害＜盲ろう＞に応じた介護」
⑧『生活支援技術Ⅲ』▶ 第3章第1節「知的障害に応じた介護」

## **1** 重複障害とは

重複障害の定義は、明確に示されていません。また、重複障害についてふれられている学校教育制度と福祉制度とでは、内容が異なります。

### （1）学校教育制度

学校教育法施行令第22条の3では、「視覚障害者、聴覚障害者、知的障害者、肢体不自由者、病弱者」の5つの区分で示され、障害の程度と判定方法が規定されています。これら5つのうち2以上あわせ有する場合を重複障害といいます。

### （2）福祉制度

障害者（児）の福祉に関する厚生行政においては、「視覚障害」「聴覚障害または平衡機能障害」「音声・言語障害または咀嚼機能障害」「肢体不自由」「内部障害」「知的障害」「精神障害」などそれぞれの障害について、障害の認定や施策の実施などに必要な障害の程度や判定が規定されています。これらのうち、2つ以上の障害が重複するものを重複障害といいます。

なお、一般的には、身体障害、知的障害、精神障害のうち2つ以上の障害が複合的にある場合を、重複障害と表現します。

## 2 障害の原因

中枢神経系の障害が原因となる場合が多く、先天的障害と後天的障害に分類されます。

先天的障害のおもな原因疾患には、脳性麻痺、水頭症、脊髄髄膜瘤、染色体異常などがあります。後天的障害のおもな原因疾患には、頭部外傷、脳炎の後遺症などがあります。

## 3 障害の種類

### 1 盲ろう重複障害（盲とろう）

目と耳が不自由な人を**盲ろう者**と呼びます。身体障害者手帳に記載されている盲ろう者（視覚と聴覚の両方に障害をあわせもつ人）は、全国で約1万4000人であると推計されています（厚生労働省「盲ろう者に関する実態調査」2012（平成24）年）。日本では、社会的にも法的にもまだ「盲ろう者」の定義が確立されていません。盲ろうの重複障害は、全盲ろう、弱視ろう、全盲難聴、弱視難聴の4つのタイプに分けられます。

### （1）障害の特性

#### ■1 身体的側面の理解

障害の発生経緯によって次のように分類されています。

① 先天的盲ろう：生まれつき、あるいは乳幼児期に視覚と聴覚の障害を発症する

② 「盲ベース」の盲ろう：はじめは盲（視覚障害）であとから聴覚障害をともなう

コミュニケーションについては、盲学校教育を受けた人は点字・指点字中心となります。

③ 「ろうベース」の盲ろう：はじめはろう（聴覚障害）であとから視覚障害をともなう

コミュニケーションについては、聾学校で教育を受けた人は手話・触手話中心となります。

④ 後天性盲ろう：成長発達の過程で視覚と聴覚の障害を発症する

なお、盲ろう者のなかには、知的障害や運動機能障害をあわせもつ人もいます。

### ❷ 心理的側面の理解

盲ろう者は、「光」と「音」が失われた状態で生活しているため、コミュニケーションや情報入手、移動が1人ではできないなどきわめて困難な状態におかれています。そのようななかで日常生活を送るということは、不安や恐怖も大きく、孤独な状態におちいりやすいと思われます。

視覚または聴覚の単独障害でも、受け取った情報のとらえ方が健常者と異なるため誤解が生じやすいといわれています。これが視覚・聴覚の両方の障害となれば、情報のとらえ方が独自のものとなり、周囲と理解し合うことがむずかしく、大きなストレスをかかえることになります。

## （2）生活上の支援

盲ろう者が、社会の一員として他者との交流をより充実させるためには、コミュニケーションの方法や質について考える必要があります。盲ろう者のコミュニケーションの方法は、それぞれの障害の程度や生育歴、環境によって多様です。個人因子や視覚機能・聴覚機能の状態をよく理解し、どのようなコミュニケーションの手段が最適なのかを把握する必要があります。

また、情報のとらえ方が健常者とは異なるという点を理解して、個々の盲ろう者のとらえ方に寄り添う姿勢が大切です。そして、盲ろう者が孤立しないで、社会の一員として生活を送れる支援につなげます。

## （3）おもなコミュニケーションの方法

### ❶ 手話——手話を読み取れる盲ろう者

・**触手話**（**触読手話**）：全盲ろう者が手話の形を触って読み取ります。
・弱視手話（接近手話）：弱視ろう者が見える距離から読み取ります。

### ❷ 点字——点字の読み書きができる盲ろう者

・**指点字**：点字タイプのキー代わりに通訳者が盲ろう者の指を直接たたく方法です（図2-14）。日本で開発された方法で、正確に迅速に伝

図2−14　指点字

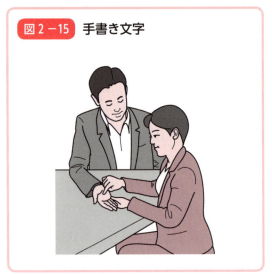
図2−15　手書き文字

えられます。
- **ブリスタ**：ドイツ製の速記用点字タイプライターのことで、点字を使用する盲ろう者が使用します。音が静かなうえに、たびたび紙を取り替える必要がないので、会議や講演会などの通訳に適しています。

### 3 手書き文字
盲ろう者の手のひらに直接文字を書いて伝える方法です（図2−15）。簡単ですが時間がかかるため、情報量が制限されます。

### 4 音声
残った聴力に対し、耳元や補聴器に向かって話す方法です。声の高低、強弱、速さ等に配慮します。

### 5 筆談
通訳者が文字を書いて伝える方法です。盲ろう者の見やすい大きさ、太さ、間隔の文字を書いて伝えます。
比較的簡単にできますが、時間がかかるため、情報量が制限されます。

### 6 指文字
日本では日本語式（50音式）指文字が聴覚障害者のあいだで一般的に使われています。手話といっしょに補助的に使われることが多いです。

### 7 パソコン通訳
通訳者がパソコンを用いて入力し、その画面を盲ろう者が読む方法です。近年ソフトウェアの普及にともなってニーズが増えています。

第5節 **重複障害**

### 8 その他

　盲の状態に応じ、聾学校の口話教育の補助で、**キュード・スピーチ❶**があります。また、先天性盲ろう児・盲ろう者とのコミュニケーションでは、親や指導者との間で、のどがかわいたときにコップをもつしぐさをするなど、ものや身振りサインを合図として用いることもあります。

## 2 聴覚と知的の重複障害

　これは、感覚機能の聴覚と知的の障害をあわせもつ状態をさします。

## （1）障害の特性

　聴覚障害により情報の入手がむずかしいことに加え、知的障害をともなうことで状況の理解が困難になります。その結果、生活に多くの支障がみられます。利用者の特性を理解し、尊厳を維持しながら支援することが求められます。

### 1 身体的側面の理解

　先天性の聴覚障害であったり、聴覚障害の程度によっては、聴覚機能による学習の機会が損なわれるため、言語の獲得に支障がみられ発語機能が低下します。聴覚・知的障害をともなうため、周囲の人との相互理解には、コミュニケーション手段として、自分の意思を示すサインや周囲の情報を理解するサインをつくりだすことが必要になります。

### 2 心理的側面の理解

　聴覚障害により外からの情報がえられず、その状況を理解することもむずかしいため、恐怖心や不安がみられます。また、自分の意思表出が困難で相手の理解がえられないなど欲求が満たされないことは、強いストレスの原因になります。支援をするうえで、常に利用者の気持ちをくみとる姿勢が求められます。

## （2）障害の特性に応じた支援

### 1 安全の配慮

　周囲の状況の情報が聴覚から伝わらないうえに、その状況の理解が困難なため、ささいなことでも危険性が増します。介護福祉職は、行動スペースにおける危険性を予測しながら環境を整備し、利用者の安全を確保することが大切になります。利用者が自分自身で安全面への認識がも

---

**❶キュード・スピーチ**

キュード・スピーチ (CS) は、話しことばを視覚化するツールのこと。母音を口の形であらわしながら、子音を手の形であらわすという方法で、幼いときによく使うコミュニケーションの方法。

第**2**章 障害別の基礎的理解と特性に応じた支援 I

91

てるよう、危険性を理解してもらうことも必要です。

### 2 他者との交流

コミュニケーションが円滑にはかれなければ、他者との相互理解や交流が困難になります。社会におけるルールを理解してもらいながら、主体的な社会生活が送れるよう支援をします。

### 3 日常生活の自立

乳幼児期では親・家族との関係構築や基本的な生活習慣の習得、社会的マナーの獲得などにおいて、学童期から青年期では就学などにおいて、成人期では就労、家族や地域での役割などにおいてで、それぞれのライフステージにおける取り組みに支障がみられます。個々のニーズに応じた支援をアセスメントすることが重要です。

## 3 視覚と知的の重複障害

これは、感覚機能の視覚と知的の障害をあわせもつ状態です。

### （1）障害の特性

先天性の視覚障害児の場合、盲学校へ就学して歩行方法の習得、歩行範囲の拡大に向けて、段階的に地理・空間のイメージを形成していきます。そこに知的障害をともなうと、就学先での学習内容の理解が困難となります。地理・空間のイメージが形成されず、自発的な行動や生活の範囲が制限されます。

### 1 身体的側面の理解

① 身体機能の増強、維持

歩行など運動の機会が減少するため、運動機能に影響がみられます。幼少期では、バランス反応、姿勢の保持、筋力の維持、歩行動作が低下します。高齢期では、**廃用症候群（生活不活発病）**❷が生じやすくなります。成長の過程にともなった運動の機会を設けることが必要になります。

② 睡眠のリズム

睡眠に必要な同調因子である光が目から取り入れられないため、**サーカディアンリズム**❸が乱れ、睡眠に障害が出やすくなります。食事時間の設定や活動の工夫により生活のリズムをつくりだすことが必要になります。

---

❷**廃用症候群（生活不活発病）**

全身あるいは身体の各部の活動の低下や不使用（不活動）によっておこる筋萎縮、起立性低血圧や褥瘡など、身体的・精神的に起きるさまざまな悪影響を総称した合併症をいう。

❸**サーカディアンリズム**

約24時間を1日の周期とする生体時計。概日リズムともいう。

### 2 心理的側面の理解

　行動に必要な情報を適切に理解しないで行動すると危険がともないますし、また危険がともなう行動を、周囲の人により制限、抑圧されるとストレスになります。疼痛など身体的負担の大きい体験をすると、行動に恐怖心や不安がともないます。個々の利用者の状況に応じたサインを用いたコミュニケーションにより情報を提供し、相互理解をはかることが求められます。

## （2）障害の特性に応じた支援

### 1 安全の配慮

　周囲の情報が視覚から理解できず、その状況の理解が困難なため、危険性が増します。介護福祉職は、行動スペースにおける危険性を予測しながら環境を整備し、利用者の安全を確保することが大切になります。利用者が自分自身で安全面への認識がもてるよう、危険性を理解してもらうことも必要です。

### 2 他者との交流

　利用者は、おもに家族やヘルパー等の同行支援を受けながら活動しています。しかし、主体的な行動が少ないと、他者との交流が制限されます。安全面や社会のルールを理解してもらいながら、主体的に他者との交流の機会がはかれるよう支援をすることも大切です。

### 3 日常生活の自立

　慣れた生活空間以外の場所では、地理、空間イメージがつくられないため、移動に不安や危険がともないます。利用者が主体的に活動できるよう、同行者が寄りそい、生活空間の拡大に努めます。また、日中の活動は、1日の生活リズムをつくりだすうえでも大切になります。成長発達に応じた楽しみや役割がもてるようはたらきかけることも欠かせません。

## 4　重複障害児への支援

## （1）特別支援学校および重複障害学級の現状

　従来の盲・聾・養護学校は特別支援学校に統合され（2007（平成19）年4月）、そのなかで2つ以上の障害をあわせもつ児の障害程度に応じ

| 表2-9 | 特別支援学校および重複障害学級の現状 |

令和2年5月1日現在

| | 学校数 | 学級数 | 在籍幼児児童生徒数<br>(幼稚、小学、中学、高等部) |
|---|---|---|---|
| 合 計 | 265 | 11,586 | 42,750人 |
| 聴覚・知的 | 11 | 257 | 982 |
| 視覚・知的 | 2 | 89 | 347 |

資料：文部科学省「特別支援教育資料（令和2年度）」を一部改変

て重複障害学級が設けられ、学級編成の基準等が規定されています。

　「特別支援教育資料」によると、全国の特別支援学校には、聴覚と知的の障害をあわせもつ児は982名、視覚と知的の障害をあわせもつ児は347名在籍しています（**表2-9**）。

## （2）支援体制

　学校教育法施行令の改正（2013（平成25）年）や障害者の日常生活及び社会生活を総合的に支援するための法律（障害者総合支援法）により、障害児やその保護者に対する支援が提供されています。

**1 学校教育法施行令によるおもな支援内容**

① 教育相談、支援関係部門との連携（都道府県、指定都市教育委員会）、相談に適切に応じるしくみづくり、就学事務担当者等の研修会
② 教育や就学に向けての体制の整備、運用
③ 乳幼児期から成人まで一貫した支援
　早期の段階で個別教育支援計画の作成、活用
④ 子育て支援、教育関係の情報提供
　相談会の実施、学校見学、体験入学会
⑤ 巡回相談
　幼稚園教員等への助言・指導、保護者の相談
⑥ 柔軟な就学支援
　個別教育支援計画の見直し

**2 障害者総合支援法によるおもな支援内容**

　2013（平成25）年4月に施行された障害者総合支援法において、地域

第 **5** 節　重複障害

---

表 2-10　専門性の高い意思疎通支援を行う者を派遣する事業

- 盲ろう者向け通訳
- 介助員の派遣
- 手話通訳者および要約筆記者の派遣において専門性の高い分野など市町村が派遣できない場合などへの派遣

---

生活支援事業に意思疎通支援を行う者の派遣や養成等を行う事業として**意思疎通支援**が追加され、障害のある人との意思疎通をはかるための支援内容が示されています（**表2-10**）。とくに重複障害者とのコミュニケーションでは、盲ろう者への触手話や指点字、知的障害のある人への理解を深めたうえでのコミュニケーションなど、専門性の高い意思疎通の方法が必要になります。

### 3 合理的配慮

　障害のある本人が、意思をあらわすことはとても重要です。しかし、重複障害によりそれを適切に伝えることに困難がともないます。合理的配慮を受けるためには、家族や支援者など周囲にいる人が、本人の障害の状態に応じたコミュニケーション手段の選択と活用をはかり本人の**意思決定支援**[4]を行いつつ、時には本人の代弁者として意思を伝えることが求められます。

[4] **意思決定支援**
p.24参照

---

◆ 参考文献

- 藤田郁代監、中村公枝・城間将江・鈴木恵子編『標準言語聴覚障害学 聴覚障害学 第2版』医学書院、2015年
- 厚生労働省「平成24年度 障害者総合福祉推進事業 盲ろう者に関する実態調査」

# 第 **6** 節

# 内部障害

## 学習のポイント

■ "見えない障害"である内部障害の種類や原因を学ぶ
■ 内部障害の特性に応じた支援とその留意点を理解する

| 関連項目 | ⑧『生活支援技術Ⅲ』 | ▶ 第2章第5〜11節「【内部障害】」 |
| | ⑪『こころとからだのしくみ』 | ▶ 第2章「からだのしくみを理解する」 |
| | ⑫『発達と老化の理解』 | ▶ 第5章「高齢者と健康」 |

## 1 心臓機能障害

### 1 心臓機能障害とは

　心臓機能障害とは、心臓のポンプ機能（収縮と拡張をくり返すことで肺や全身に血液を送るはたらき）が低下し、日常生活に支障をきたす状態をいいます。

　心臓機能障害によって身体障害と認定されるためには、医学的に確認できる一定の状態の変化に加え、生活のなかで心不全症状、狭心症状、危険な不整脈がみられる、またはペースメーカを植込んでいたり人工弁移植や弁置換を行っていたりすることが基準となります。

### （1）狭心症・心筋梗塞（虚血性心疾患）

　虚血性心疾患とは、心筋に酸素や栄養を送る冠（状）動脈（図2−16）の内腔が狭くなる（狭窄）こと（動脈硬化）によって血液を十分に供給することができなくなり、心筋が酸素欠乏になる状態（虚血）をさします。一過性の心筋虚血である狭心症と心筋の壊死にいたる心筋梗塞があります。

　狭心症には、ある一定の強い活動や精神的緊張で、前胸部の圧迫感や

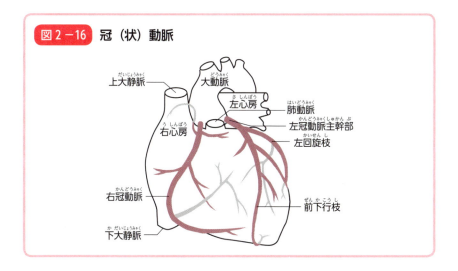

図2-16 冠（状）動脈

しめつけられる感じ（絞扼感）が出現する労作性狭心症と、安静時に起こる安静時狭心症があります。症状としては前胸部の圧迫感や絞扼感のほかに左肩から左上腕痛、歯痛等も併発することがあります。通常はそれらの症状が数分間持続し、ニトログリセリン製剤の舌下錠や舌下スプレーによって軽快します。

心筋梗塞では、30分以上持続する強い胸痛が特徴的です。

## （2）心不全

**心不全**とは、心臓のポンプ機能が低下することで、心臓の内圧が上昇し心拍出量が低下した結果、臓器の**うっ血**❶や呼吸困難、易疲労感（疲れやすい）をもたらす症候群です。心不全は右心不全と左心不全に分けられますが、高齢者では両心不全が多く、ほとんどすべての心疾患の最後にいきつく状態といわれています。

左心不全は、左心室のポンプ機能の低下で、肺動脈から左心房へ戻る血流が肺循環系で停滞した状態です。呼吸困難と咳、痰が代表的な症状で、患者は臥床しているよりも起座位のほうが呼吸が楽に感じられ、自然に座位をとるようになります（起座呼吸）。左心不全が長期化することで、肺動脈の抵抗が高まり、右心室から右心房、さらには静脈系の圧が高まり、右心不全を発症します。四肢や背部にも浮腫がみられるようになります。

小児における心不全症状は、先天性疾患によるものが多く、継続的な医療を必要とし発育障害をともなうことがあります。

❶うっ血
血流の障害や心臓の機能低下などの原因で、静脈の血液が停滞した状態のこと。心不全では、全身的にうっ血が生じるためさまざまな臓器に障害が起こる。

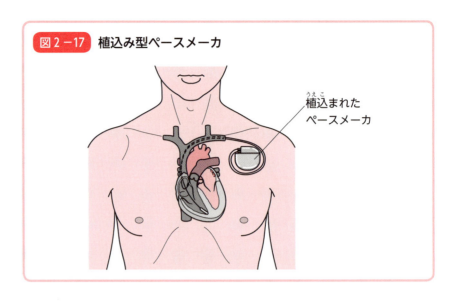

図2-17 植込み型ペースメーカ

植込まれたペースメーカ

## （3）不整脈

**不整脈**とは、心臓の拍動が異常になる状態（頻脈・徐脈・脈がとぶなど）をさします。徐脈性の不整脈では状態によって**ペースメーカ**❷の植込みが行われます。多くは前胸部の皮膚の下に発信機を埋め、そこから心臓まで達するリードを通して人工的な電気刺激を送り、正常な速さの脈をつくり出す処置です（図2-17）。

心室細動、心室頻拍のような状態が起これば心拍出量がなくなり致命的になります。**植込み型除細動器**❸（ICD:Implantable Cardioverter Defibrillator）は、ペースメーカと同様に埋め込まれ、発作を感知して即座に電気治療を行い、脈を正常に戻す装置です。これらの装置は薄くて軽いため、着衣の状態で外見上目立つことはありません。

## 2 障害の原因

心不全はほとんどすべての心疾患が最後にいきつく状態であり、虚血性心疾患、高血圧、頻脈性不整脈、拡張型心筋症、弁疾患、先天性心疾患などがおもな原因です。

狭心症や心筋梗塞（虚血性心疾患）の原因は**動脈硬化**です。動脈硬化とは、動脈の壁が厚くなったり、硬くなったりしてはたらきが悪くなる状態をさします。長期間にわたる高血圧や糖尿病などによって血管の内側の細胞が傷つけられ、血管壁のなかに脂肪物質がたまって、粥状にな

---

❷ **ペースメーカ**
本体に電池と電気回路が密封され、心臓内に留置した導線（リード）と接続している。本体は左または右の前胸部に植込まれることが多い。電池は外部からの充電はできず、一般的には5〜10年ほどで交換する必要がある。

❸ **植込み型除細動器**
体内から除細動（電気ショック）を行う装置。リードと呼ばれる電線を通して常に脈を監視している。危険な頻脈を感知すると、心臓に電気ショック（直流除細動）を与えて正常な脈拍に戻し、突然死を防ぐ。

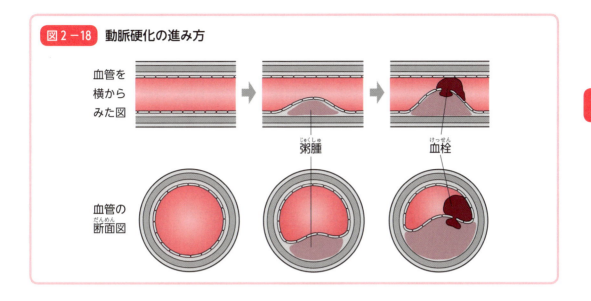

図2-18 動脈硬化の進み方

ります。それがしだいに厚くなったり崩れたりして血栓をつくり、血管をふさぐことがわかっています（図2-18）。その結果、心筋の細胞に酸素や栄養が供給されない状態となります。動脈硬化にいたる危険因子は、脂質異常症、糖尿病、高血圧、肥満、喫煙、加齢などです。

労作性狭心症の誘発は平地歩行や坂道歩行などの活動であり、食事、排便、精神的興奮なども引き金になることがあります。安静時狭心症は、冠（状）動脈の一過性のけいれんが原因です。けいれんは深夜から早朝に起こることが多く、寒冷、喫煙、過労、精神的ストレス等が誘因となります。高齢者では貧血、発熱、脱水なども要注意です。その他、小児の病気である川崎病の後遺症や大動脈弁膜症が狭心症の原因になることもあります。

不整脈が発生するおもな原因は心臓の疾患です。甲状腺や肺の疾患、加齢や体質的なもの、ストレス、疲労等によっても不整脈は起こりやすくなります。

## 3 障害の特性の理解

心臓機能障害のある人は、易疲労感や息切れしやすいなどの自覚症状がありますが、日常生活動作を自力で行っていたり、通院や生活管理をしながら仕事を続けていたりする人もいます。外見からは障害がわかりにくいため、周囲の人に理解されにくいという問題があります。現在、

❹ヘルプマーク

義足や人工関節を使用している人、内部障害や難病、妊娠初期の人など、外見からわからなくても援助や配慮を必要としている人が、周囲に知らせることで、援助を得やすくなるよう、東京都が2012（平成24）年に作成したマーク。2017（平成29）年7月にJIS規格に追加されて、全国的にも広がっている。

ヘルプマーク❹の活用が広がっています。

## （1）身体・心理的特性の理解

　心臓機能障害は、呼吸困難、息切れ、動悸、浮腫、体重増加・減少、易疲労感、疼痛、倦怠感、抑うつ、不安、睡眠障害、認知障害、食欲不振と多彩な症状を示します。精神的ストレスが、心臓疾患の重要な危険因子であることは知られていますが、心臓機能障害のある人にとっても、精神的ストレスは症状を悪化させる要因になります。また、体力低下の症状があるために、ほかの病気になりやすい、風邪をひきやすいという特徴をもっています。

　とくに高齢者では、同時に多くの疾患を合併している割合が多くなっています。複数の疾患が関連し合いながら、心不全の急性増悪（症状が急に悪化すること）と改善をくり返しながら、徐々に悪化するという経過をたどるため、それにともなって生活面での障害も大きくなっていきます。

## （2）生活面の理解

　心臓機能障害のある人は、一般的に、食事（塩分）制限、水分制限、安静と運動の管理、禁煙、内服薬の継続、感染防止など日常生活での留意事項が多く、それらの制限のなかで日常生活を送っています。身体的症状に加え、抑うつなどにより引き起こされる活動制限は、精神的ストレスとなります。精神的ストレスに加え、生活管理を続ける意思の低下によっても症状を悪化させたり、さらに参加制約を引き起こしたりする危険性もあります。障害と上手に付き合う留意点を本人と支援者が理解し、実践することが重要です。

> ■ ペースメーカや植込み型除細動器（ICD）の注意点
> 　ペースメーカや植込み型除細動器（ICD）を装着している人は、日常生活で強い電磁波環境を避けることが大切です（表2－11）。たとえば携帯電話は、皮下に埋めてある装置から15cm以上離しておくのが安全とされています。ペースメーカなどの装置が誤作動すると、失神等の急激な心不全症状を起こすような事故につながるおそれがあります。万が一、その場でめまいなどを訴えるようなら即座に離れ、それでもめまいや吐き気、失神、脈の乱れ等の症状が続

くようなら、ただちにかかりつけの医師にかかる必要があります。電磁波を用いた機器は、近年、日常生活場面で急増しています。最新の情報が収集できるようにしておく必要があります。

　また、植込み型除細動器（ICD）の植込みを行うと、命が救われるという安心感がえられる反面、ICDの作動そのものに不安を感じる人もいます。ICDの作動は痛みや不快感などの身体的苦痛をともなう場合があるからです。ICDの作動への不安は、運動はもちろんのこと、日常生活のさまざまな活動における必要以上の制限につながり、活動制限・参加制約を引き起こすことも考えられます。

　ペースメーカや植込み型除細動器（ICD）を装着している人にとって、車のシートベルトは埋め込んだ装置のちょうど表面を圧迫しかねないため、急ブレーキなどの際に装置を損傷させるおそれがあり、注意が必要です。

**表2−11　ペースメーカ・ICDへの電磁波の影響**

| | 影響する可能性あり（注意が必要） | 影響あり（避ける） |
|---|---|---|
| 日常生活 | ・電気カーペット・電動マッサージ器<br>・電磁調理器・IH炊飯器<br>・携帯電話<br>・電気のこぎり、ドリル、研磨機、草刈機<br>・車のスマートキーシステム<br>・電気自動車の充電器<br>・ワイヤレスカードシステム、金属探知機、電子商品監視装置（万引き防止ゲート）、商品の電子タグ | ・体脂肪計<br>・電気風呂<br>・低周波治療器<br>・磁気マット<br>・電気自動車の急速充電器<br>・全自動麻雀卓 |
| 医療機器 | ・CT | ・医療用電気治療器<br>・MRI（MRI対応型は検査可能） |

## （3）社会的課題の理解

　一方で社会的な課題として、不整脈がある人の車の運転や就労にかかわる問題もあります。自動車の運転中に不整脈による意識消失、あるい

は意識混濁をきたす場合には、正常な運転が不可能となって重大な交通事故を起こし、本人だけでなく他人の生命や身体を害する危険性が高いからです。道路交通法第90条および第103条では、「発作により意識障害又は運動障害をもたらす病気であって政令で定めるもの」にかかっている人は運転免許を拒否または保留（第90条）、運転免許の取消しまたは効力の停止（第103条）とすることが定められています。障害がある人にとっては人混みで不用意に電磁波にさらされないために、自動車を利用することが安心につながりますが、失神発作などによる二次災害防止のうえから、できる限り運転はひかえるほうがよいでしょう。また、ICDを装着している人については、自動車運転免許の取得・更新には医師の診断書が必要です。

### （4）障害のある子どもの理解

心臓機能障害のある子どもについては、身体面・心理面のみならず教育や社会経験といった成長に応じた発達を支えること、保護者による生活の管理から本人による管理に移行し社会生活に適応していくことなど、ライフイベントに対応した身体的・心理的・社会的な多岐にわたる課題があります。

##  4 障害の特性に応じた支援

### （1）生活支援上の留意点

心臓機能障害のある人は、日常生活での留意事項が多く、それらに対するコンプライアンス（遵守。医療者の指示や指導に従うこと）が体調維持のかぎとなります。本人には、正しく理解したうえでの、忍耐強い自己管理が求められています。たとえば、呼吸器感染は心不全の悪化をまねきますので、「人混みを避ける」「外出後に手洗いをする」「インフルエンザ流行期には予防接種をする」といったことが、本人によって自覚されたうえで実践されなければなりません。

介護福祉職は利用者の健康状態の観察が適切にできるようにしておくこと、医療職との連携のもとに、個別の利用者の日常生活上の留意事項を知り、適切な自己管理が行われているのかを観察できるようにしておくことが求められます。また、利用者が障害についてどのように理解しているのか、どのような生活を望んでいるのか、精神的ストレスをかか

第6節　内部障害

えていないかなどについても把握し、支援していくことが求められます。

　認知機能の低下などによって、これまでできていたことが自分ではむずかしくなってくるといった事態もあります。日々変化する生活の状況を正しく把握することが重要です。

## （2）チームアプローチ

　心臓機能障害のある人の日常生活においては、個別の状況に応じて、医師、看護師、管理栄養士、薬剤師、リハビリテーション専門職といった医療職による、疾患とその管理の評価に加え、医療ソーシャルワーカー、介護支援専門員、各介護保険サービス担当者、介護福祉職などによる生活の現況把握、さらには本人や家族等の意思や希望をすり合わせるなどのチームアプローチが重要になります。

### ■1 成長段階に応じた支援

　さらに心臓機能障害のある子どもの場合には、成長段階に応じて医療機関に加え、福祉事務所、児童相談所、児童福祉施設、障害児の通園施設・療育センター、保育所・幼稚園・学校、地域の子育てサークルやボランティア・NPO、親の会・家族の会といった広範囲でのチームアプローチが必要となってきます。原因となる疾病の状況や発達段階、家族を含めた周囲の環境によって課題は多様であり、かつ変化していくため、チームを構成する職種・機関も状況に応じて変化していきます。

### ■2 介護福祉職の役割

　チームにおける介護福祉職の役割としては、利用者のADLの状況、活気、食欲、浮腫、排泄の状況、体重、呼吸状態等、日常生活場面における症状の変化に留意しつつ、障害をもちながらの生活に対する本人の思いに寄りそう姿勢が重要です。

## （3）制度や社会資源の活用

　社会保障の側面からは、心臓機能障害のために身体障害者手帳を取得していると、税金の控除、交通機関の割引、駐車禁止等除外標章の発行等さまざまな公的支援や医療費の助成を受けることができます。また、障害者総合支援法や介護保険法にもとづくサービスを受けることもできます。

　その他に心臓ペースメーカ植込み後、患者に対して発行される心臓ペースメーカ手帳には、患者自身の住所、氏名などの個人情報に加え

第2章　障害別の基礎的理解と特性に応じた支援 I

103

て、心臓ペースメーカとリードの機種、適応疾患、設定など心臓ペースメーカに関する情報が個別に書かれています。外出時にはできるだけ手帳を携帯し、飛行機に搭乗する際やほかの医療機関を受診する際には、それを提示することでより快適な生活を送ることができます。これは、ICD手帳も同様です。

また、当事者団体としての患者会や、ペースメーカなどの心臓疾患の治療機器を製造販売している企業が構成する団体等でも最新の情報が入手できます。

# 2 呼吸器機能障害

## 1 呼吸器機能障害とは

呼吸器機能障害とは、呼吸器の機能障害が起こり、体内に酸素がうまく取りこめず、体外に二酸化炭素が排出できなくなり呼吸不全を引き起こした状態です。

呼吸不全を引き起こすおもな病気として、肺のガス交換に支障をきたす慢性閉塞性肺疾患（肺気腫、慢性気管支炎）、肺結核後遺症、間質性肺炎（肺臓炎、胞隔炎、肺線維症）があります。また、神経難病で神経や筋肉の障害が進行することで換気に支障をきたす筋萎縮性側索硬化症、筋ジストロフィーや、脳出血などで脳に障害をきたしたために換気が困難になる場合などがあります。

薬物治療に加え、酸素療法、気管切開による気道確保などの治療が必要です。

## 2 障害の原因と症状

### （1）慢性閉塞性肺疾患（肺気腫、慢性気管支炎）

**❺肺気腫**
肺胞壁が破壊され、スカスカになって膨張し、横隔膜が平らになった状態。

慢性閉塞性肺疾患（COPD：chronic obstructive pulmonary disease）は、タバコの煙や職業上の粉塵・化学物質などの有害物質を長い期間にわたって吸入したことが原因で肺が持続的な炎症を起こし、肺気腫❺（図2-19）、慢性気管支炎など、長期にわたって気道が閉塞

104

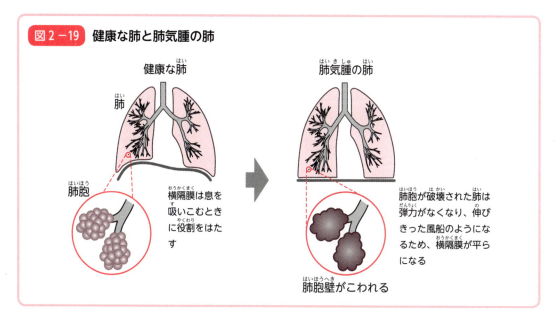

図2-19 健康な肺と肺気腫の肺

状態になる病気の総称です。5年生存率が70～80％で、気道閉塞が重度なほど予後不良です。有病率は高齢になるほど増加し、喫煙者のうち全体の15％で発症します。慢性的な咳・痰が主症状で進行すると、末梢血管の低酸素状態が長期にわたり続くことで、**ばち状指**❻がみられます。症状は、①動くと息切れがする、②息切れを避けるため動かなくなる（身体活動量の低下）、③体力や筋力が低下し、さらに動かなくなり息切れも強くなる、④病状が悪化する、という経過をたどります。

❻ばち状指
手や足の指の先端部が爪の付け根（爪甲）を中心に肥大した状態。

## （2）肺結核後遺症

**肺結核後遺症**は、若いころに肺結核にかかり、すでに治癒しているものの、肺が破壊されたり、胸郭形成術や肋骨の一部を切除したり、人工気胸などの外科的治療を受けたことが原因で、肺機能が徐々に低下し慢性呼吸不全になった状態です。肺活量が低下し、肺をおおっている膜が厚くなり、手術で胸郭が変形したために肺が膨らみにくくなると、必要な空気が出入りできず息切れを起こし、二酸化炭素が貯留する傾向がみられます。

## （3）間質性肺炎（肺臓炎、胞隔炎、肺線維症）

**間質性肺炎**では、肺胞の壁や周辺に炎症が起こり、血液に酸素が取りこめず、動脈血液中の酸素が減少して低酸素血症になると呼吸苦が生じます。進行すると肺が線維化して硬くなる**肺線維症**になる場合もありま

す。その他の症状として、息切れ・空咳・痰・発熱があります。息切れは、最初は運動時などにみられますが、進行すると歩くだけでも息切れを感じるようになります。原因として、皮膚筋炎・多発性筋炎、強皮症、関節リウマチなどの膠原病、アスベストの吸入など原因が特定できる場合と、原因不明の特発性間質性肺炎の場合があります。さらに、抗がん剤などの医薬品の副作用が原因になることもあります。

## 3 治療の方法

呼吸器機能障害の治療等に用いられる療法には、在宅酸素療法（HOT）、人工呼吸療法、薬物療法などがありますが、ここでは、在宅酸素療法、人工呼吸療法について説明します。

### （1）在宅酸素療法

慢性呼吸不全が進行すると呼吸困難によって日常生活に大きな支障をきたすため、在宅酸素療法（HOT：Home Oxygen Therapy）によって、からだに酸素を十分に取り込めない人に、長期間にわたり酸素吸入を行う治療法です。その治療法として、酸素濃縮装置と液体酸素装置の2つのタイプの酸素供給装置（表2−12）があります。『在宅呼吸ケア白書（2013）』の在宅酸素療法を行っている人の内訳は、慢性閉塞性肺疾患45％、肺結核後遺症12％、肺線維症・間質性肺炎・じん肺等18％になっています。在宅酸素療法の設定は、医師の指示により医療職が行い

| 表2−12 酸素濃縮装置と液体酸素装置 | | |
|---|---|---|
| | 液体酸素装置<br>（外出が多い人向き） | 酸素濃縮装置<br>（自宅にいる人向き） |
| しくみ | 液体酸素を少しずつ気化させることで気体の酸素を供給する | 部屋の空気を取りこんで窒素を取り除き、酸素を濃縮して供給する |
| 特徴 | ・停電時も使用可能<br>・電気不要・高濃度・高流量酸素投与が可能<br>・小型・軽量（子器）<br>・携帯用には子器を使用する | ・電気で作動<br>・装置のみで使用可能<br>・操作が簡単<br>・連続使用が可能<br>・外出や停電時用は、携帯用酸素ボンベを使用する |

第 6 節　内部障害

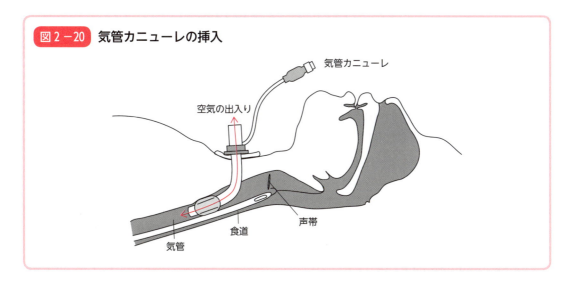

図 2 −20　気管カニューレの挿入

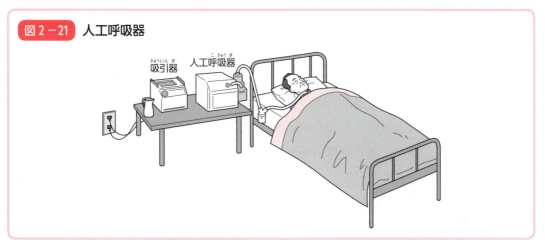

図 2 −21　人工呼吸器

ます。

在宅酸素療法を行う場合は、**酸素カニューラ**[7]、パルスオキシメータ[8]、ピークフローメータ[9]などが必要です。

## （2）人工呼吸療法

### 1 気管切開

医師により気管を切開して（気管切開）、空気の通り道（**気管カニューレ**）をつくります（図 2 −20）。気管切開の適応は、①長期的に人工呼吸器（図 2 −21）の管理が必要な場合、②気道からの分泌物が多く自力で痰が出せない場合、③上気道が閉塞してしまった場合などです。気管切開の場合は、酸素が鼻腔を通って肺にいかないため、異物や

[7] **酸素カニューラ**
鼻腔につけて酸素供給器から酸素を送りこむための細いチューブ。

[8] **パルスオキシメータ**
センサーを指に装着すると、血液中の酸素飽和度（$SpO_2$）が表示される機器。

[9] **ピークフローメータ**
最大呼気流量を測定するための器具で呼吸不全の症状をはかるために必要となる。

**表 2 −13** 非侵襲的陽圧換気（NPPV）と気管切開下陽圧人工呼吸（TPPV）

| | NPPV | TPPV |
|---|---|---|
| 特徴 | マスクを使用する。<br>TPPVより簡便で容易である。<br>在宅人工呼吸療法の約80％を占める。 | 気管カニューレを使用する。<br>二酸化炭素を低下させる効果が優れている。 |
| 対象疾患 | 慢性閉塞性肺疾患、肺結核後遺症、間質性肺炎などの呼吸器疾患や神経・筋肉の疾病。 | おもに神経や筋肉の疾病（呼吸する力が弱くなる）。 |
| 開始時期 | 頭が重い感じや昼間の眠気などの症状、顔や足にむくみ（心臓に負担がかかっている状態）がみられる場合など。 | NPPVで効果が不十分な場合など。 |
| デメリット | 二酸化炭素を低下させる効果はTPPVよりも劣る。 | 会話が困難になる。<br>痰などの分泌物の吸引や気管チューブ、気管切開部のケアが必要になる。 |

乾燥した酸素が肺に入ってしまうため、人工鼻を使用することもあります。気管カニューレを挿入すると発声できなくなり、喀痰の量も増えるので、適宜気管内吸引を行う必要があります。発声できないときのコミュニケーションには、**文字盤❿**や**意思伝達装置⓫**を使います。

**❿文字盤**
p.85参照

**⓫意思伝達装置**
p.85参照

### ❷ 人工呼吸療法

呼吸不全の症状が進むと呼吸する力が弱くなって（肺胞低換気）、HOTのみでは酸素が供給不足になり、二酸化炭素を十分吐き出せなくなると、酸素をおぎなうだけでは不十分で、過剰な二酸化炭素を排出する必要が生じます。そこで、医師の指示により医療職が機器を設定し呼吸の補助を行い、過剰にたまった二酸化炭素を排出し酸素の取り込みをうながすのが、人工呼吸療法(NPPV・TPPV)です(**表 2 −13**)。

## 4 障害の特性の理解

### （1）身体的側面の理解

酸素不足の症状として出現していた、息切れ・易疲労感・動悸・からだのむくみ・食欲低下・便秘・不眠・精神的ないらいら・集中力や記憶力の低下などは、在宅酸素療法により酸素が充足されることによって、改善されます。

表2-14 MRC息切れスケール

| Grade 0 | 息切れを感じない |
|---|---|
| Grade 1 | 強い労作で息切れを感じる |
| Grade 2 | 平地を急ぎ足、緩やかな坂を上るとき息切れを感じる |
| Grade 3 | 平地で同年齢の人より歩くのが遅い、自分のペースで歩いていても息継ぎのため休む |
| Grade 4 | 約100ヤード（91m）歩行したあと、息継ぎのため休む |
| Grade 5 | 息切れが強く外出できない、更衣でも息切れがする |

図2-22 口すぼめ呼吸

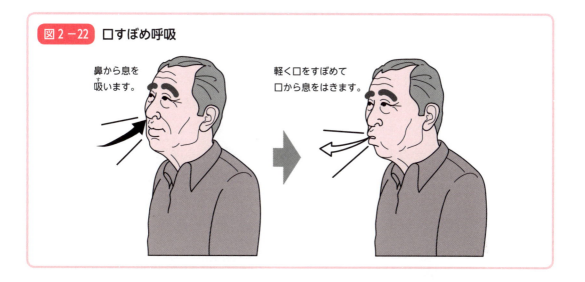

鼻から息を吸います。

軽く口をすぼめて口から息をはきます。

　血液中の酸素が不足した状態が長引くと、肺以外の臓器に負荷がかかり、高血圧、心不全、脳卒中、狭心症、急性心筋梗塞などの合併症を引き起こす危険があります。
　呼吸困難を客観的に評価する方法として、一般的に使用されているのがMRC息切れスケールです（表2-14）。
　呼吸器機能障害がある場合、呼吸をするだけでも多くの酸素を消費します。呼吸リハビリテーションとして、口すぼめ呼吸（図2-22）があります。鼻から息を吸って、すぼめた口からゆっくり息を出す呼吸法です。口すぼめ呼吸によって、空気を効率よく肺へ送ることができます。

## （2）心理的側面の理解

　酸素不足から生じた症状が改善されることで、安心感はえられますが、感染症などが原因で症状が悪化するリスクが常にあるため、症状が進行していくことへの不安をかかえています。

　また、呼吸が苦しくなると、死への恐怖も感じます。喫煙者であれば、禁煙が成功できずにつらい思いをしている人もいます。さらに、酸素吸入器を常に携帯する必要があることから、他人の目が気になり外出を控えたり、酸素吸入器や酸素カニューラの手入れなどへの負担感をもつ人もいます。

## 5　障害の特性に応じた支援

### （1）日常生活上の留意点

　在宅酸素療法により、呼吸困難や息切れが改善すると入院生活から家庭復帰や職場復帰が可能になります。活動範囲が広まることで、その人らしい生活が可能になり、QOLを高めることができます。

　一方で、常時酸素吸入を行う必要がある場合、行動が制限されるため、生活場面での環境の工夫が必要です。酸素の管理を行いながらの食事は、身体的な負担に加えて、人の目も気になるなど心理的苦痛が大きいことも考えられます。そのため、ストレスをためすぎて体調を崩し、感染症を発症しないように配慮し、休息がとれるようにします。

#### 1 感染予防

　呼吸器機能障害のある人は、抵抗力が低下している場合が多いため、常に感染予防を意識することが必要です。そのため、室内の空気をきれいに保ち部屋の乾燥を防ぐことを心がけます。十分な栄養と水分をとり、十分な睡眠がえられるようにします。外出時はマスクをして、帰ったら手洗いを行います。

#### 2 息切れの予防

　息切れを予防するための工夫が必要です（**表2－15**）。日常生活の動作時にも呼吸困難が強くなるため、息ぎれしやすい動作をひかえ、ゆっくりした動作を心がけるとともに、口すぼめ呼吸やゆっくりと深い呼吸で呼吸を整え、休みながら行うようにします。

#### 3 痰の喀出の対応

　痰の喀出（吐き出すこと）をうながすには、飲水量を増やしたり、座

第6節　内部障害

| 表2−15 | 息切れしやすい動作と予防のための工夫 |
|---|---|
| 息切れしやすい動作 | ・息を止めていきむ動作<br>・腕を上げて行う動作<br>・前屈動作・反復動作など |
| 息切れ予防のための工夫 | ・手すりを設置する<br>・いすをおいて休みながら歩く<br>・段差を低くする<br>・重いものは持たない<br>・力仕事は避ける<br>・高い場所に物を置かない<br>・前開きでゆったりした衣服を選ぶ<br>・入浴は酸素消費量が多いため短時間で行う<br>・食事は少量ずつに分ける |

位姿勢をとったり、背部のマッサージやタッピングで、痰が出やすくなるように介助します。

### 4 室内環境の整備

在宅酸素療法をしていることで、酸素カニューラを屋内でも装着することになるため、延長チューブ（最大20m）を使用して屋内を移動できるように居室環境を整えます。そして、歩行時には、延長チューブが足にからまないように、チューブを手に持ってたぐり寄せながら歩くか、廊下などの手すりにフックをつけて、チューブをかけながら歩きます。

酸素供給装置を使用している場合は、火気から2m以上離しておくことが必要です。部屋にいる場合には換気も適宜行う必要があります。喫煙は酸素カニューラに引火するとあっというまに燃え広がる危険があります。そのため、酸素吸入中は火気厳禁です。マッチ、ガスコンロ、石油ストーブなどは使用せずに、できるだけ電化製品を使用し、常に消火器を準備しておきます。酸素ボンベは少なくとも3日分は余分があるように準備しておきます。

### 5 酸素カニューラの管理

酸素カニューラは、付け外しが容易で、長さの調整もできます。汚れたら洗浄し、洗浄しても汚れが強い場合には新しいものと交換します。洗浄は水洗し洗剤などをつけて行いますが、洗浄後にチューブ内に水滴が残ったままにならないように乾燥させることが大切です。チューブ内

111

| 表2-16 | 公共交通機関利用時の留意点 |
|---|---|
| バス 電車 | 持ちこみ可能な酸素ボンベは2本に制限されている。禁煙車両を利用する。 |
| 船舶 | 持ちこみ可能な酸素ボンベは2本に制限されている。乗船前に船長の許可が必要である。 |
| 飛行機 | 国内線・国際線のいずれも使用可能で、持ちこみ可能な酸素ボンベに制限がある。一部の国際線で患者自身の酸素ボンベの持ちこみを禁止している場合もあり、各航空会社に確認が必要である。 |

が乾燥していないと、細菌が繁殖してしまいます。

**6 外出時の酸素吸入**

外出時の酸素吸入は、携帯型の液体酸素、ポータブル型酸素濃縮器など、外出に便利な在宅酸素療法用機器が増えており、買い物や外食、旅行なども容易に行えるようになっています。酸素吸入器具の公共交通機関への持ちこみ（**表2-16**）は、関係法令等により定められています。

## （2）介護福祉職の役割

異常を発見した場合には、早急に医療職に連絡し、安全に安心した生活が継続できるように支援することが大切です。さらに、患者の会などの情報提供も積極的に行います。旅行や地域との交流など外出の機会が増え、その人らしい生活が送れるように支援します。

また、在宅酸素療法を受けている利用者とその家族は、息苦しさからくる死への恐怖心や日常生活において気をつけることなども多く、心身ともに疲れを生じやすいです。そのため、家族を含めた支援が必要です。

## （3）チームアプローチ

呼吸器機能障害のある人は、気道感染・心不全の悪化などが急性増悪因子となり、重篤な状態におちいることがあります。そのため、息切れの悪化、チアノーゼの出現、痰が増えたり色が濃くなる、動悸、発熱、浮腫、尿量減少、頭痛、傾眠状態、不眠、全身倦怠感などの異常がある場合には、早急に連携することが必要です。早めに対応することで、重篤な状態への予防につながります。

第 6 節　内部障害

状態変化時の観察のポイントは、呼吸が苦しくないか、空気が適切に入っているか、息を吸ったときの息苦しさ感があるか、呼吸回数が1分間に40回以上になっていないか、呼吸が不規則に乱れていないか、発熱していないか、痰の量が増えたり出しにくくなっていたりしないか、昼間でも意識の反応が低下していないか、胸の痛みがないかなどです。

### （4）日常生活用具の給付

呼吸器機能障害により給付が受けられる日常生活用具には、酸素ボンベ運搬車、ネブライザー、電気式たん吸引器などがあります。

## 3 腎臓機能障害

### 1 腎臓機能障害とは

腎臓機能障害とは、腎臓の機能が低下し、日常生活に支障をきたす状態をいいます。

腎臓機能障害によって身体障害と認定されるためには、医学的に確認できる一定の状態の変化に加え、生活の制限や血液浄化を目的とした治療を必要としていることが基準となります。

### （1）慢性腎不全（慢性腎臓病）

腎臓の機能が障害され、生体の恒常性が維持できなくなった状態を腎不全といいます。急速に生じた場合を急性腎不全（急性腎障害）、長期間で持続的な機能障害におちいったものを慢性腎不全といいます。慢性腎不全では、腎臓機能の改善は望めません。

近年では、慢性腎不全の早期発見と早期治療により、進行を遅らせることをめざして、慢性腎臓病（CKD：Chronic Kidney Disease）という概念が提唱されています。CKDは生活習慣病とも関連し、腎臓以外でも動脈硬化の進行により、とくに心血管疾患を引き起こす危険性が高いことも明らかになっています。

腎不全はある程度進行するまでは自覚症状はありません。高血圧や浮腫が目立つころには腎臓機能はかなり低下しています。腎臓が行ってい

る電解質の調整などが障害されるので、血液中の電解質の異常や腎性貧血が起こってきます。末期の腎不全になると、本来尿中に排泄される物質が排泄されず体内にとどまることから、**尿毒症症状**⑫がみられたり、体液量が増加するために心臓に負担がかかり、心不全を引き起こしたりします。これらの症状について、薬物療法や食事療法でコントロールがむずかしくなった場合、血液浄化を目的とした透析療法を導入します。

### （2）末期腎不全の治療

#### 1 透析療法

　**透析療法**とは、腎臓に代わって血液の浄化を行う治療です。透析膜をはさんで血液中の水分や老廃物を透析液に移し、電解質の調整を行います。透析膜は半透膜であり、浸透圧や拡散と透析、ろ過といった膜の特徴を利用しています。

　一般社団法人日本透析医学会統計調査委員会によると[1]、血液浄化を目的とした治療を受けている人は、2019（令和元）年末で約34万人であり、その治療方法としては、97％の人が血液透析、3％の人が腹膜透析でした。また、腹膜透析を受けている人のうち、19％の人は血液透析を併用しています（一般社団法人日本透析医学会「わが国の慢性透析療法の現況（2019年12月31日現在）」より）。

> ⑫**尿毒症症状**
> 尿毒症症状を呈すると、高窒素血症に加え、代謝性アシドーシス、浮腫や心不全、高血圧などの循環器症状、吐き気、嘔吐などの消化器症状や貧血、出血傾向もみられ、また不眠や皮膚の掻痒感もあらわれる。

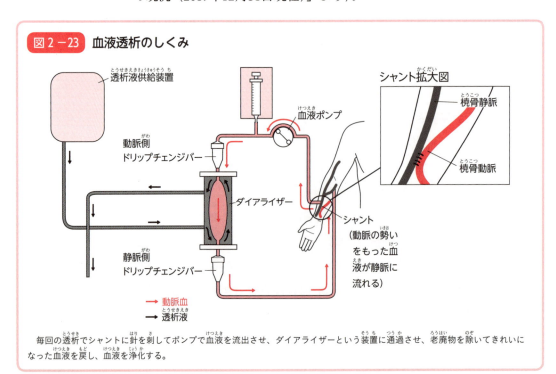

図2-23　血液透析のしくみ

毎回の透析でシャントに針を刺してポンプで血液を流出させ、ダイアライザーという装置に通過させ、老廃物を除いてきれいになった血液を戻し、血液を浄化する。

① 血液透析（HD：hemodialysis）

血液透析は、ダイアライザーという半透膜を介して血液浄化をはかります。血液を体外に導き出すための**バスキュラーアクセス（VA：vascular access）**❸を確保するために、動脈と静脈を手術でつなぎ合わせ**シャント**❹を造設します（**図2-23**）。

血液透析は、たとえば週3回の通院のうえ、1回3～5時間といった一定の時間がかかります。

② 腹膜透析（PD：peritoneal dialysis）

腹膜透析では自分自身の腹膜を半透膜として使用します。腹腔内に挿入した腹膜透析カテーテルに腹膜透析液の入ったバッグをつなぎ、定期的に腹腔内に貯留した腹膜透析液を交換します（**図2-24**）。カテーテルを腹部に留置しますが、挿入部（カテーテル出口部）の感染を防ぐケアが重要になります。

自動腹膜透析装置を用いて夜間就寝中に透析液の交換を行うNIPD（夜間間欠式腹膜透析）や**持続可動式腹膜透析（CAPD）**❺など、治療のバリエーションが豊富な腹膜透析は、患者の生活に治療を組み込むことが可能です（**表2-17**）。

**2 腎移植**

末期腎不全の根本的な治療法として、腎移植があります。腎移植後は

---

❸ **バスキュラーアクセス（VA）**
血液透析を行う場合、1分間に約200mlの血液流量を透析装置に送りこみ、また体内に戻す必要がある。このための血液の出入り口のことをバスキュラーアクセスという。

❹ **シャント**
血液透析を行う際は血管に針を刺し、十分な血液流量を確保する必要がある。通常の静脈では十分な血液流量がえられないため、動脈と静脈をつなぎ、動脈血を静脈に流すことによって血管の太さと血液流量を増大させるそのつないだ部位をいう。

❺ **持続可動式腹膜透析（CAPD）**
CAPDは持続的に腹腔に透析液を入れておき、1日に2～4回交換する方法である。月に1～2回程度の通院でよく、自営業の人やフルタイムで働きたい人が選択する場合もある。在宅での治療なので家族の協力は不可欠であり、また、常に腹膜カテーテルが挿入されているので、感染を起こさないように注意しなければならない。

---

**図2-24　腹膜透析：持続可動式腹膜透析（CAPD）のしくみ**

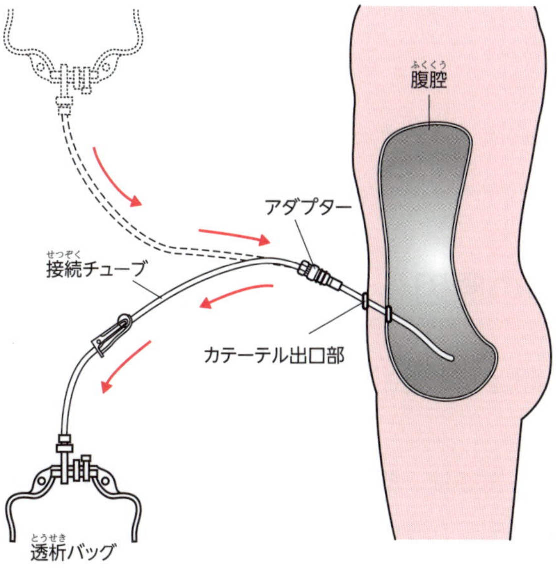

**表2-17** 血液透析と腹膜透析の特徴

| | 血液透析 | 腹膜透析 |
|---|---|---|
| 透析の経路 | おもに内シャント | 腹膜透析カテーテル |
| 透析頻度 | 週3回、1回3～5時間 | 6～8時間/回、あるいは24時間持続 |
| 本人による手技 | ほとんどなし | 1日2～4回のバッグ交換・機械操作 |
| 透析にともなう苦痛 | 穿刺時の疼痛。透析中は一定の姿勢しかとれない | 腹部膨満感 |
| 認知症の人等の適応 | 透析中の付きそいや、身体拘束・鎮痛剤が必要なこともある | カテーテルの損傷行為に注意する |
| 感染に対する注意 | 必要（とくにシャント肢） | 必要（とくに腹膜炎） |
| 設備 | 機械・施設が必要 | 簡単な器具のみ |
| 手術 | シャントの作成 | カテーテルの留置 |
| 生活の制約 | 透析場所 | 透析施設 | 自宅・職場 |
| | 通院 | 週3回 | 月1～2回 |
| | 食事制限 | やや厳しい | 比較的緩やか、とくにカリウム |
| | 行動 | 透析時間以外は自由 | 液交換時以外は自由 |
| | 運動制限 | シャントに影響する運動は制限 | 腹圧のかかる運動、水泳は制限 |
| | 入浴 | 透析日は要注意 | 出口部保護が必要 |
| | 妊娠・出産 | 困難をともなう | 困難をともなう |

出典：鈴木正司監『透析療法マニュアル改訂第6版』日本メディカルセンター、p.121、2006年、渋谷祐子編『透析看護　透析療法の知識・技術と患者マネジメント』学研、p.75、2015年を参考に作成

健康時と同様の生活ができるので、小児や青年期の人には、腎移植が治療法として1つの選択肢となります。

## 2 障害の原因

　腎臓機能障害を引き起こす疾患としては、糖尿病や腎炎などがあります。

　糖尿病（性）腎症は、糖尿病網膜症、糖尿病（性）神経障害と並ぶ糖尿病の三大合併症のうちの1つです。糖尿病による細小血管の病変が糸球体の血管におよんで発症します。血糖のコントロールが重要で、治療

第6節　内部障害

の基本となるのは食事療法です。さらに症状が悪化すると透析療法が必要になります。その他、高血圧や脂質異常症がある場合、血圧と脂質のコントロールも必要になります。

慢性糸球体腎炎は、腎臓の糸球体を中心に炎症が起こったもので、タンパク尿、血尿、高血圧があり、多くは無症状のまま徐々に腎臓機能障害が進行します。いくつかの疾患に分類できるため、疾患に応じた治療が行われます。

腎硬化症は、高血圧が長期間持続することで起こる腎臓機能障害の総称です。

一般社団法人日本透析医学会統計調査委員会によると[2]、2019（令和元）年の透析新規導入者（4.1万人）の原因疾患は、糖尿病性腎症41.6％、腎硬化症16.4％、慢性糸球体腎炎14.9％でした。

## 3　障害の特性の理解

腎臓機能障害は無症状で進行することが多く、自覚症状があらわれたころにはすでに重度になっているということもあります。慢性腎不全では、腎臓機能が改善することはありません。そういった特性は、障害の当事者にとっては、人生にかかわる突然の衝撃的な告知を受け入れ、かつ障害の進行を遅らせるために生活スタイルを変更し、管理法を習得するといった大きな試練です。糖尿病（性）腎症の人では、糖尿病の経過中に疾患とその経過について情報をえる機会がありますが、透析治療に入るころにはほかのさまざまな合併症を併発しているケースも多く、食事、薬物療法や通院治療など、日常生活の制限から引き起こされる身体的・精神的ストレスは大きいと想像できます。

### （1）身体・心理的特性の理解

腎臓機能障害の管理は、正しい服薬、食事・水分制限、運動制限による病状の維持が中心となります。自己管理を継続するためには、障害のある本人が自分の生活習慣を見直し、自分に合った管理方法を見いだすことが必要になります。自己管理に努めていても思うような成果がでず精神的ストレスとなり、生活管理を続ける意思の低下から症状を悪化させる危険性もあります。

117

## （2）生活面の理解

　生活面では、食事の管理が長期間にわたって必要になります。腎臓機能障害の程度に応じて、タンパク質、リン、カリウム、食塩、水分が制限されます。タンパク質の摂取量が増えると、腎血流量が増え腎臓への負担が増えるためです。水分制限やカリウム制限による食物繊維不足等から便秘になりやすい面もあります。タンパク質の制限をしつつ、十分なエネルギー量を摂取する必要があり、医師・管理栄養士による指導に従う必要があります。成長期の小児の場合には成長のためのエネルギーとタンパク質が必要であり、医師・管理栄養士による栄養管理がいっそう重要になります。

## （3）ライフステージの理解

　幼児では、生活習慣の自立がさまたげられたり、社会性や対人関係などの発達に遅れが生じたりする場合もあります。学童期には疾患の悪化をおそれて運動に対して過度に消極的になったり、友達から孤立したくないという思いから制限を超えて活動したりすることもあります。さらに、治療による入院等で学習面での遅れが劣等感につながることもあります。

　青壮年期には就労等の社会的活動の問題がともないます。夜間透析[16]や在宅血液透析など本人の生活リズムにそった手段も増えていますが、身体的・心理的要因も関係し、透析をしている人の就労率は障害のない人に比べて低い状態です。

　高齢者では、加齢にともなう身体機能の低下や、ほかの疾病との合併、認知機能や老人性うつなどの心理状態、また家族関係や1人暮らしなどの社会的背景によっても生活管理は大きく影響を受けます。

> **[16] 夜間透析**
> 夜間透析は、睡眠時間を利用して行う血液透析をいう。日中の活動に支障なく透析治療が可能で、長時間（7〜8時間）の透析を行うことができる。しかし、現時点では夜間透析が可能な透析施設は少ない。

## 4　障害の特性に応じた支援

## （1）生活支援上の留意点

　腎臓機能障害のある人は、腎性貧血、低栄養、免疫力の低下、易疲労感、活動性の減少などが起こってきます。感染予防に注意しながら、日常生活の活動と休息のバランスに注意し、腎臓の負担を減らすことが重要です。こういった制限の多い生活管理は、人の成長と発達にも大きく影響を及ぼします。透析を行っている人では、さらに体重管理と、シャ

ントやカテーテルの管理が必要です。

　介護福祉職はシャント部周囲の皮膚のトラブルを防ぐことや、シャントへの圧迫を避けることに注意し、痛みの有無などシャントに異常がないかを確認します。また、血液透析中は、抗凝固剤（血液を固まらせないようにする薬）を使用するため、けがに注意します。腹膜透析では、カテーテルの出口部や周囲の状態の観察などをする必要があります。

　介護福祉職には利用者の健康状態の観察が適切にできるようにしておくこと、医療職との連携のもとに、個別の利用者の日常生活上の留意事項を知り、適切な自己管理が行われているのかを観察できるようにしておくことが求められます。また、利用者が障害についてどのように理解しているのか、どのような生活を望んでいるのかなどについても把握し支援していくことが求められます。

　認知機能の低下などによって、これまでできていたことが自分ではむずかしくなってくるといった事態もあります。日々変化する生活の状況を正しく把握することが重要です。

## （2）チームアプローチ

　腎臓機能障害のある人の日常生活においては、個別の状況に応じて、医師、看護師、管理栄養士、薬剤師、リハビリテーション専門職といった医療職による、疾患とその管理の評価に加え、医療ソーシャルワーカー、介護支援専門員、相談支援専門員、介護福祉職等による生活の現況把握、さらには本人や家族等の意思や希望をすり合わせながら、ケアをマネジメントしていくチームアプローチが重要になります。

### ◪ 成長段階に応じた支援

　さらに腎臓機能障害のある子どもの場合には、成長段階に応じて医療機関に加え、福祉事務所、児童相談所、児童福祉施設、障害児の通園施設・療育センター、保育所・幼稚園・学校、地域の子育てサークルやボランティア・NPO、親の会・家族の会といった広範囲でのチームアプローチが必要となってきます。原因となる疾病の状況や発達段階、家族を含めた周囲の環境によって課題は多様であり、かつ変化していくため、チームを構成する職種・機関も状況に応じて変化していきます。

### ◪ 介護福祉職の役割

　チームにおける介護福祉職の役割としては、利用者のADLの状況、活気、食生活の様子と食欲、排泄の状況、体重の変化等、日常生活場面

における症状の変化に留意しつつ、障害をもちながらの生活に対する本人の思いに寄りそい、生活を管理する意欲を支える姿勢が重要です。

腎臓機能障害では、本人による生活管理が最重要となります。セルフケアに関する知識や技術、それに関連する認知機能、視聴覚機能に変化がないか、情緒の安定はどうか、健康観や人生に関する考え方、周囲の人や社会における関係・役割の変化について把握し、チームのなかで共有しておくことが重要です。

### （3）制度や社会資源の活用

社会保障の側面からは、腎臓機能障害のために身体障害者手帳の交付を受けていると、税金の控除、交通機関の割引、駐車禁止等除外標章の発行等さまざまな公的支援や医療費の助成を受けることができます。また、障害者総合支援法や介護保険制度によるサービスを受けることもできます。

災害時には、かかりつけ医以外で透析を受ける必要があります。透析カードを作成し、氏名、連絡先、血液型、性別、生年月日、導入日、原疾患、禁忌薬などの個人情報のほかに、透析器、抗凝固剤、透析時目標体重、透析の回数や曜日、バスキュラーアクセスなど透析に必要な条件を記入したうえで、本人に携行してもらうといった支援を行うところが増えてきました。

また、旅行先でも透析ができるよう手続きをし、活動的な生活を楽しんでいる人もいます。当事者団体としての患者会やさまざまな支援団体が発信している最新の情報について、本人が入手できているかを確認するとともに、情報入手のための支援が必要になることもあります。

# 4 膀胱・直腸機能障害

## 1 膀胱・直腸機能障害とは

**⑰膀胱がん**
膀胱がんの誘因として喫煙や化学物質があり、化学物質を扱う職業の人に発生したものを、職業性膀胱がんという。

### （1）膀胱機能障害とは

**膀胱機能障害**の原因となる病気に**膀胱がん**⑰があります。膀胱がんの初期症状は無症状で、時に血尿がみられ、進行すると膀胱痛や排尿時痛

120

が出現します。さらに、交通事故などの事故、先天性の疾患、神経障害を引き起こす疾患が原因になる場合もあります。

膀胱機能障害では、高度の排尿障害があるので、尿の出口を尿道以外に尿路変向して、尿路ストーマを造設する場合があります。障害の状況に応じて、膀胱留置カテーテルや定期的な自己導尿が必要になる場合もあります。

### （2）直腸機能障害とは

直腸機能障害の原因となる病気に**直腸がん**[18]があります。

さらに、先天性疾患として、二分脊椎症・先天性鎖肛（肛門や直腸が閉鎖している）や神経障害を引き起こす疾患が原因になる場合もあります。

大腸がんの好発部位として直腸、Ｓ状結腸があげられます。直腸がんの初期症状に下血（血便、粘血便）があり、進行すると便通異常や腸閉塞による腹痛が出現します。これらの症状が悪化すると、消化管ストーマを造設することになります。

消化管ストーマ以外にも、障害の状況に応じて定期的な摘便、浣腸、洗腸が必要な高度の排便機能障害があります。

## 2 膀胱機能障害の治療・管理

### （1）尿路ストーマ

膀胱がんや外傷などによって尿路の一部が損傷した場合に、腎臓から直接尿を排出するための排出口として尿路を変向して尿管皮膚ろう、**回腸導管**[19]などを造設します（図２－25）。排泄した尿を一時的にためるストーマパウチの貼付が必要です。その他、腎盂にカテーテルを挿入し、体外に尿を排泄する腎ろうがあります。

### （2）膀胱留置カテーテル法

膀胱にたまった尿が排泄できない場合には、膀胱内からカテーテルを用いて尿を排出させる**膀胱留置カテーテル法**を用います。尿道から膀胱内に挿入する**膀胱留置カテーテル**（図２－26）と、下腹部より直接膀胱に挿入する**膀胱ろう**（図２－27）があります。

膀胱内でバルーンをふくらませて固定する膀胱留置カテーテルと蓄尿

---

**[18] 直腸がん**

日本人に増えているがんの１つ。直腸がんの原因として、食の欧米化にともなう動物性脂肪、糖質などの摂りすぎや食物繊維の摂取不足、遺伝子などとの関係が解明されてきている。

**[19] 回腸導管**

回腸の一部を用いて尿を体外に導く管のこと。膀胱を全摘出した場合に回腸にカテーテルを挿入する。

| 図 2-25 | 尿路ストーマの種類 |

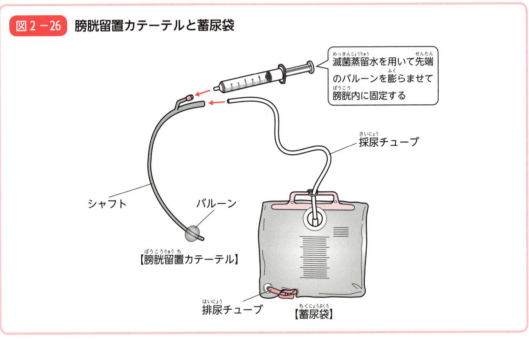

| 図 2-26 | 膀胱留置カテーテルと蓄尿袋 |

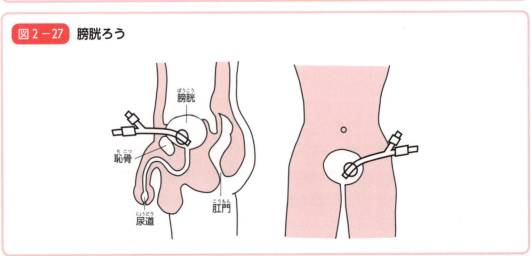

| 図 2-27 | 膀胱ろう |

袋のカテーテルを接続し、蓄尿袋から尿を排出します。蓄尿袋内にたまった尿は定期的に廃棄します。膀胱内にカテーテルを留置している場合、尿管に細菌が入りやすく尿路感染症を併発する可能性が高いので尿の性状、浮遊物などの観察とともに、カテーテルが閉塞していないかを確認することが必要です。

## （3）自己導尿

排尿障害によりうまく排尿できない場合には、定期的に自分自身でカテーテルを尿道から膀胱に挿入して、膀胱内にたまった尿を体外に排出します。感染予防のために清潔な操作で行います。

## 3　直腸機能障害の治療・管理

### （1）腸管ストーマ

消化器がんの切除などにより排泄ができない場合に、腸から直接排出するための排出口として消化器ストーマ（図2−28）を造設し、体外に便を排出します。

結腸ストーマは、上行結腸ストーマ、横行結腸ストーマ、下行結腸ストーマ、S状結腸ストーマの順に、便の水分量は少なくなります。肛門に近い部位にストーマを造設した場合、便の性状が硬く洗腸が必要なこともあります。

---

**図2−28　消化器ストーマの種類**

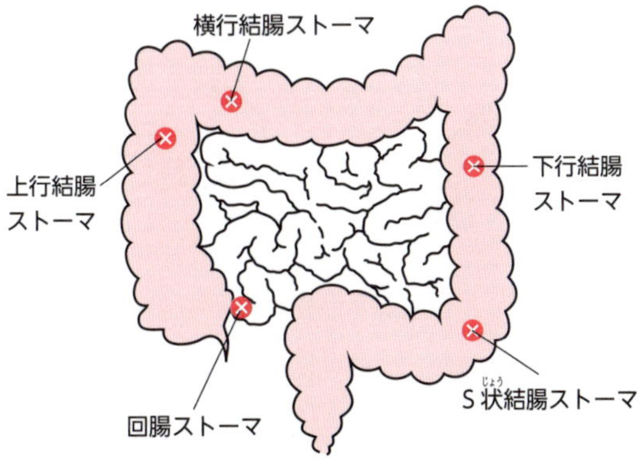

横行結腸ストーマ
上行結腸ストーマ
下行結腸ストーマ
回腸ストーマ
S状結腸ストーマ

イレオストミー：回腸ストーマ
コロストミー：上行結腸〜S状結腸ストーマ

## （2）定期的な摘便

たまった便が排泄できない場合には、看護師などの医療職が肛門から人差し指を入れて定期的に直腸の便を排出します。自分自身で行うことを自己摘便といいます。

## （3）浣腸

直腸およびS状結腸に便がたまっていても自然排便で排出できないときに、肛門から直腸に向けてグリセリン液など浣腸液を注入して便を排出することを浣腸[20]といいます。浣腸は、看護師などの医療職が行いますが、市販のディスポーザブルグリセリン浣腸器（挿入部5～6cm程度以内）は、介護福祉職が扱えます（図2-29）。

## （4）洗腸

洗腸は、保険診療上は「経肛門的自己洗腸」といいます（図2-30）。1～2日に1回、300～1000mlの微温湯を肛門から直腸に注入し、直腸と下行結腸にたまっている便を排出します。便失禁を防いだり便秘症状を改善するために行います。洗腸は医療職が実施します。

[20] 浣腸
介護福祉職が扱うことができるのは、市販のディスポーザブルグリセリン浣腸器（挿入部の長さが5～6cm程度以内、グリセリン濃度50％、成人用の場合で40g程度以下のもの、6歳から12歳未満の小児用の場合で、20g程度以下、1歳から6歳未満の幼児用の場合で10g程度以下の容量のもの）（「医師法第17条、歯科医師法第17条及び保健師助産師看護師法第31条の解釈について」（平成17年7月26日医政発第0726005号）参照）。

図2-29　使い捨てグリセリン浣腸

図2-30　洗腸用器具

第 6 節　内部障害

# 4　障害の特性の理解

## （1）身体・心理的特性の理解

　ストーマを造設した部位により、便の性状は泥状から水様で、便に消化酵素を多く含むため、便が皮膚に接触すると発赤や表皮剥離などの皮膚障害を起こしやすくなります。

　膀胱または直腸障害でストーマを造設している場合、がん細胞を取り除いた安心感はあるものの、排泄物がストーマから排泄されるなど、ボディイメージの変化を受けとめるのに、かなりの時間が必要になります。また、人としての尊厳が損なわれたり強い羞恥心をもったりすることがあります。日常生活において排泄物がいつ排泄されるかわからず、臭いなどが気になり、他者との交流や外出を避けてしまう人もいます。さらに、常にストーマケアを行わなければならない苦痛なども同時にかかえています。

　さらに、膀胱留置カテーテルを留置している場合、袋内の尿の貯留やもれが常時不安につながります。自己導尿が必要な場合は、定期的にカテーテルを挿入して尿を排泄しなければならない苦痛がともないます。定期的な自己導尿を実施するには、設備が整った**多機能トイレ**[21]やベッドなど、その人が自己導尿できる体位がとれる場所や、排泄物を処理できる環境が必要になります。外出や社会復帰に向けては、このような環境が整っているのか、多くの人が不安をかかえています。

　一方で、膀胱または直腸機能障害の原因疾患に対する継続治療や、がんの再発への不安感など、精神的苦痛もかかえています。

## （2）生活面の理解

　膀胱または直腸機能障害の原因になった疾患の治療のためにストーマを造設することで、家庭生活や社会復帰が可能になります。しかし、排泄に関連して自己管理が必要で、生活面において制限を受けやすく、排泄物の臭いやもれなどが強いストレスになります。

　さらに、排泄物により皮膚のトラブルを起こしやすく、膀胱または直腸機能障害の原因疾患の治療のために長期的な通院が必要で、時間的な制約を受けます。

　ストーマ管理は、高齢になると自己管理がむずかしくなることもあります。ストーマ周辺の皮膚トラブルが起きないよう、**ストーマ装具の交**

**[21]多機能トイレ**
バリアフリー化を目的として、車いす使用者のスペースや手すり、オストメイト用の汚物流し台、高齢者用の手すりや乳幼児のおむつ交換台などを備えた多目的に使用できるトイレ。

第**2**章　障害別の基礎的理解と特性に応じた支援 ー

125

[22]**ストーマ装具の交換**

介護福祉職が行う場合は研修を受け、最初は看護師の指導のもとに行うことが望ましい。専門的な管理が必要な場合は医行為にあたるので、医師や看護師に連絡する。

換[22]を介護福祉職が行うこともあります。

## 5 障害の特性に応じた支援

　排泄の障害は、食事や生活、仕事など社会生活に大きな影響があります。介護福祉職は膀胱または直腸機能障害のある人の心理的・身体的・社会的な苦痛を理解して、孤立しないように支援します。
　一方で、排泄に関することは、羞恥心がともなうため、自分らしい生活ができるよう、できるところは見守り、できないところを介助する必要があります。環境を整え、社会資源を活用することで、経済的な負担を減らします。

### （1）生活支援上の留意点

　腸管を用いたストーマは、赤い色（腸管の内側の色）をしており、粘液でいつも湿っています。尿管を用いたストーマはベージュ色をしています。腹部につくられたストーマは一見「痛そう」に見えますが、痛みを伝える神経はないので、排泄時に痛みを感じることはありません。ただ、粘膜には血管が密集しており刺激や摩擦により出血しやすいので、傷つけないようにケアする必要があります。

#### ◼️1 ストーマからの排泄物
　ストーマを造設している場合は、ストーマに排泄物を受けとめるストーマ袋（パウチ）を装着することになります。ストーマの大きさや位置などは人によってさまざまです。肛門や尿道には括約筋があり自分の意思で排泄できますが、括約筋のないストーマからの排泄は自分の意思で排泄のタイミングをコントロールできません。そのため、パウチで排泄物を受けとめ、パウチにたまった排泄物を、トイレなどに捨てることになります。

[23]**オストメイトマーク**

#### ◼️2 外出先のトイレ
　外出には予備のストーマ装具一式を持ち歩くことが必要です。公共機関などの施設構内には多機能トイレがあり、オストメイト対応のトイレの設置がすすんでいます。オストメイト対応の多機能トイレには**オストメイトマーク**[23]が表示されています。

#### ◼️3 ストーマに配慮した生活の留意点
　臭いがきつい場合には、パウチ内に消臭剤を入れるなどの工夫をしま

す。服装はストーマを圧迫しない服を選び、入浴時は装具を装着したまま入浴します。ストーマ装具を交換する日（3～4日が目安）は装具をはずして行います。日常生活の動きのなかで、重いものを持ち上げたり運んだりすると腹圧がかかりすぎるので、避けるようにします。

　また、もれのおそれもあるため、活動や運動に適した装具を選ぶ必要があります。

　食事は、暴飲暴食、刺激物の摂りすぎ、消化の悪い食品、ガスが発生しやすい食品、臭いの強いものは避けるようにします。具体的な食品については、『生活支援技術Ⅲ』（第8巻）第2章第8節「【内部障害】膀胱・直腸機能障害に応じた介護」を参照ください。

## （2）成長段階に応じた支援

　子どもの場合は、ストーマケアに慣れて体力が回復したら、学校へ復帰できます。学校の教員や養護教諭にストーマケアについて説明し、理解をえられる体制をつくります（たとえば、身体をぶつけ合う激しい運動は見学する、授業途中でもトイレに行くことができるなど）。

　運動については、体力の回復とともに徐々に手術前と同様の運動ができるようになります。散歩からはじめて、少しずつ運動量を増やしていきます。スポーツをする際はストーマ袋内の排泄物を捨ててから行います。ストーマ装具が汗ではがれたり、身体の動きでずれたりしないようにストーマ用ベルトを用いたり、テープで補強したりすると安心です。水泳や運動を行う際には、目立ちにくいベージュ色で小さめの装具があります。

　成人の場合、ストーマケアや日常生活に慣れたら、職場復帰が可能です。担当医から今後の診療スケジュールや体力回復の見通しなどの情報をえて、必要に応じて会社側へ伝え、今後の仕事と治療の両立について相談します。体力が回復してきたら旅行も自由に行けます。女性はストーマを保有しながら妊娠・出産もできます。男性は術式によっては勃起不全などの性機能障害が生じる場合があります。

## （3）チームアプローチ

　ストーマの観察を行い、異常の早期発見に努め、ストーマの狭窄、脱出、陥没、ヘルニア、出血や皮膚の発赤、びらん、痛み、かゆみがみられた場合には、看護師などの医療職に連絡します。

認知症などでストーマを自己管理できなくなってきた場合や、異常を発見した場合には、看護師などに早期に連絡し、ストーマの管理が安全に継続して行えるように支援することも必要です。

　直腸付近のストーマでは、便秘が4日以上続く場合は医師の指示で下剤を服用しますが、便秘で嘔気や腹痛をともなう場合は、腸閉塞が疑われるため、看護師などの医療職に早急に連絡することが必要です。

## （4）災害時の対応

　災害への準備として、避難用具のなかにストーマ装具と交換に必要なケア用品を入れておきます。また、オストメイト携帯用カードも身につけておきます。オストメイト携帯用カードには、手術日、手術を受けた病院名、装具の購入先、製品名や番号などが書かれています。

## （5）日常生活用具

　身体障害者手帳が交付されると、日常生活用具（ストーマ装具、ストーマ用品、洗腸用具）の給付を受けることができます。給付対象となるストーマ用具は市町村によって異なります。

# 5 小腸機能障害

## 1 小腸機能障害とは

　小腸機能障害とは、小腸の機能の障害により栄養の維持が困難になり、日常生活に支障や制限がある状態をいいます。栄養を経管栄養法や中心静脈栄養法（TPN：total parenteral nutrition）などでおぎなう必要があります。

　小腸機能障害の原因疾患として、上腸間膜血管閉塞症、小腸軸捻転症、先天性小腸閉鎖症、壊死性腸炎、広汎腸管無神経節症、外傷などがあり、小腸の大量切除をともないます。その他には、クローン病、腸管ベーチェット病、非特異性小腸潰瘍、特発性仮性腸閉塞症、乳児期難治性下痢症、その他の良性の吸収不良症候群などがあります。

## 2　障害のおもな症状

### （1）壊死性腸炎

　未熟児、低出生体重児に好発する腸管壊死性の疾患です。周産期および出生後のショック、低酸素状態における腸間膜血行障害が原因です。男女比は１：２と女児に多く、全体のうちの90％が生後10日までに発症します。好発部位は回腸下部、盲腸、上行結腸です。初発症状は、腹部膨満、嘔吐、下痢、下血、不活発、発熱、低体温などで、腸の壊死が進行すると**腸管穿孔**❷❹を起こすことが多いです。

### （2）クローン病

　クローン病は、炎症性腸疾患の１つで、小腸や大腸などの消化管に炎症が起きて、びらんや潰瘍ができる疾患です。腹痛、下痢、血便などの消化器症状と、発熱、倦怠感、体重減少などの全身症状があります。好発年齢は10代後半から20代で、患者数が増加傾向にあります。指定難病の対象になっています。

### （3）腸管ベーチェット病

　腸管ベーチェット病は、遺伝的要因に加えて、感染症やほかの環境要因により免疫機能が刺激され、炎症を起こすと白血球が過剰になることで回盲部に潰瘍ができる病気です。腸粘膜が傷つくことで、慢性的な腹痛、腹部不快感、下痢、下血、便秘などの症状があります。潰瘍が深くなると腸に孔が開き、腸から出血することもあります。20〜40代に多く発症します。指定難病の対象になっています。

## 3　治療と管理

　小腸機能障害は栄養の維持が困難なことから、栄養維持のために、①経管栄養法、②中心静脈栄養法などを用いて栄養をおぎなう必要があります。

### （1）経管栄養法

　経管栄養法には、**胃ろう**、**腸ろう**を造設して栄養剤を注入する方法と、経鼻経管栄養法があります（**表２−18**）。

❷❹**腸管穿孔**
胃壁や腸壁に孔が開くこと。腸破裂といわれることもある。

表 2-18　経管栄養の種類

| | |
|---|---|
| 経鼻経管栄養法 | 鼻から胃までチューブを挿入し、経腸栄養剤を直接胃に注入する栄養方法のこと（4～6週間の長期間はすすめられない）。 |
| 胃ろう栄養法 | 腹部にろう孔を造設し胃内までつながる管を留置し、その管から直接胃に経腸栄養剤を注入する栄養方法のこと。 |
| 腸ろう栄養法 | 腸ろうとは、胃ろう造設と同様、経腸栄養剤を注入するために空腸に造設したろう孔に栄養チューブを挿入して栄養剤を注入する栄養方法のこと。 |

　詳細は『医療的ケア』（第15巻）第3章第1節「高齢者および障害児・者の経管栄養概論」を参照ください。

## （2）中心静脈栄養法

　中心静脈栄養法（TPN）は、高濃度の輸液を静脈から注入して栄養を維持・改善するものです。末梢静脈から注入すると静脈炎を起こしてしまうため、心臓に近い中心静脈（鎖骨下静脈）から高エネルギーの輸液を注入します。在宅携帯型の輸液ポンプを使用する**在宅中心静脈栄養**

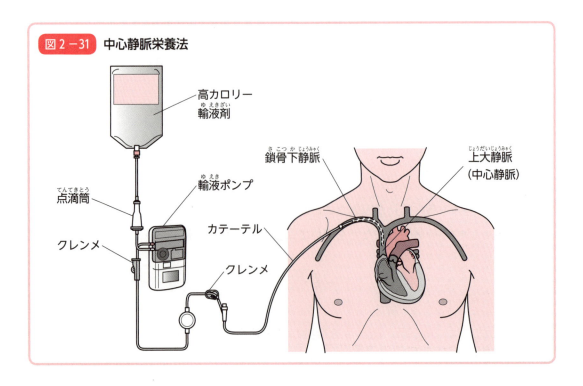

図 2-31　中心静脈栄養法

法（HPN：Home Parenteral Nutrition）もあります。

中心静脈栄養（図2−31）では、少なくとも900ml/日の水分と、介助が必要な人の場合でも最低1000kcal/日のカロリーが必要です。栄養剤の内容は、糖質、アミノ酸、電解質、ビタミン、微量元素などを含んでいます。

## 4 障害の特性の理解

### （1）身体的側面の理解

小腸の機能が障害されると、摂取した食物の消化・吸収ができなくなり、十分な栄養がとれなくなってしまうため、経管栄養または中心静脈栄養から栄養をとりいれることが治療の中心になります。状態が落ち着いていれば、経口摂取も併用で行われることがあります。

中心静脈栄養で起こりやすい合併症としては、感染症、敗血症、高血糖、低血糖、電解質異常、ビタミン欠乏、肝機能異常、長期絶食による胆汁うっ滞、脂肪肝などがあります。

### （2）心理的側面の理解

栄養を経管栄養や中心静脈栄養でおぎなう必要があることから、これらの継続的な管理上のトラブルとして、チューブや挿入部などの異常、病状の悪化、合併症の併発などがあります。このような異常が起こらないか、不安をかかえています。不安を軽減するためには、経管栄養、中心静脈栄養のしくみに対する正しい知識を知ってもらうことが大切です。

さらに、管理ができている場合には、管理ができていることを言葉としても伝え、自信をもってもらえるように支援します。それぞれの人がかかえている不安や心配ごと、ストレスをよく聴いて、個別に対応します。

### （3）生活面の理解

栄養状態の低下によって日常生活に影響をおよぼす場合や、原因疾患によっては合併症を引き起こすおそれがあるため、定期的な通院が必要です。さらに、経管栄養や中心静脈栄養が必要なため、QOLに影響を与え生活場面において行動が制限されることもあります。

## 5 障害の特性に応じた支援

### （1）生活支援上の留意点

　定期的な受診で学校や仕事を休む必要があることから、治療継続に向けた精神的な支援が必要です。そのため、学校や社会での役割を果たしながら、治療が行えるように周囲の理解や協力がえられるように支援します。

　さらに、食事は栄養を摂取するためだけではなく、社交の場にもなります。ほかの人と同じものを食べることができない場合や、食べたいものを口から摂取できない場合、ストレスを感じやすくなります。こういったストレスを日々かかえていることをよく理解して支援することが必要です。

　一方で、小腸機能障害のため栄養を経管栄養や中心静脈栄養などでおぎなう必要がある場合でも、その状態を維持することだけにとらわれず、その人らしい食生活への支援として、中心静脈栄養から経管栄養、経管栄養から経口摂取へと食の楽しみをとり入れながら栄養をおぎなう手段の変化も視野に入れ、支援することが重要です。

#### 1 食事

　原因疾患が、クローン病などの炎症性腸疾患の場合には、症状の悪化を防ぐために、高カロリー、低脂肪、低残渣、低刺激の食品を意識します。

#### 2 口腔ケア

　経管栄養をしていて、経口摂取していない場合でも、口腔ケアを行い清潔の保持につとめます。

### （2）成長段階に応じた支援

　小腸機能障害は子どもの発症も多いため、家族の負担が大きくなりすぎないように親の話をよく聴くと同時に、継続治療が安心して行えるような支援が必要です。とくに親は自分自身の責任だと自分を責める傾向があります。治療が継続的で長期間にわたって行われることが多いため、長期的に治療を継続していけるような親への精神的なサポートが必要です。

　重複障害をもつ子どもの場合、かつては親の介護負担を考え低栄養にコントロールしていた時代がありました。しかし、低栄養により褥瘡や

活動性の低下、免疫力低下などを引き起こすことから、今は栄養管理が見直され、健全な成長をうながすことが重要視されています。そのため、月に1回、体重測定を行います。

子どもの場合、経口摂取ができることは親の安心とともに、子ども自身の味覚への感覚刺激にもなります。そのため、口腔ケアを行いながら、唾液などの嚥下状態を観察し、医療職との連携のなかでその可能性を検討する視点も大切です。

教育現場においては、特別支援学校、もしくは普通学校に通学している子どももいるため、ほかの子どもといっしょに食事をする機会が多くあります。そのため、子どもが負担に感じないような対応を教育現場（学校の教員や養護教諭）に求めたり、説明することが必要です。

就業している人に対しても、職場の理解がえられるように支援することが必要です。

### （3）介護福祉職の役割

経管栄養や中心静脈栄養を行いながらの生活は、QOLに影響を与えます。その人が何を大切にしていて、何を優先して生活したいと思っているのかをよく聴いたうえで、多職種と連携し、生活のなかで疾病とどのように折り合いを付けて向き合っていくか、相談にのることが大切です。

小腸機能障害のある子どもの場合には、親へのケアを視野に入れて、子どもと親と良好な人間関係を築いたうえで、多職種と調整をはかりながら長い目で安心して治療を継続できるような支援が必要です。

異常を早期に発見できるように、普段からていねいな観察を行い、異常を発見したときには、早急に医療職と連携し、安全に生活が継続できるように支援することが必要です。

### （4）チームアプローチ

小腸機能障害のある人の生活を支えるうえで、異常があれば、早期に看護師などの医療職に連絡し、食の相談は管理栄養士にするなど、安全に満足感がえられるような生活が送れるよう、チームで報告・連絡・相談などを行います。

小腸機能障害のある人の栄養状態とその栄養維持方法により、観察の視点が異なります。経口摂取が可能な場合は、必要に応じて管理栄養士

| 表2-19 | 医療職へ連絡する観察の視点 |
|---|---|
| **方法** | **観察の視点** |
| 経管栄養法 | ・チューブ挿入部の皮膚を観察し、腫れ、発赤、浸出液、出血などがないか<br>・チューブの固定の位置を確認し、チューブに付けている印がずれていないか<br>・口の中でチューブがうずを巻いていないか |
| 胃ろう栄養法 | ・胃ろう周囲を観察し、発赤やかぶれ、出血などがないか<br>・胃ろうチューブの汚れや、曲がり、閉塞などがないか<br>・急激な腹痛や下痢がないか<br>・急激な体重の増減がないか |
| 中心静脈栄養法 | ・カテーテル挿入部周囲の発赤、腫れ、皮膚のかゆみや痛み、挿入部からの浸出液や出血、発熱など感染症の兆候がないか<br>・チューブが抜けかけていないか |

や調理士と連携し、食の工夫について相談することも大切です。異常がある場合（**表2-19**）には、看護師などの医療職へ連絡します。

　子どもの場合は学校の教員や養護教諭、在宅医や学校医など、子どもが生活している場を拠点として考えて、さまざまな職種との連携によるチームアプローチが重要です。

## （5）社会経済的な支援

### **1** 公費負担制度

　クローン病やベーチェット病は、指定難病の対象となっているため、医療費助成制度が利用できます。

### **2** 自立支援医療（更生医療・育成医療）

　中心静脈栄養を行っている場合には、障害者総合支援法にもとづく**自立支援医療**[25]によって医療費の助成を受けることができます。

**㉕自立支援医療**
p.66参照

第6節　内部障害

# 6 ヒト免疫不全ウイルスによる免疫機能障害

## 1 症状と治療

### （1）HIVとは

　ヒト免疫不全ウイルスは、Human Immunodeficiency Virusの日本語訳で、一般には頭文字をとってHIVと略されます。

　HIVはヒトのからだの中のCD４陽性細胞という細胞に侵入します。HIVが増えるために利用するこの細胞は、ヒトの免疫機能をつかさどる重要な細胞です。CD４陽性細胞のなかでHIVは増殖し、最後にはCD４陽性細胞を破壊してしまいます。

　CD４陽性細胞が減りつづけると、からだの免疫機能を維持することがむずかしくなり、何も治療をしなければ、免疫力は徐々に低下していきます。そして、通常は取るに足らないような弱い菌やウイルスなどが活性化して感染（日和見感染㉖）が起こることになります。

　HIVのおもな感染経路に性的感染、血液感染、母子感染があります。

### （2）AIDSとは

　AIDSはHIVとは異なります。AIDSは、Acquired Immunodeficiency Syndrome（後天性免疫不全症候群）という病気の略称です。

　HIVというウイルスに感染して免疫機能が低下し、指定されている23種類の合併症（日和見感染症）のいずれかを発症した場合、AIDSと診断されることになります。よって、HIV感染したからといってAIDSになったわけではありません。一方で、AIDSと診断されると「AIDS患者」と呼ばれることになります。

### （3）HIV感染症の治療

　HIV感染症に対する治療はきわめて進歩しています。何も治療しなければ8年程度でAIDSを発症するといわれていますが、早めに適切な治療を受ければ発症しないどころか、健康を維持して感染していない人とほぼ変わらない寿命をまっとうすることができるようになりました。

　現在行われている治療法は「抗HIV薬」を内服することにより、

---

㉖日和見感染
免疫状態が健常であれば感染したり、感染していても発症を防げる細菌やウイルス等の病原体が、体力や免疫力の低下が原因となって、感染したり発症したりする状態のこと。

---

第2章　障害別の基礎的理解と特性に応じた支援 I

CD4陽性細胞などのなかで起こるHIVの増殖を抑えるという方法です。効き方の異なる数種類の薬を併用します。からだの中からHIVを完全に消し去ることは、今のところできません。

　抗HIV薬は何十種類も世に出ていますが、薬の研究・開発はハイスピードで進んでおり、どの薬を使うのがベストなのかは毎年のように異なるガイドライン（指針）で示されます。副作用も少なくなり、服薬の回数や錠数も減り、治療による負担は以前に比べ大きく減少しています。

## 2　障害の特性の理解

### （1）身体的側面の理解

　HIVに感染しても、ある程度まで免疫力が下がらなければ症状が出てくることはありませんが、症状がないからといって放っておいていいというわけでもありません。からだの中では、HIVが増えようとしていたり、免疫システムがそれに対抗していたりするのです。

　治療薬が効いているかどうかも、血液検査を受けなければ確認できません。症状がなくても2～3か月に1回程度定期的に通院し、血液検査で現在の状態を把握しておくこと、また処方された薬を確実に飲んでHIVの増殖を抑えることが大切です。

　HIV感染症がコントロールされている状態の場合、日常生活上大きく問題になることはなく、定期通院と服薬以外はふだんどおりの生活が送れます。

　治療により血液中のHIV量が6か月以上検出限界値未満にまで抑えられていれば、他者へのHIVの感染リスクはまったくなくなることはすでに知られています。しかし性交渉については、ほかの性感染症を予防するためコンドームを用いるなどセーファー・セックスを維持することがすすめられています。

　また、子どもを授かることを希望する場合には母子感染のおそれやパートナーへの感染のリスクも出てきますので、医療スタッフと相談する必要があります。

### （2）「見えない障害」ゆえの生活上の困難

　HIV感染症は、内部障害です。基本的には「見えない障害」であり、

第6節　内部障害

| 表2-20 | HIVに対する社会からの差別・偏見による行動の自主規制 |

（日本国内のHIV陽性者908人を対象とした調査結果）

| 行動内容 | ％ |
|---|---|
| 他の人とHIVを話題にするときにウソをついている | 66.7 |
| HIV陽性であることを周囲に知られないようにがんばっている | 65.6 |
| HIVに感染していることは恥ずかしいことである | 49.8 |
| 他の人とセックスしたり恋愛関係になったりすることを避けている | 40.0 |
| 他の人々と交流したいが、HIV陽性であるので、交流しないでいる | 30.8 |
| HIV陽性であるため新しい友人をつくることを控えている | 27.0 |

出典：井上洋士編「第3回HIV陽性者のためのウェブ調査 調査結果」HIV Futures Japanプロジェクト、2021年より作成

外見的には障害がわからないので、本人でも何が「障害」なのか見えづらい点もあります。

　しかし、HIV感染するということにより、ひそかにさまざまな生活上の困難が出ていることを、介護福祉職は事前に知っておく必要があります。表2-20の調査結果のように、HIV感染を知られることをおそれて日常生活で気をつかいつづけることもあります。周囲の人、場合によっては家族にすらHIV感染した事実を伝えられないために、サポートをえられないこともあります。HIV感染しているために結婚したり恋人をつくったりすることをあきらめざるをえないと思っている場合もあります。将来についての見通しがまったく立たない場合もあるでしょう。こうした、身体面だけでなく、心理面や社会面の多様な困難を、HIV陽性者はかかえる可能性があるのです。

## 3　障害の特性に応じた支援

### （1）疾患への理解をうながす

　HIVに感染していることを告知された直後には「もう死ぬんだ」という受けとめをする場合が多いようです。

　しかし、すでに述べたように、HIV感染症に対する薬は数多くあり、治療の効果はきわめて高いものです。また、日本国内には、400か所近

いエイズ治療拠点病院をはじめ、HIV感染症の治療を受けられる医療機関はたくさんあります。よって、定期通院を行い、自分に合った薬を服用すれば、長期にわたり健康を維持していくことができます。

HIV告知された直後は、「死ぬ病い」にかかったというイメージをもつ場合が多いので、「生きる病い」というイメージをもてるように転換していく必要があります。しかしこの作業は簡単ではありません。

まず、HIV感染症という疾患に対してどのようなイメージをもっているのか、利用者に直接たずねるだけではなく、利用者がなにげなく発する言葉からつかみとるようにしましょう。そして、「今ではHIVに感染しても治療を受ければ、健康に生きられ通常どおりの生活を送れるようになってきている」というメッセージを伝えるようにします。さらに、医師や看護師、カウンセラーなどとの連携のもと、HIV感染症の病態や治療についての医学的情報も含め、詳しく説明してもらう機会を設けるのも効果的です。

また、HIV陽性者のケアを実施しているボランティア団体・NPOなどには、同じような境遇のHIV陽性者同士が集まって情報交換をしあうピア・サポート・グループをもっているところがあります。そうした場では、すでに長期療養をしている人が、将来設計や夢をもってたくましく生きている状況に学ぶことができます。こうした場を紹介することも役に立つかもしれません。さらに、インターネット上でHIV陽性者同士が集う場もあります。

## （2）心理的負担の軽減

まず、体調悪化や服薬・通院といったセルフマネジメントにかかわる負担に加え、就労や社会参加状況、差別経験の有無など、社会的な側面も心理的負担を増加させている可能性があることに注意を払う必要があります。

体調悪化の場合には、どういった体調の変調が起きているのかをまず把握する必要があります。セルフマネジメントを負担に感じているようであれば、何を負担に感じているのか、利用者の思いに耳を傾けるのと同時に、薬が決められた時間に決められた分量を飲めているのか、定期的な通院ができているのかを確認することも重要になります。必要に応じて医療スタッフと連携し、負担軽減をはかるようにしましょう。

社会的な側面が心理的負担の要因になっているようであれば、具体的

にどういった点なのかを利用者に語ってもらうことを通じ、就労状況や社会参加状況、差別への不安の有無について把握しておくようにします。現状だけではなく、それらの変化にも注意を払って確認することも大切です。場合によっては、語ること自体が心理的負担の軽減につながる場合も多々あります。必要に応じて、医療ソーシャルワーカーやカウンセラーなどと連携し、さらなる心理的な負担軽減をはかるようにしましょう。

## （3）介護福祉職の役割

### ① 差別・偏見とサポート

　HIV感染症は社会の人々から差別されたり偏見をもたれたりしやすい疾患です。そのため、HIV感染している利用者は、ほかの人にHIV感染についてできるだけ隠そうとする傾向があります。あるいは、ほかの人に感染の事実を知られて差別されるのをおそれ、日常生活上でさまざまな自主規制をしている場合があります。さらに、MSM（Men who have sex with men：男性と性交渉のある男性）や**LGBTQ**[27]（レズビアン・ゲイ・バイセクシュアル・トランスジェンダー・クイアやクエスチョニング）などの性的マイノリティ（少数派）の人も多く、これらに関連した差別や偏見を感じている人も少なくありません。こうした状況のなか、病いとともに生きるうえで必要不可欠なサポートを獲得できずに孤立してしまっている場合も多々あります。

　まずは、介護福祉職が重要なサポート資源の１つとなりうることを十分に認識することが大切です。もしも利用者から話しかけられたら、その人の思いに耳を傾ける姿勢をみせることも、専門性の１つといえるでしょう。今日やるべきケアをするというのも重要ですが、少しひいたところから、利用者の生活状況や思いについて総合的にアセスメントしていく力も求められます。

### ② プライバシー保護の重要性

　HIV感染している利用者はまた、自身が感染していることをほかの人に知られるのではないかと、いつも警戒心をはたらかせている場合が多いので、このことにも十分配慮しなければなりません。介護福祉職としてかかわっていること自体、外からみればどのようにみえるのか、気にしている場合も多いのです。最初の段階で、どの範囲までHIV感染について打ち明けているのか、今後はどうしたいのか、利用者の話を聞

**[27]LGBTQ**
レズビアン（女性同性愛者）、ゲイ（男性同性愛者）、バイセクシュアル（両性愛者）、トランスジェンダー（生まれたときの性別と自認する性別が一致しない人）、クエスチョニングやクイア（自分自身のセクシュアリティを決められない・わからない、または決めない人）など、性的マイノリティの人を表す総称のひとつ。その他にXジェンダー（自身の性を男女いずれかに限定しない人）など、人の性自認や性的指向には、さまざまなかたちがある。

き情報収集しておくことで、どのようなポイントに留意すべきなのかをアセスメントすることができます。

### 3 長期にわたる自己管理への支援

HIV感染症には、通院・服薬を半永久的に続けなければならないという特徴があります。そのため、それらにともなう負担についてはできるだけ最小限にするよう、支援していく必要があります。

通院については、通院時間が大変長く負担に感じているときには、より近くの病院や診療所・クリニックへの通院を選択肢の1つとして提案することもできます。あるいは、年に数回はより専門性の高い遠方の病院に通うこととし、薬剤の処方や定期検査など日常的な診療については近くの医療機関に通うというかたちをとることもできます。

ただし、「近所の人や知り合いに会いたくない」「専門性の高い病院で日常的にも診療を受けたい」などの理由もあって遠方の病院への通院を希望する場合もあるので、無理強いをするのではなく、なぜ遠方に通っているのか理由を把握するようにしましょう。

服薬が負担の場合には、どこがどのように負担であるのか聞いてみる必要があります。その際、「薬を飲めていますか？」という問いかけをすると、飲み忘れがあっても「飲めています」と答えることが多いことに気をつけてください。むしろ、「この1週間、何回くらい薬を飲むことを忘れましたか？」とたずねると、具体的に答えてくれることが多いようです。飲み忘れがあると利用者に言われても「飲まなければだめじゃない」としかるのではなく、「どうして飲めなかったのか、教えてくれない？」というスタンスでかかわる必要があるでしょう。必要に応じて、医療スタッフと連携をとり、処方薬の変更なども考慮に入れることとなります。

## （4）チームアプローチ

HIV感染症の人への支援では、医療スタッフとの連携が欠かせません。利用者が通院している各医療機関には、医師、看護師、薬剤師、医療ソーシャルワーカー、カウンセラー、精神科医といったスタッフがチームとして診療にたずさわっています。

利用者の介護において、何か問題が起こってから医療スタッフと密に連絡をとるのではうまくいかない場合が多いものです。医療スタッフとの連携をスムーズにとるためには、自己紹介もかねて事前に医師や看護

第 6 節　内部障害

師などと連絡をとりあい、いざというときに情報交換や連携ができる体制づくりを心がけます。

ただし、「介護福祉士さんのみに話をしたのに、医療スタッフ皆が知っていた」という状況は、時にプライバシー漏洩ととられ、介護福祉職への不信感から本心を語らなくなってしまうリスクがあります。利用者が話してくれたことを医療スタッフに伝える必要がある場合には、利用者に「いま話してくれたことを、病院の先生や看護師に伝えてもいいですか。○○さんの問題を解決できるよう皆で考えたいので」と伝え、了解をえるように常に心がけましょう。

## （5）感染防御

HIV感染している利用者の介護でもっとも気をつけるべき点は感染防御です。しかし、ふだんから**標準予防策（スタンダードプリコーション）**[28]を採用していれば、HIV陽性者のケアをむやみにおそれる必要はまったくありません。

具体的には、手洗いをきちんと行うということ、血液、体液、分泌液、汚染物を触るときには手袋を装着すること、それらが飛び散るおそれがありそうなケアをするときには、マスクやフェイスシールド（顔をおおう大判のマスク）をすることなどがあげられます。これらは、HIV感染の有無にかかわらず、介護において常に実施すべき感染防御策です。

先にも述べたとおり、抗HIV薬で治療を受け、血液中のHIV量が継続的に検出限界値未満になっている人からの感染リスクは基本的にありません。

## （6）社会制度の利用

医療機関を受診したり社会生活を送ったりしていくうえで、経済的負担を軽くする必要性が多々出てきます。特に、治療のための薬の値段が高いこともあり、社会制度を利用しなければ医療費の自己負担はきわめて高くなります。実際、HIVに感染していることを知っていても医療機関に行っていない人を対象とした調査結果では、行っていない理由として「お金がかかるから」をあげている人が3人に1人でした[3]。

利用できる制度には**表2-21**のように多様なものがありますが、これらのうち、自分に合った制度を利用することで、自己負担を軽減させる

[28]**標準予防策（スタンダードプリコーション）**

すべての人に分けへだてなく行う感染予防策。「すべての血液、体液、汗以外の分泌物、損傷のある皮膚・粘膜は伝染性の感染性病原体を含む可能性がある」という原則にもとづく。

### 表2-21 利用できる社会制度の例

| | |
|---|---|
| 医療費軽減 | ・身体障害者手帳・自立支援医療（更生医療・育成医療）<br>・重度心身障害者医療費助成<br>・高額療養費制度<br>・食事療養費減額認定 |
| 所得保障 | ・障害年金<br>・生活保護<br>・傷病手当金 |
| 血液製剤による陽性者向け | ・特定疾病療養<br>・先天性血液凝固因子障害等治療研究事業<br>・調査研究事業<br>・健康管理支援事業 |

ことができます。なかでも、HIV感染した場合には、多くは身体障害者福祉法に定められた基準により免疫機能障害として身体障害者手帳の交付が受けられること、障害者総合支援法にもとづく**自立支援医療**[29]（更生医療・育成医療）などによる医療費助成が受けられることは、介護福祉職も利用者も必ず知っておくべきことです。

これらの制度の多くは、認定基準や申請時期などが複雑でむずかしいものです。また、ただ待っていたからといって利用できるのではなく、基本的に利用者が申請しなければ受けられません。制度によっては、自治体ごとで受けられるサービスは異なります。そのため利用者が面倒に感じて利用をあきらめてしまうこともあります。医療ソーシャルワーカーなどとの連携のもと、こうした社会制度を利用することのメリットをていねいに説明する必要が出てきます。

[29] 自立支援医療
p.66参照

# 7 肝臓機能障害

## 1 肝臓機能障害とは

**肝臓機能障害**とは、何らかの疾病により肝細胞の機能低下が起こり、

肝機能が維持できなくなることで倦怠感や食欲不振などさまざまな症状が出現し、日常生活に支障や制限がある状態をいいます。

肝臓機能障害のおもな原因疾患には、B型肝炎・C型肝炎、ウイルス性肝硬変、自己免疫性肝炎、非アルコール性脂肪肝炎・肝硬変、アルコール性肝硬変、胆汁うっ滞型肝硬変、代謝型肝硬変（ウィルソン病、ヘモクロマトーシス）、原発性胆汁性胆管炎（肝硬変）などがあります。大人だけでなく、子どもで肝炎を起こす病気の種類も多くあり、ウイルス肝炎や代謝異常、ウィルソン病などがあります。

## 2 障害の原因

### （1）ウイルス肝炎

ウイルス肝炎とは、肝細胞への肝炎ウイルスの感染と、それに対する免疫反応（炎症）による肝臓機能障害のことです。B型肝炎ウイルス（HBV）、C型肝炎ウイルス（HCV）による肝炎の感染経路には、血液、体液、母子感染があります。

B型肝炎ウイルス（HBV）は、以前は母子感染によるものが多かったのですが、1986（昭和61）年にB型肝炎ワクチンが使えるようになると母子感染は激減し、現在は性交渉での感染が増えています。B型肝炎ウイルス（HBV）は、持続感染からHBVキャリアになると感染源になる可能性があります。しかし、感染から20年ほど経過すると一過性の強い肝炎を引き起こし、感染性が低い状態になっていきます。

C型肝炎ウイルス（HCV）は、おもに血液を介して感染することが多く、輸血や血液製剤、針刺し事故、血液透析、針の使いまわしもしくは不適切な取り扱いなどが原因になります。さらに、性交渉や母子感染も原因としてあげられます。1989（平成元）年までは、C型肝炎ウイルス（HCV）は見つかっておらず、多くは輸血での感染でした。C型肝炎ウイルス（HCV）は現在もワクチンがないため、予防ができません。

ウイルスの感染による急性肝炎を経て、肝細胞の破壊と繊維化を生じる慢性肝炎の時期があり、20年くらいかけてほぼ不可逆的な肝硬変、そして肝がんへと進行していきます（図2－32）。

治療には、抗ウイルス療法（**インターフェロン**㉚、抗ウイルス薬）や肝庇護療法が行われます。

㉚インターフェロン
ウイルス性肝炎の治療に用いられる医薬品で、副作用として、貧血、不眠、食欲不振、倦怠感、発熱などがある。治療の中期になると脱毛、味覚異常、焦燥感、不安、白血球減少、血小板減少、眼底出血などがあらわれる。

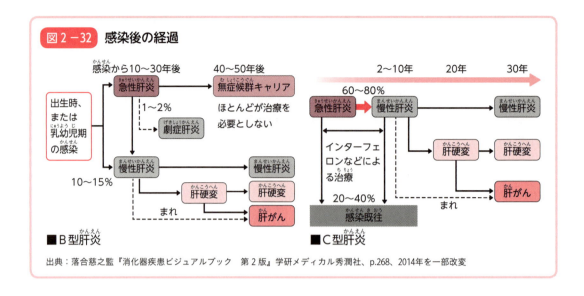

図2-32 感染後の経過

出典：落合慈之監『消化器疾患ビジュアルブック 第2版』学研メディカル秀潤社、p.268、2014年を一部改変

## （2）肝硬変

　肝硬変は、慢性のあらゆる肝臓疾患が最終的におちいる病態で、肝臓の機能が正常に機能しなくなった状態のことです。ウイルス性肝炎、アルコール・非アルコール性、脂肪性肝炎などの肝疾患が原因で肝臓に慢性的に炎症が生じ、肝細胞の壊死と再生をくり返し、修復時にできる線維というタンパク質が増加することによって発症します。

　肝硬変は肝機能がある程度保たれている代償期と、肝機能が低下した非代償期に分けられ、**腹水**[31]、胸水、**浮腫**[32]、**黄疸**[33]、皮下出血などの症状がみられます。

　肝硬変になった肝臓は、岩のように硬く、小さくなります。肝臓は沈黙の臓器と呼ばれるとおり症状が出にくく、肝硬変になっても症状があらわれないことがあります。

　**肝移植**[34]により肝機能が回復しますが、肝移植を受けるには必要な条件があります。

## 3 障害の特性の理解

### （1）身体的側面の理解

　肝臓機能障害は、見た目ではわかりにくいですが、自覚症状が出現する段階に入ると、全身の強い倦怠感など身体的苦痛をともない、日常生活に制限や困難が増えていきます。肝炎の急性期で症状が強いときは安

[31] **腹水**
腹部に体液がたまること。この余分に貯留した体液により腹部が膨張する。

[32] **浮腫**
皮下組織に体液がたまること。手足や顔が腫れぼったくなる。

[33] **黄疸**
ビリルビンが血液中に増加した結果、皮膚や眼球粘膜が黄色くなる。

[34] **肝移植**
機能が低下してしまった肝臓を取り出し、健康な肝臓を移植することで生体移植と脳死移植がある。

静が必要になり、全身倦怠感や浮腫や腹水貯留などにより、からだが思うように動かせない苦痛があります。

### (2) 心理的側面の理解

　肝臓機能障害のある人は、一見障害があることがわかりにくいため、さまざまなサービスを利用するにあたり、周囲の反応が気になりストレスをかかえていることがあります。

　さらに、ウイルス性肝炎が原因疾患の場合には、他者への感染の危険や、周囲の人からの誤解や偏見なども危惧されます。そして、病状の悪化により肝硬変から肝がんへと進行していく不安や、食道静脈瘤破裂に対する不安、自覚症状によりからだを自由に動かすことができないつらさなどをかかえています。

### (3) 生活面の理解

　肝臓機能障害の進行にともない、全身倦怠感や浮腫、腹水の貯留などが悪化してくると、日常生活におけるさまざまな場面で、介助が必要になってきます。腹水がたまると、横隔膜が圧迫され呼吸困難などの症状や、心臓機能の低下があらわれたり、日常生活に苦痛を感じます。さらに、食欲不振になると十分な栄養を口腔から摂取できなくなります。

##  障害の特性に応じた支援

### (1) 生活支援上の留意点

　肝臓機能障害では、全身倦怠感、下肢の浮腫・腹水などにより、日常生活の動作がむずかしくなります。全身倦怠感が強い場合は、十分な睡眠をとり、規則正しい生活を心がけます。日常生活で無理をすると肝臓に負担をかけるため、計画的に行動するように支援します。仕事をしている場合、からだにかかる負担が大きくなりすぎないように、職場に理解をえるようにします。

　また、食欲不振や低アルブミン血症が生じるので、栄養管理は重要です。バランスのよい食事をめざし、動物性タンパク質を避け、植物性タンパク質を含む食品の摂取量を増やします。塩分の摂取量を控えることは、腹部への体液の貯留を防ぐのに役立ちます。飲酒は、肝臓機能障害を悪化させるため厳禁です。食後30分から1時間、安静に臥床すること

で、肝臓機能の低下を防ぎ、血液中の栄養が肝臓に届きやすくなります。

肝臓機能障害から起こる皮膚のかゆみは、かいてもおさまらないことが多く、夜間に強いかゆみがあると睡眠障害の原因になります。できるだけかゆみを抑えるために、石鹸はよく洗い流し、発汗時は早めに汗を洗い流します。洗い流す際には、強くこすって炎症や傷ができないようにします。ぬるめのお湯で入浴し、入浴後は乾燥を防ぐための保湿剤を塗ります。さらに、衣服などは化学繊維や毛織物は避けて綿素材を選び、無意識に皮膚をかいて傷から感染しないように、爪を切っておきます。

## （2）介護福祉職の役割

介護福祉職は、肝臓機能障害のある人が望む生活が実現できるように環境を整えるなどの支援をすることが大切です。病状悪化とともに、さまざまな苦痛が出現するため、話をよく聴き、できるだけ穏やかに安心して過ごせるように支援します。

さらに、肝臓機能障害の原因がウイルス性肝炎による場合には、**感染予防**について正しい知識をもち、感染予防に努めることが必要です。他者への感染を防ぐのと同時に、自分自身も感染しないようにします。ウイルス感染の場合、感染予防策が必要な日常生活場面として、出血傾向にある高齢者の口腔ケアや傷のある人の入浴介助などがあります。さらに、介護者の手指に傷がある場合の入浴や清拭は、介護者の手指の傷口からウイルスが進入するおそれがあるため、使い捨て手袋をつけて行うなど、細心の注意が必要です。

## （3）チームアプローチ

肝臓機能障害のある人は、病状が進むとさまざまな症状が出現するため、異常の早期発見に向けた観察が重要で、観察を通してえられた必要な情報は、看護師などの医療職に連絡をすることが必要です。

インターフェロンの副作用が強い場合や、吐血や意識障害が起こったときには回復体位をとり、吐血時の血液で窒息しないように対応し、早急に医師・看護職に連絡をします。

さらに、かゆみが強く不眠が続く場合やかゆみが激しい場合、食欲が低下している場合には、食事摂取が可能な食品や調理法について他職種

146

第 6 節　内部障害

と情報を共有し、適切なケアを行います。

## （4）社会資源の利用

### 1 肝臓機能障害の重症度分類

　2016（平成28）年４月１日より、身体障害者福祉法にもとづく身体障害認定基準が見直され、肝臓機能障害（身体障害者福祉手帳）の認定対象が拡大されました。国際的な肝臓機能障害の重症度分類であるChild-Pugh（チャイルド・ピュー）分類の３段階（Ａ・Ｂ・Ｃ）のうち、これまで認定基準の対象とされていたグレードＣ（10点以上）に加え、グレードＢ（７点以上）も対象となりました（表２－22）。

### 2 医療費助成

　Ｂ型肝炎・Ｃ型肝炎の人の治療に対する医療費の助成制度があります。ただし、世帯の課税年額の算定に応じた自己負担額が月額１万円から２万円まであります。

### 3 自立支援医療（更生医療・育成医療）

　障害者総合支援法にもとづく**自立支援医療**[35]（更生医療・育成医療）では、肝臓移植と移植後抗免疫療法を受けている人を対象としており、必要な自立支援医療費の支給を受けることができます。

[35]自立支援医療
p.66参照

---

**表２－22　Child-Pugh分類**

| 項目　＼　ポイント | 1点 | 2点 | 3点 |
|---|---|---|---|
| 脳症 | ない | 軽量 | ときどき昏睡 |
| 腹水 | ない | 少量（1〜3 l） | 中等量（3 l〜） |
| 血清ビリルビン値（mg/dl） | 2.0未満 | 2.0〜3.0 | 3.0超 |
| 血清アルブミン値（g/dl） | 3.5超 | 2.8〜3.5 | 2.8未満 |
| プロトロンビン活性値（%） | 70超 | 40〜70 | 40未満 |

各項目のポイントを加算しその合計点で３段階に分類する。

| グレードＡ（5〜6点） | 軽度の肝硬変で肝臓の機能が何とか保たれている状態（代償性肝硬変） |
|---|---|
| グレードＢ（7〜9点） | 中程度の肝硬変で、軽度な合併症がみられる状態 |
| グレードＣ（10〜15点） | 重度の肝硬変で肝臓の機能が維持できなくなり、さまざまな合併症があらわれた状態（非代償性肝硬変） |

## ◆ 引用文献

1）日本透析医学会　統計調査委員会「わが国の慢性透析療法の現況（2019年12月31日現在）」 http://docs.jsdt.or.jp/overview/
2）1）と同じ。
3）井上洋士編「第2回HIV陽性者のためのウェブ調査 調査結果」HIV Futures Japanプロジェクト、p.14、2018年

## ◆ 参考文献

- 呼吸器ケア編集室『ビジュアルでわかる! 呼吸器ケアの手技（呼吸器ケア2005年冬季増刊）』メディカ出版、2005年
- 谷口博之監『ナースが取り組むCOPDチームケアガイド――急性期から慢性期まで完全理解!』メディカ出版、2006年
- 前川厚子編著『在宅医療と訪問看護・介護のコラボレーション 改訂2版』オーム社、2015年
- 富野康日己・長岡正範編『介護で知っておきたい医学知識とテクニック』南江堂、2002年
- 上月正博編『新編 内部障害のリハビリテーション 第2版』医歯薬出版、2017年
- 田中茂夫編『インフォームドコンセントのための図説シリーズ 心臓ペースメーカー・植込み型除細動器 改訂版』医薬ジャーナル社、2007年
- 岡山ミサ子、宮下美子編著『明日から活かせるアイデアが満載!「セルフケアができる!」を支える透析室の患者指導ポイントブック（透析ケア2014年冬季増刊）』メディカ出版、2014年
- 溝上祐子・津畑亜紀子監『基礎からわかる! 尿路ストーマケア――新膀胱のケアにも対応!（泌尿器ケア2010年夏季増刊）』メディカ出版、2010年
- 山本由利子編『ストーマケアBASIC（消化器外科NURSING2008年秋季増刊）』メディカ出版、2008年
- 前田浩利編『実践‼小児在宅医療ナビ――地域で支えるみんなで支える』南山堂、2013年
- 佐藤千史・井上智子編『人体の構造と機能からみた病態生理ビジュアルマップ2 消化器疾患』医学書院、2010年
- 山崎喜比古・瀬戸信一郎編『HIV感染被害者の生存・生活・人生』有信堂高文社、2000年
- 井上洋士・山崎喜比古編『健康と社会（改訂版）』放送大学教育振興会、2017年
- 林紀夫編『やさしい肝臓病の自己管理 改訂版』医薬ジャーナル社、2008年
- 藤岡高弘編著『C型・B型肝炎の治療とケアQ&A』照林社、2007年
- 東めぐみ編『進化する慢性病看護』看護の科学社、2010年
- 宇都宮宏子・山田雅子編『看護がつながる在宅療養移行支援――病院・在宅の患者像別看護ケアのマネジメント』日本看護協会出版会、2014年

## 第7節

# 重症心身障害

### 学習のポイント

- ■ 重症心身障害の定義を理解する
- ■ 重症心身障害者の障害の特性と生活について理解する
- ■ 重症心身障害者に対する支援の留意点を理解する

**関連項目**

⑤ 『コミュニケーション技術』 ▶ 第3章第2節「さまざまなコミュニケーション障害のある人への支援」

⑧ 『生活支援技術Ⅲ』 ▶ 第2章第12節「重症心身障害に応じた介護」

⑮ 『医療的ケア』 ▶ 第1章「医療的ケア実施の基礎」

## 1 重症心身障害とは

　何らかの原因疾患によって脳に障害が生じ、重度の肢体不自由と重度の知的障害が重複した状態を**重症心身障害**といいます。周産期や新生児期の原因により発症し障害を有する場合がほとんどです。

　**重症心身障害児（者）** ❶という用語は、医学的診断としての用語ではなく、行政的な意味合いの強い用語です。重症心身障害児（者）の状態は、前述のように脳の障害による運動障害と知的障害の重複した障害ですが、それだけでなく感覚障害や咀嚼嚥下機能障害、排泄障害、呼吸器機能障害、骨格異常などのさまざまな障害や合併症を生じる場合も少なくありません。

　日常生活においては、自らの力で動作や活動を行うことがほとんどできないため、ほぼすべての動作にわたって介助が必要となります。また、寝返りをはじめとする四肢体幹の運動も不可能な例が多いため、不動による**二次障害**をきたすことに注意が必要です。

　重症心身障害児（者）の数については公表されたデータはありませんが、全国の在宅の超重症児（者）・準超重症児（者）数は推計で8000人程度といわれています。施設入所中や病院入院中の数を合わせるとさら

❶ **重症心身障害児（者）**
国による重症心身障害児の定義は次のとおりである。

・昭和38年厚生労働省次官通達「身体的精神的障害が重複し、かつ重症である児童」

・昭和42年改正児童福祉法「重度の精神薄弱及び重度の肢体不自由が重複している児童」

に多いものと推定されています。

# 2 障害の原因と分類

## （1）分類

重症心身障害は、医学的根拠にもとづいた診断名ではないため、明確な診断基準はありません。慣例的に大島の分類（図2-33）によって、日常生活活動と知的能力で判断される場合が多いです。

❷知能指数（IQ）
p.160参照

大島の分類では、1から4の範囲（すなわち**知能指数（IQ）** ❷が35以下、日常生活が寝たきり～座位保持までの範囲）に当てはまるものを、重症心身障害児（者）としています。また、5～9については1～4の定義には当てはまりにくいものの、①絶えず医学的管理下におくべきもの、②障害の状態が進行的と思われるもの、③合併症があるものが多いため、周辺児（者）としています。

上記のうち、とくに日常生活で呼吸管理や栄養管理、排泄管理などの医学的な管理が常に必須である場合、別に設定されている判定基準のスコアに応じて超重症児（者）、準超重症児（者）といいます。

### 図2-33　大島の分類

| | | | | | (IQ) |
|---|---|---|---|---|---|
| 21 | 22 | 23 | 24 | 25 | 80 |
| | | | | | 70 |
| 20 | 13 | 14 | 15 | 16 | |
| | | | | | 50 |
| 19 | 12 | 7 | 8 | 9 | |
| | | | | | 35 |
| 18 | 11 | 6 | 3 | 4 | |
| | | | | | 20 |
| 17 | 10 | 5 | 2 | 1 | |
| | | | | | 0 |
| 走れる | 歩ける | 歩行障害 | 座れる | 寝たきり | |

出典：大島一良「重症心身障害の基本的問題」『公衆衛生』第35巻第11号、p.650、1971年

第 **7** 節　重症心身障害

## （2）医療的ケア児

　2016（平成28）年の児童福祉法の改正によって、経管栄養（経鼻経管、胃ろうなど）や気管切開・人工呼吸器、喀痰吸引、ネブライザーなど医療的な管理が必要な小児を医療的ケア児と呼ぶようになりました。また、2021（令和3）年6月11日に医療的ケア児の健やかな成長を図り、家族の負担軽減や離職を防止する目的で、「医療的ケア児及びその家族に対する支援に関する法律」（以下、医療的ケア児支援法）が成立しました（施行は2021（令和3）年9月18日）。これまで「努力義務」とされてきた自治体の医療的ケア児への支援が、「責務」に変わりました。

> **医療的ケア児支援法の概要**
> 　医療的ケア児支援法の成立にともない、以下の取り組みが規定された。
> ○各自治体は、保育所、認定こども園、家庭保育事業所や放課後児童健全育成事業、学校での医療的ケア児の受け入れに向けて支援体制を充実。
> ○医療的ケア児が家族の付き添いなしで希望する施設に通所可能となるように、保健師、助産師、看護師、准看護師、喀痰吸引等を行うことができる保育士の配置。
> ○各都道府県に相談窓口として医療的ケア児支援センターを設置。

　医療的ケア児のすべてが、重症心身障害児ではありませんが、重症心身障害児の多くは、何らかの医療的ケアを必要としています。

## （3）原因疾患

　原因疾患は、**表2－23**に示すように、①出生前の胎生期の原因によるもの、②出生時や新生児期の原因によるもの、③周産期[3]以後の原因によるものに分けられます。

**❸周産期**
周産期とは、妊娠後期（妊娠22週以降）から新生児早期（生後7日未満）までの期間を指す。

表2－23　**重症心身障害の原因疾患**

| | |
|---|---|
| 1. 出生前（胎生期）の原因 | 胎内感染　小頭症　尖頭症<br>脳奇形　染色体異常 |
| 2. 出生時・新生児期の原因 | 分娩時異常　高ビリルビン血症<br>低酸素脳症　低出生体重児　重症仮死 |
| 3. 周産期以後の原因 | 脳炎　髄膜炎<br>てんかん後遺症　頭部外傷 |

第2章　障害別の基礎的理解と特性に応じた支援 Ⅰ

151

出生前の胎生期の原因によるものでは、胎内でのウイルスや細菌などに感染（胎内感染）、小頭症などの脳奇形、染色体異常など遺伝に関係した疾患などが多いです。

出生時・新生児期の原因では、分娩時の異常、高ビリルビン血症、低酸素脳症、低出生体重児、重症仮死などの疾患が多いです。

また、周産期以後の原因では、脳炎、髄膜炎などの中枢神経感染症、てんかん後遺症、頭部外傷などが多いです。

## 3 障害の特性の理解

重症心身障害の特徴を**表2-24**にまとめました。

### （1）筋緊張亢進

おもに脳の障害によって生じるため、肢体不自由に加えて、筋肉の緊張が異常に高まることがあります。筋肉の緊張の高まりによって、関節の動きは制限されたり、関節が特定の方向に動かされたりして、頭頸部が過伸展する姿勢や一方向へ回旋させる姿勢になりやすくなります。

### （2）姿勢障害

両肘関節や両手関節を屈曲させる姿勢や片方の上肢を伸ばしもう一方の上肢は屈曲する姿勢（非対称性緊張性頸反射）などのさまざまな姿勢

---

**表2-24** **重症心身障害の障害特性**

1 筋緊張亢進
2 関節拘縮・関節変形
3 姿勢障害
4 咀嚼嚥下障害
5 排泄障害
6 呼吸障害
7 日常生活動作
　・寝返り、起き上がりなど基本動作の障害
　・移乗動作、座位保持は困難、介助を要する
　・排泄・食事・更衣・整容動作など全介助

> 図2-34 重症心身障害者の姿勢
>
>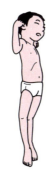
>
> 股関節開排位　　膝伸展位　　非対称性緊張性頸反射

の異常が生じます。

　また、長期間にわたって、これらの異常な姿勢が続くことによって、脊柱骨のアライメント（並び）が崩れて、側彎や後彎、脊椎のねじれや胸郭変形（扁平化）などの骨格変形が生じます。下肢でも股関節開排位や膝伸展位など特有の姿勢異常をきたします（図2-34）。

　これらの姿勢異常によって、体位変換が困難になったり、おむつや更衣などの介助、車いす座位などが困難になったりします。

　また、姿勢異常や筋緊張の異常は、関節拘縮、関節変形、筋力低下、筋萎縮などの合併症のみならず、咀嚼嚥下障害、消化管機能の低下、排泄障害の原因となります。

## （3）呼吸障害

　重症心身障害には、呼吸障害をきたす症例が多くあります。この要因として、中枢性の呼吸障害と末梢性の呼吸障害が考えられます。

　中枢性の呼吸障害は、呼吸中枢の障害によって呼吸のリズムや深さが一定に保てなくなり呼吸困難を生じます。

　一方、末梢性の呼吸障害は、舌根沈下や頸部過伸展による下あごの後退などによって気道狭窄が生じて呼吸困難となる場合や、唾液の飲みこみがうまくできずに気管に垂れこみ、気道をふさいで呼吸困難になる場合、呼吸筋力の低下や胸郭変形によって痰の喀出（吐きだすこと）ができなくなり呼吸困難となる場合などさまざまです。

　呼吸器機能障害が重度の場合には、**気管切開**[4]が行われ気管チューブ

[4] 気管切開
p.107参照

**❺人工呼吸器**
p.107参照

が挿入される場合もあります。また、酸素投与や**人工呼吸器❺**での呼吸管理が行われる場合もあります。

## （4）咀嚼嚥下障害

重症心身障害では、咀嚼嚥下障害を合併している場合が多くあります。経鼻チューブや胃ろうのチューブから栄養を補給している場合もあります。食事の経口摂取によって誤嚥をきたし、誤嚥性肺炎になる場合もあります。

日常生活はほとんど寝たきりのままで、起き上がり、寝返りなどの基本的動作は困難であり、日常生活に介助を要する場合が多いです。排尿障害などから膀胱留置カテーテルによる排尿が行われている場合もあります。また、ほとんど寝たきりの状態であるため座るなどの姿勢をとれないことから、骨がもろくなり、骨粗鬆症になりやすく、少しの外力で骨折しやすくなります。

また、知的障害が重度であることや音声器官の麻痺によってコミュニケーションをとることが困難な場合も多いです。

重症心身障害に併発する二次障害（**表2−25**）として、胃食道逆流症、機能性イレウス、便秘、褥瘡、低栄養状態などがあります。

---

**表2−25** **重症心身障害に併発する二次障害**

| 1 | 筋力低下・筋萎縮 |
| --- | --- |
| 2 | 関節拘縮・関節変形 |
| 3 | 脊柱側彎・後彎 |
| 4 | 胃食道逆流症 |
| 5 | 機能性イレウス |
| 6 | 便秘 |
| 7 | 骨粗鬆症と骨折 |
| 8 | 褥瘡 |
| 9 | 低栄養状態など |

# 4 障害の特性に応じた支援

重症心身障害者の特性に応じた支援において重要なこととして次の3点があげられます。

① 自らの力で動くことができず、日常生活上ほとんどすべてに介助を要すること

② コミュニケーションが困難であり利用者と介助者間の意思疎通がきわめてむずかしいこと

③ 特有の姿勢障害による呼吸障害や嚥下障害、排泄障害などの障害に加え、さまざまな二次障害を生じやすい状態であること

したがって、重症心身障害のある人を支援する場合には、生じている障害特性を十分に把握し、適切な支援を行う必要があります。

## （1）筋緊張亢進にともなう姿勢異常への支援

独特の姿勢が長時間続くと、関節拘縮や変形をきたし、褥瘡などの合併症につながりやすいです。一定の時間（おおよそ2時間ごと）を決めて、四肢体幹の関節を動かすこと（関節可動域訓練）が重要です。急激に動かすのではなく、緊張した筋肉をゆっくり伸ばすように関節を動かします。

また、姿勢を変えること（**ポジショニング**）も必要です。ポジショニングの基本は、安全で、リラックスできる姿勢をとることで、仰臥位（あおむけ）→（左右）側臥位→腹臥位（うつぶせ）のように多くの姿勢を用意することです。

場合によっては、クッションを用いたり、電動ベッドの背もたれを上げたり、リクライニング車いすを活用して適切な座位をとる（**シーティング**）も重要です。ポジショニングやシーティングを行うことによって、筋緊張の緩和、褥瘡予防、排痰の促進、胃食道逆流症の予防などの効果が期待できます。

## （2）呼吸困難に対する支援

人工呼吸器による呼吸管理がなされていない場合、自発呼吸がしっかりと行われているかの確認が必要です。痰や唾液によって呼吸時に咽頭・喉頭部分にごろごろと音がしていないかどうか、胸郭の上がり下が

りが十分かどうかなどを確認します。

ごろごろと音がした場合には、口腔内や鼻腔内に痰や唾液がないかどうか確認し、ある場合には口腔・鼻腔内の吸引を行います。また、上述の体位変換によって排痰をうながすのもよいです。

## （3）咀嚼嚥下障害に対する支援

経鼻チューブや胃ろうからのチューブで栄養補給をしている場合は、指示にしたがって的確に管理を行うことが重要です。

一方で、経口から摂取している場合には食事介助が必要です。重症心身障害者の嚥下において、もっとも注意しなくてはいけないのが誤嚥です。食物や水分は咽頭から食道へ入っていきますが、このときに食物や水分が、誤って気管内に流れ込んで、声帯を越えた場合を誤嚥といいます。

食道の入り口の部分には、左右に梨状窩というくぼみがあり、また舌根と喉頭蓋の間の喉頭蓋谷というくぼみがあるため、その部分に食物が溜まりやすくなっています（食物残留）。残留したものが気管に流れこんで、誤嚥することもあります。

誤嚥は窒息や誤嚥性肺炎を引き起こす可能性があるため、注意する必要があります。個々の状態によって食べやすい姿勢、体位があるので、基本を理解したうえで対応します。

## （4）その他の支援

重症心身障害者の合併症には、胃食道逆流症（Gastro Esophageal Reflux Disease：GERD）（**図2-35**）があります。胃の内容物である胃液や栄養剤、食物などが食道へ逆流する現象です。胃の内容物は胃酸によって酸性なので、食道粘膜の炎症や咽頭から気管に流入することによって気管支炎、肺炎を誘発する場合もあります。したがって、経管栄養の支援や食事支援の際にも、この胃食道逆流症への適切な配慮と対応が重要です。

筋緊張の高まり、呼吸の障害、長時間の仰臥位、変形（とくに左凸の脊柱側彎）、やせ、脊柱前彎などが要因となって胃の先にある十二指腸の通りが悪くなり、胃拡張や二次性のGERDをきたすこともあります。

日常生活での対応として、胃食道逆流症を起こす誘因である呼吸の障害や筋緊張の高まりへの対策と、姿勢管理を行います。仰臥位による栄

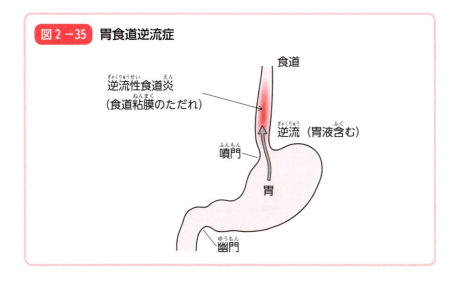

図2-35 胃食道逆流症

養補給では、空気は胃の前にたまって出にくくなり、胃液や食物は逆流しやすくなります。上体を高くした姿勢や腹臥位の姿勢にすると逆流の予防になるので姿勢調節が重要です。

---

◆ 参考文献

- 公益社団法人日本重症心身障害福祉協会、北住映二（心身障害児総合医療療育センターむらさき愛育園長）「障害児支援の在り方に関する検討会ヒアリング　公益社団法人日本重症心身障害福祉協会提出資料」2014年4月
- 大島一良「重症心身障害の基本的問題」『公衆衛生』第35巻第11号、p.650、1971年
- 松本規男・伊東光修ほか「重症心身障害児（者）への援助技術」『医療』第61巻第11号、pp.759〜766、2007年
- 厚生労働省『在宅重症心身障害児者等支援者育成研修テキスト』「日常生活等における支援――呼吸障害・摂食嚥下障害など重要な合併症への理解を踏まえた、日常生活支援、医療的支援」2015年3月
- 田中総一郎「重度な障害のある子どもの呼吸障害とそのケア」『日本小児呼吸器疾患学会雑誌』第18号第1号、pp.89〜93、2007年

 **演習2−1　身体障害の基礎的な理解**

次の文章について正しいものには〇、誤っているものには×をしてみよう。

① （　　）脊髄損傷の合併症には、褥瘡、うつ熱、起立性低血圧等がある。
② （　　）視覚障害の原因疾患には、糖尿病がある。
③ （　　）心臓機能障害の症状は、動悸、浮腫、倦怠感などがみられるが、呼吸困難など呼吸に関連する症状はみられない。
④ （　　）慢性閉塞性肺疾患（COPD）の最大の原因は、タバコである。
⑤ （　　）肛門に近い部位に造設された消化管ストーマでは、体外に排泄される便の性状は、水分量が多くなる。

 **演習2−2　手書き文字による意思疎通**

全盲ろうの人が使用するコミュニケーション方法に手書き文字がある。
次の①〜④の手順で手書き文字での会話を体験したうえで、グループで下記の **1**・**2** を行い、話し合ってみよう。

> ①　2人1組になり、「盲ろう者役」と「介護者役」を決める。
> ②　盲ろう者役は、アイマスクと耳栓を装着する。
> ③　2人で手書き文字を使って5分程度自由に会話をする（お互い声を出さないように留意する）。
> ④　役割を交代して、同様に手書き文字で会話する。

**1** 手書き文字で会話をしているときに、盲ろう者役が感じたことを話し合おう。

**2** 手書き文字を体験する際の介護者役の工夫や配慮について話し合おう。

第 **3** 章

# 障害別の基礎的理解と
# 特性に応じた支援 Ⅱ

| | | |
|---|---|---|
| 第 **1** 節 | **知的障害** | |
| 第 **2** 節 | **精神障害** | |
| 第 **3** 節 | **高次脳機能障害** | |
| 第 **4** 節 | **発達障害** | |
| 第 **5** 節 | **難病** | |

## 第 **1** 節

# 知的障害

---

### 学習のポイント

■ 知的障害の状態による意思表示やコミュニケーションの方法について理解する
■ 認知力・生活体験・ライフステージの関係を考慮した支援を学ぶ

**関連項目**
⑧ 『生活支援技術Ⅲ』 ▶ 第3章第1節「知的障害に応じた介護」
⑤ 『コミュニケーション技術』 ▶ 第3章第2節「さまざまなコミュニケーション障害のある人への支援」

---

### はじめに

　介護福祉職が知的障害のある人の介護を行う際に重要なことは、次の2点です。

① 　知的障害の状態によって、物事の理解力や意思表示の仕方が異なる。そのため、利用者それぞれに応じたコミュニケーション方法を工夫して、意思の把握に努めること。

② 　できないところをおぎない、もてる能力を伸ばすようかかわることが大切であるため、知的障害のある人の物事の認知力・生活体験・ライフステージとの関係を考えて、必要な支援を判断すること。

---

## 1 知的障害とは

❶知能指数（IQ）
精神発達年齢を測る知能テストによって算出する。記憶力・思考力などの測定から算出した精神年齢を生活年齢で割り、100をかけた数字がIQとなる。年齢に見合った精神発達をしている場合には、IQは100となる。

### （1）日本における定義

　知的障害とは何かということについて、日本の法律では明確な定義はありません。厚生労働省は、知的障害のある人の数を把握するために、「知的障害とは、知的機能の障害が発達期（おおむね18歳まで）にあらわれ、日常生活に支障が生じているため、何らかの特別の援助を必要とする状態にあるもの」として調査を行ってきました。

　知的障害の判定は、**知能指数（IQ）❶**と適応行動の状態等にもとづい

160

て行われます。

## （2）障害程度

　知的障害の障害程度については都道府県ごとに決められており、都道府県知事が交付する療育手帳では、軽度・中度・重度・最重度に分類されている場合が多いようです。たとえば、東京都の場合（6〜17歳を対象とする場合）では、表3−1のようになっています。

---

**表3−1**　知的障害の障害程度（6歳から17歳までの児童）──東京都の場合

| | |
|---|---|
| 最重度 | ○知能測定値は知能指数が、おおむね19以下<br>○運動は、運動機能がきわめて未発達なため起座も不可能<br>○社会性は、対人関係の理解が不可能<br>○意思疎通は、言語による意思疎通がまったく不可能<br>○身体的健康は、特別の治療、看護が必要<br>○基本的生活は、常時、介助および保護が必要 |
| 重度 | ○知能測定値は知能指数が、おおむね20から34<br>○運動は、運動機能がきわめて未発達なため歩行も不十分<br>○社会性は、集団的行動がほとんど不可能<br>○意思疎通は、わずかで不完全な単語だけのため、意思疎通が不可能<br>○身体的健康は、特別の保護が必要<br>○基本的生活は、部分的介助と常時の監督または保護が必要 |
| 中度 | ○知能測定値は知能指数が、おおむね35から49<br>○運動は、運動機能の発達が年齢より全般的に未発達<br>○社会性は、対人関係の理解および集団的行動がある程度可能<br>○意思疎通は、言語が未発達のため、意思疎通が一部不可能<br>○身体的健康は、特別の注意が必要<br>○基本的生活は、部分的介助と見守りが必要 |
| 軽度 | ○知能測定値は知能指数が、おおむね50から75<br>○学習能力は、簡単な読み、書き、計算がほぼ可能<br>○作業能力は、単純な作業が可能<br>○社会性は、対人関係の理解および集団的行動がおおむね可能<br>○意思疎通は、日常会話（意思疎通）が可能。また簡単な文字を通した意思疎通が可能<br>○身体的健康は、健康であり、とくに注意を必要としない<br>○日常行動は、日常行動に支障はなく、ほとんど配慮を必要としない<br>○基本的生活は、身辺生活の処理が可能 |

## 2 障害の原因

　知的障害の要因は多岐にわたっており、原因不明なものが多いといわれています。知的障害を生じさせる要因として、AAIDD（米国知的・発達障害協会）は、次の4つをあげています。

### ❶ 生物医学的要因

　染色体異常、遺伝子疾患、代謝疾患、分娩時の外傷、新生児期の疾患、栄養不良、髄膜脳炎など、明らかな病理作用によって脳の発達に支障が生じるもの。

### ❷ 社会的要因

　貧困、母親の栄養不良、出産前ケアの未実施、適切な養育刺激の欠如など、社会や家族の状況によるもの。

### ❸ 行動的要因

　親の薬物使用、親の喫煙や飲酒、養育拒否や虐待などの行動に関連しているもの。

### ❹ 教育的要因

　支援の欠如、不適切な育児、教育が不十分であるなど、知的発達や適応スキルをうながす状況が阻害されることによるもの。

## 3 障害の特性に応じた支援

### （1）発達段階と意思表示

　知的障害のある人の物事の認知力を把握し、コミュニケーション方法を工夫する際には、児童の発達段階の状態像を参考にするとわかりやすくなります。スウェーデンで用いられている知能区分を参考に、知的障害のある人たちが自分の周りの世界をどのように認識し、自分の状態を表現しているのかをみてみます。

### ❶ 精神発達年齢［生後0か月〜1歳半］（IQ10以下に相当）

　療育手帳では最重度にあたります。

　知的障害がどんなに重くても、何らかのかたちで意思は表示されています（表3-2）。周囲の人が、知的障害のある人の様子をよく観察して、その表現から意思をくみとって支援を行っていくことが大切です。

| 表3−2 | 精神発達年齢生後0か月〜1歳半の認知・コミュニケーション力 |
|---|---|

- 時間の理解は、「現在」だけである。
- 「今いるところ」で、見る・聞く・触れるなどの感覚体験ができるもの（手の届く範囲にあるもの）だけを認識している。そのため、目の前にあれば、それが好きか嫌いかを判断できるが、目の前にないものを思い浮かべることはできない。
- くり返し経験していることであれば、次に何が起こるかを予想することができる（例：食卓に食器が並ぶとご飯の時間だ）。
- 写真の理解はむずかしく、色と模様のついたきれいな紙として認識されている。
- 話し言葉の理解はむずかしいが、身振りや何かの合図（特定の音声など）を使って意思や感情を表示したり、自分の欲求を伝えたりすることができる。
- 体験すれば、それが心地よいか否かを表現できる。
- 発達年齢が0歳に近い場合、感情と欲求にもとづいて行動し、1歳半に近い場合、自分の行動とその結果起こることの関係を直感的に理解して目的にあった行動をするようになる。
- 発達年齢が0〜6か月の場合、周囲の人に対してはたらきかけるということがわからないため、意図的なコミュニケーションはしない。
- 発達年齢が6か月を超えていると、周囲の人に対してはたらきかけができるということがわかるので、意図的にコミュニケーションをしはじめる。
  例：相手に対して、〜をしてもらう、〜を止めてもらう
  　　物やサイン言語（※）を自発的に使って、周囲に対してはたらきかける。

※サイン言語……コミュニケーション方法の1つで、言葉の代わりに、手指の動作によって意思や用事（出来事）を伝えるもの。コミュニケーションは言語だけで行うものではないため、さまざまな絵・図や音声代替装置（会話器）を補助・代替手段として使うAAC（Augmentative and Alternative Communication）を導入し、本人の意思や意欲を育てることが近年重視されてきている。

### ❷ 精神発達年齢［1歳半〜4歳くらい］（IQ10〜25くらいに相当）

療育手帳では、最重度から重度に該当する状態です（表3−3）。

この段階の人には、生活体験を豊かにして経験を増やしていくことがとても大切です。

その際、言葉でのやりとりに頼りすぎず、理解をおぎなうようなものや動作を取り入れながら支援を行うとよいでしょう。

| 表3-3 | 精神発達年齢1歳半～4歳くらいの認知・コミュニケーション力 |
|---|---|

- 以前に経験した出来事を思い出すことができるようになり、「今ここにないもの」の存在が理解できる。
- 理解できるものは、自分で使ったり触ったりした経験のあるものに限られる。
- 量の多い少ない、大きい小さい、「1」の概念がわかるようになる。
- 過去に起きたこと、これから起こることを考えられるようになる。
- 昨日・今日・明日の概念や、曜日の名称の理解が始まる。
- 絵や写真が理解できるようになり、絵・写真・言葉・サイン言語・身振り言語をコミュニケーションのなかで使えることがわかるようになる。
  例：「ジュース」「行く」「仕事」などが理解できる。
- 1日の時間の流れを、写真や絵などの日課表で理解できるようになる。
- 慣れている場所では、方向の目印になるものがなくても道に迷わない。
- 位置や距離をあらわす言葉の理解が始まる。
- いろいろな因果関係を理解できるようになり、経験にもとづいて問題解決を試みるようになる。
- 2語文あるいは数語文の話し言葉が発達する。
- すでに起きたことを話す、明日の活動を聞く、いろいろなことがなぜ起こるのかをたずねる。

**3 精神発達年齢［4～7歳くらい］（IQ25～45くらいに相当）**

療育手帳では、重度から中度に該当します（**表3-4**）。

この段階は、**2**の段階でできるようになりはじめたことが、より豊かにできるようになっていきます。物事の手順を、言葉での説明だけでなく、絵や写真などを用いて目で見てわかりやすくすることによって、1人で行えるものが増えていきます。

| 表3-4 | 精神発達年齢4～7歳くらいの認知・コミュニケーション力 |
|---|---|

- 物の性質がよりわかるようになる。ただし、理解できるものは実際に体験したもののみ。
- お金の理解が始まり、それぞれの紙幣、硬貨で買えるものの範囲がわかる。
- 腕時計が何に使われるのかがわかる。
- 平日と休日の区別がつくようになる。
- 経験のあることなら、2つの出来事を、原因と結果として結びつけられる。経験のない因果関係は、実際に試さなければわからない。

## 第1節　知的障害

### ④ 精神発達年齢［7〜11歳くらい］（IQ45〜70くらいに相当）

療育手帳では、中度から軽度にあたります（**表3−5**）。

言語交流がかなり可能になりますが、会話のほうが得意な人、文字でのやりとりのほうが得意な人など、個人差があります。

全体的に、抽象度の高い表現は苦手です。たとえば、「もう少し早く」や「きちんと整えて」といった表現は、どのような状態が「もう少し」なのか、「きちんと」なのかがわかりにくいので、「時計の長い針が6になるまでに」とか、「○○は黄色の箱の中に入れて」など、具体的に表現することが大切です。

## （2）生活体験の大切さ

### ① 日常生活・社会生活に参加することが重要

さまざまな物事にチャレンジしてこそ、自分らしさがわかってくるものです。それは、障害のあるなしにかかわらずすべての人に共通です。

たとえば、自分に似合う洋服のスタイルがわかるようになるまでに、

---

**表3−5　精神発達年齢7〜11歳の認知・コミュニケーション力**

・経験したことがなくても、想像することによって、同じ性質をもつものを分類でき、属性の理解が進む（ただし、具体的なものに限られる）。

・数の構成についての理解が進み、四則演算ができるようになる（掛け算・割り算は、足し算・引き算よりむずかしい）。

・お金が使えるが、計画的な使用はむずかしい。

・象徴（シンボル）をさらに象徴したものの理解はむずかしい。
　例：お金は買えるものの象徴、預金はお金の象徴、預金を象徴するものが通帳であること、など。

・ことわざや慣用句の意味の理解はむずかしい。

・時計の見方がわかる。ただし、何かをするのに必要な時間は判断しにくいので、計画的に時間を使うことはむずかしい。

・空間を体系的に認識するようになり、経験したことのない空間（外国等）や地図の存在が理解できる。

・空間についての抽象的な思考はむずかしい。
　例：目的地までの一番便利な道を、複数のなかから選ぶのはむずかしい。

・因果関係の一般的な理解ができ、「〜なら〜だろう」という推論が可能になる。原因の説明ができるようになるが、具体的で単純なものに限られる。

・書き言葉の理解が始まり、読み書きが可能になる。

買ってはみたもののあまり着なかったという経験や、嫌いだと思っていたけれど何年かたって試してみたら思いのほか気に入った食べ物がある——それが、「ふつうであたりまえの生活」です。

重度の知的障害のある人が、福祉事業所での調理に才能を発揮したり、特例子会社で事務作業にコツコツと取り組んだりといったように、「社会人」や「職業人」としての顔をもって生き生きと生活をしている場合もあります。

支援者は、「知的障害」のみに着目して「知的障害をおぎなうことだけ」を考えた支援を計画してしまいがちです。できないことをおぎなうことも大切ですが、知的障害のある人が、自分で決めたい・試してみたいと思えるような意欲や主体性を育てることにも着目しましょう。

認知発達の状態を手がかりに、**ICT**❷や**援助機器**❸を活用することも含めて、日常生活・社会生活にどのように参加できるかを考え、環境を整えていくことが大切です。

### 2 変化することを忘れない

また、人の状態は変化するものです。

たとえば、カラオケが大嫌いだった人が何年かのちに（自分では歌えないけれども）友達の歌に合わせてタンバリンをたたくことを楽しんで参加できるようになったりすることは、実際にあるものなのです。

知的機能の状態のみに着目すると、「その人らしさ」を見失ってしまう場合があります。人は、実にさまざまな面をもっています。思いやりや、人生を楽しむ力や、芸術やスポーツの才能、ねばりづよさやあきっぽさ、ユーモアのセンスなど、「知能」以外の側面もたくさんあり、また何が得意で何が不得意かも人によって異なります。そのため、知的障害の特徴を知っただけでは、その人を理解したことにはなりません。障害は、その人の一部ではありますが、すべてではないのです。

知的障害があるからといって、人間としてのすべての側面に障害があるわけではありません。障害のある人の生活や状態は、変化するものなのだということを心にとめて支援をしていくことが大切です。

❷ICT

Information and Communication Technology（情報通信技術）の略で、通信技術を活用したコミュニケーションのこと。自閉症や知的障害のある人のためのコミュニケーションアプリ、時間の流れを見てわかりやすくするアプリなどが無料で公開されている。

❸援助機器

操作を簡単にした録音再生機（録音型会話補助装置）、時間を自己管理するための道具（タイマー）などがある。

---

# 4 ライフステージに応じたかかわり方

知的機能の発達状態をふまえた支援を行うことと同時に、**ライフス**

第 1 節　知的障害

テージ[4]（実際の年齢にともなう人生における段階）に応じた生活体験ができるよう支援することも重要となります。

それぞれの時期に重要になる、親と社会資源との関係をまとめたものを、図3－1に示します。

## （1）乳幼児期

乳幼児期は、図3－1の「ⓐ子どもと親が一体化」→「ⓑ子どもの自我、少しずつ距離」の時期にあたります。

ⓐの時期は、子どもに関するさまざまな物事を、親が決めています。そのため、親や周囲の人が適切な環境を用意する必要があります。そして、生活を重ねるなかで子どもの自我が芽生えてきます。

ⓑの時期では、子どもは大人の指示をきかなくなったりしますが、人の成長にとって自我の発達はとても大切な過程の1つなので、適切にかかわっていくことが大切です。

### ■1 知的障害のある人にとって大切なこと
・家のなかが安心・安全な環境になる

[4] ライフステージ
人の一生におけるそれぞれの段階のこと。たとえば、乳幼児期、児童期、青年期、壮年期、老年期などそれぞれの節目を表す。ここでは、一生の連続性を含めたそれぞれの時期をいう。

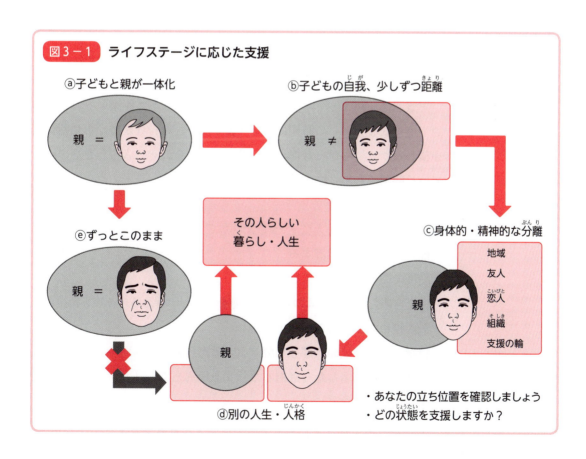

図3－1　ライフステージに応じた支援

ⓐ子どもと親が一体化　　ⓑ子どもの自我、少しずつ距離

ⓔずっとこのまま

その人らしい暮らし・人生

ⓒ身体的・精神的な分離

地域
友人
恋人
組織
支援の輪

ⓓ別の人生・人格

・あなたの立ち位置を確認しましょう
・どの状態を支援しますか？

・身近な大人との間に、きずなができる

・見て理解することは得意だけれど聞いて理解するのは苦手など、生活を通して心身機能の使い方を覚える

・五感を通して外界の情報を取り入れ、好き・嫌い、心地よい・悪いなどの情報発信をする

・さまざまな生活体験を積み、生活スキルを獲得する

**2 家族や支援者にとって大切なこと**

乳幼児期の障害のある子どもへのかかわりは、試行錯誤の連続です。そのため、「本人の発達段階と年齢相応の体験の『ちょうどよいところ』はどこか」「本人の能力をものや人でどう補えるか（環境調整）」を常に考えていくことが必要になります。

たとえば、スプーンを使って自分で食事ができるようになるのか、今のまま全介助なのか、一部ならできるようになるのか、スプーンの柄の形を工夫すればできるのか、といったことを日々考えていくということです。

期待しすぎると思いどおりにいかなかったときの落胆が大きくなりますし、あきらめてしまうと子どもの成長がさまたげられてしまいます。「あきらめすぎず、期待しすぎず」、子どもの状態をよく見て支援を行っていくことが大切です。

## （2）児童期

児童期は、**図3-1**の「ⓑ子どもの自我、少しずつ距離」→「ⓒ身体的・精神的な分離」の時期にあたります。子ども自身が豊かな生活体験を積むなかでつちかった自我を大切にしながら、その人らしさをつくっていく時期でもあります。それを尊重することで、親子の身体的・精神的分離が進みます。

**1 知的障害のある人にとって大切なこと**

・能力に応じて、学習する

・地域での人間関係を広げる

・性を含めた自分の身体の変化や状態を把握し、訴えるスキルを習得する

・放課後や余暇の過ごし方を学ぶ

・自身の心身機能の状態を理解する（障害認識の初歩）

・サービスを利用したり選択したりする練習をする（ガイドヘルプの利用、宿泊体験など）

## 2 家族や支援者にとって大切なこと

「子どもは親の分身」という言葉がありますが、「分身ではない」ということを、親が学んでいく重要な時期が児童期です。子どもの自我は将来の自立（支援を受けながらの自立を含む）のためにとても重要です。自我の芽を摘みとらないようにかかわっていきましょう。

また、児童期には、他の人と比較されることによって、自信をなくしてしまったり、周囲から要求されることに応えられなかったという体験をすることでダメな自分と思ってしまったりする場合があります（自己否定）。「あなたはあなたであっていい」「あなたには価値がある」というメッセージを、認知力に応じた方法を用いて、親や支援者が伝えつづけていき、自己肯定感をもてるよう育てていくことがとても重要です。

支援を利用することも含め、地域のなかでさまざまな人とのかかわりを通して、「子どもの顔」以外の「顔」（たとえば、買い物のときにお客さまの顔をする、友達の前で先輩・後輩の顔をする、近所の子どもの前でやさしいお兄さん・お姉さんの顔をするなど）をつくっていくことが、青年期・壮年期の豊かな生活につながります。

## （3）青年期・壮年期

青年期・壮年期は、図3-1の「ⓒ身体的・精神的な分離」→「ⓓ別の人生・人格」の時期にあたります。児童期に身につけはじめた「子どもの顔」以外の顔を、さらに豊かにしていく時期です。それが、「大人になる」ということです。支援の輪をもちつつ、地域のなかで消費者の顔や、職業人としての顔、恋人や配偶者としての顔、さらには子どもを育てる親の顔をもつことなど、さまざまな選択肢があります。

### 1 知的障害のある人にとって大切なこと

・大人としてのアイデンティティを構築する
・親離れするための生活スキルを習得し、サービスを利用する（ガイドヘルプ、ホームヘルプ、グループホーム体験など）
・就労や余暇、政治等を通した社会参加スキルを習得する
・障害の自己認識をより深める
・生涯学習の機会をえる

### 2 家族や支援者にとって大切なこと

知的障害のある人たちは、自分らしい暮らしができる人たちです。知的障害のある人と家族の好みは異なりますし、大人になったら、家族の

決定よりも知的障害のある人が決定したことが優先されなければなりません。

　しかし、親や支援者が、知的障害のある人に対して常に幼児と接するような感じで対応していると（図3-1の「ⓔずっとこのまま」の関係）、知的障害のある人は無力感を味わい、自分の気持ちや考えや表現していることには意味がないのだと感じてしまいます。その結果、なげやりになったり、うつになったりしてしまう場合もあります。

　知的障害のある人の意思をどのようにしてくみとり、日常生活や社会生活に反映させていくかが重要な支援となります。

## （4）高齢期

　高齢期は、青年期・壮年期よりもさらにたくさんの支援を受けながら生活する場合が多くなります。支援の量が増えても、「1人の人」として人生の課題に取り組むことが重要で、尊厳を大切にしながら支援することが大切になります。

### ❶ 知的障害のある人にとって大切なこと

・日常生活や社会生活において、できていたことができなくなっていくことや、心身機能が衰えていくことに対応する
・新たにあらわれた病気に対応する
・心身機能や生活状況に応じたサービスを利用し、適応する
・身近な人を含めた死に対応する

### ❷ 家族や支援者にとって大切なこと

　知的障害のある人の高齢期に、周囲の人が留意しなければいけない点がいくつかあります。障害のある人に老いの自覚がない場合にはとくに気をつけて、尊厳をそこなわないようにかかわっていく必要があります。

　留意点の1つ目は、障害のない人よりも老化が早い場合があることです。老化が始まっていても、知的障害のある人自身に自覚がない場合もあります。いままでできていたことができなくなってきたことに気づいたら、認知症や精神疾患（うつ病等）の可能性を考え、早期に受診してもらえるよう、話し合いましょう。

　2つ目は、病気への注意です。知的障害のある人の死因の多くが、障害のない人のものとは異なっているということが指摘されています。知的障害が軽度の場合でも、複雑な因果関係の理解はむずかしいため、心

身の不調（結果）が、見た目ではわからないからだの内部の変調による
もの（原因）とは自覚することができず、心身の状態を適切に訴えられ
ずに、受診が遅れてしまう場合もあります。定期的に受診できるよう、
環境を整えていくことが重要です。

---

◆ 参考文献
● 太田俊己・金子健・原仁他訳『知的障害 定義、分類および支援体系 第11版（AAIDD
　米国知的・発達障害協会）』日本発達障害連盟、2012年
● 吉川かおり監『重度知的障害のある人と知的援助機器』大揚社、2009年
● 全日本手をつなぐ育成会『障害のことをもっと知ろう！わが子とより良い関係を作るた
　めの障害認識プロジェクト ワークショップ実施マニュアル』2010年（平成21年度障害者
　保健福祉推進事業（障害者自立支援調査研究プロジェクト）『障害とは何か――知的障害
　者親の会による障害認識・啓発プログラム開発』）

第 **2** 節

# 精神障害

### 学習のポイント

- 精神障害の種類とその特性について学ぶ
- 精神障害のある人への支援とその留意点について理解する
- 医療・福祉サービスを含むさまざまな社会資源を使った幅広い支援について理解する

**関連項目**
⑧ 『生活支援技術Ⅲ』 　▶ 第3章第2節「精神障害に応じた介護」
⑤ 『コミュニケーション技術』 　▶ 第3章第2節「さまざまなコミュニケーション障害のある人への支援」

## 1 精神障害とは

❶**精神障害**

本節で紹介する「精神障害」は、「精神疾患」と呼ばれている場合もある。実際のところ、「精神障害」と「精神疾患」は同じような意味で使われることもしばしばある。「障害」とは単一の病（例：統合失調症）ではなく、ある病の集合体や概念的なものに用いるとされており、やや広い意味をもつ言葉である。一方で、「疾患」は医学的に病的な状態について意味する言葉でもある。よって、医学的に明らかに病的な状態ではない人や生活課題をもつ人などを含む「（精神）障害」という言葉は、「（精神）疾患」より広い意味をもつ言葉といえる。

精神障害❶にはさまざまな種類があります。古くはその原因をもとにして、外因性精神障害、心因性精神障害、そして内因性精神障害の3つに分けられていました（**表3−6**）。

外因性精神障害は、病気や外傷などから脳への直接的な影響によって発症する精神障害であり、心因性精神障害は性格やストレスなど心理的な影響によって発症する精神障害です。また、内因性精神障害は、外因性や心因性だけでは原因の説明ができず、それらに加えて遺伝的要因等のかかわりが疑われる精神障害です。

しかしながら、精神障害の原因は1つに限定できない場合もめずらしくなく、現在では外因性・心因性・内因性という区別よりも、（操作的）診断による区別を用いることが一般的です。

現在、精神障害の診断分類として国際的に使用されている診断基準は、ICD（International Statistical Classification of Diseases and Related Health Problems：国際疾病分類❷）とDSM（Diagnostic and Statistical Manual of Mental Disorders：精神疾患の診断と統計マニュアル❸）です。

## 第2節 精神障害

| 表3−6　精神障害の原因についての古典的3分類 | |
| --- | --- |
| **成因** | **説明および含まれる精神障害の例** |
| **外因性精神障害** | 脳への直接的・生理的影響によって生じるもの（例：脳器質性疾患にともなう器質精神障害） |
| 　**器質性精神障害** | 脳腫瘍や脳髄膜炎、頭部外傷など脳そのものの病気によって生じるもの |
| 　**症状性精神障害** | 脳以外の内分泌や代謝異常、感染症によって生じるもの |
| 　**中毒性精神障害** | 体内に薬物・毒物が入り込むことで生じるもの |
| **心因性精神障害** | 性格や心理的な負担やストレスなど心理的影響によって生じるもの（例：適応障害、パニック障害） |
| **内因性精神障害** | 外因性や心因性では明らかな原因を説明できず、遺伝的素因や身体的基盤の存在で生じると疑われているもの（例：統合失調症、双極性障害） |

ICDは、世界保健機関（WHO）によって作成され、現在は第10版が使用されています。一方で、第11版が2018年6月に公表され、2022年1月1日から発効されます。第11版においては、第6章で精神障害に関する各種の疾患が紹介されています。第11版ではゲーム障害に関する疾患も追加されるなど、分類に変化がみられる疾患もあります。なお、本節では、2021年10月現在で使用されているICD-10で各疾患の特徴を紹介します。また、DSMは米国精神医学会によって開発され、現在第5版が発刊されています。

統合失調症をはじめとした精神障害の原因や理論として、近年では「ストレス─脆弱性モデル」が一般的になっています。ズービンとスプリング（Zubin, J. & Spring, B.）は、生態学、発達、学習、遺伝、内部環境、神経生理の6領域で、統合失調症の発症にかかわるかもしれない要因に関する研究を行いました。その結果、それぞれの要因が単一では統合失調症の発病に関する条件を満たさないとし、それぞれの要因が相互に影響しあって統合失調症が発症するという脆弱性モデルを提案しました。

その後、ラザルス（Lazarus, R. S.）によるストレスモデルでは、精神障害が発症する要因として、個人がもつ素因（遺伝や性格）とストレ

**❷国際疾病分類**

正式な名前を、「疾病及び関連保健問題の国際統計分類」という。

**❸精神疾患の診断と統計マニュアル**

アメリカ精神医学会によって出版された書籍である。最新版（第5版）が2013年に出版されている。

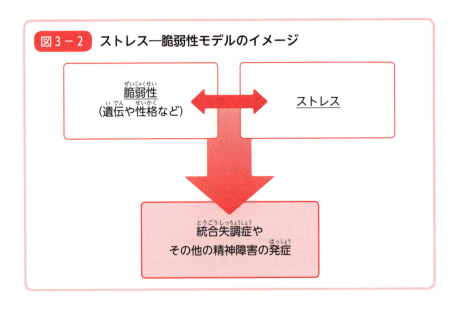

図3-2 ストレス―脆弱性モデルのイメージ

スとの関連が指摘され、**ストレス反応**として精神障害が発症するストレス理論を提唱しました。

これらの議論を通して、現在の「ストレス―脆弱性モデル」は、ある個人がもつさまざまな素因となる脆弱性（「もろさ」「傷つきやすさ」「病気のなりやすさ」とおきかえて表現されることもある）の限界を超えたストレスを受けた場合に、精神障害を発症したり、再発したりするという理論となっています（図3-2）。

## 2 障害の種類

ICD-10において、精神障害は、「F：精神および行動の障害」コードで示されており、大きくは11のコードに分類されています（表3-7）。
血管性認知症やアルツハイマー型認知症などは、F０圏に分類されており、薬物依存に関する障害はF１圏に含まれます。また、統合失調症とうつ病や双極性障害などの気分障害は、それぞれF２圏とF３圏に分類されています。

近年、注目を集めることが多い**広汎性発達障害**[4]や**学習障害**[5]などは、F８圏に分類されます。なお、日本では、てんかんも精神障害の関連制度の対象となる傾向にありますが、ICD-10では「G：神経系の疾患」コードであるため、精神障害としての位置づけではありません。

[4] 広汎性発達障害
p.199参照

[5] 学習障害
p.200参照

174

第 2 節　精神障害

| コード | 分類名 | 代表的な疾患例 |
|---|---|---|
| F00-F09 | 症状性を含む器質性精神障害 | 認知症 |
| F10-F19 | 精神作用物質使用による精神および行動の障害 | 薬物依存症 |
| F20-F29 | 統合失調症、統合失調症型障害および妄想性障害 | 統合失調症 |
| F30-F39 | 気分［感情］障害 | うつ病、双極性障害 |
| F40-F48 | 神経症性障害、ストレス関連障害および身体表現性障害 | 不安障害、強迫性障害　解離性障害 |
| F50-F59 | 生理的障害および身体的要因に関連した行動症候群 | 摂食障害 |
| F60-F69 | 成人の人格および行動の障害 | 人格障害 |
| F70-F79 | 知的障害〈精神遅滞〉 | 知的障害 |
| F80-F89 | 心理的発達の障害 | 学習障害、広汎性発達障害 |
| F90-F98 | 小児〈児童〉期および青年期に通常発症する行動および情緒の障害 | 多動性障害 |
| F99 | 詳細不明の精神障害 | |

表3−7　ICD-10 Fコード「精神および行動の障害」における診断分類

第3章　障害別の基礎的理解と特性に応じた支援 II

# 3 障害の特性の理解

　表3−7からも精神障害には、多様な診断があることがわかります。ここでは、F1圏「精神作用物質使用による精神および行動の障害」、F2圏「統合失調症、統合失調症型障害および妄想性障害」、F3圏「気分［感情］障害」について、各疾患の特徴を説明します。

## （1）精神作用物質使用による精神および行動の障害

　精神作用物質（例：アルコールや大麻）を使ったあとに、意識や認知、感情、行動などの障害を生じるものです。意識障害や興奮状態、幻覚がみられることが特徴です。なお、精神作用物質には、アルコールや大麻だけでなく、抗不安薬などの精神科で処方される薬剤、そしてカ

175

| 表3-8 | 代表的な精神作用物質 |
| --- | --- |

- アルコール
- 大麻（マリファナなど）
- 幻覚剤（LSDなど）
- 有機溶剤（シンナーなど）
- オピオイド（モルヒネなど）
- 中枢神経刺激薬（コカインなど）
- 抗不安薬や鎮静薬
- カフェイン
- タバコ

フェインやタバコといった嗜好品も含まれます（**表3-8**）。

　精神作用物質をくり返し使ったあとで使用をやめると、**離脱症状**（多量の汗、指等のふるえ、吐き気、不眠、幻覚、けいれん発作）があらわれる場合があります。この離脱症状の苦しみにより、精神作用物質の使用をやめることがむずかしいことがしばしばあります。

　また、精神作用物質の使用をやめたあとに、**フラッシュバック**といわれる、以前に体験した幻覚などが再びあらわれることもあります。

　加えて、近年の研究では、大量のアルコール摂取が将来の認知症発症のリスクに関連することが報告されています。

## （2）統合失調症、統合失調症型障害および妄想性障害

　人間は、さまざまな情報を脳に取りこみ、その情報を用いて行動します。**統合失調症**は、このプロセスに不具合（認知機能障害）が発生し、社会生活上の困難が生じる病気です。

　統合失調症には、認知機能障害のほかにも**陽性症状**（妄想、幻覚など）と**陰性症状**（感情の平板化、意欲低下など）といわれる代表的な症状があります（**表3-9**）。

　発症の多い時期は、思春期から30代とされています。統合失調症は不治の病ではなく、服薬を必要としなくなる人もいますし、服薬やその他の医療・福祉支援を受けながら障害をもたない人と変わらない社会生活をする人もいます。

第2節　精神障害

| 表3-9 | 統合失調症の代表的な3症状 |

| 症状 | 内容 |
|---|---|
| 認知機能障害 | ・集中力・記憶力などの低下、物事に対して関係のない考えや突拍子もない考えをもつ<br>・状況に応じた柔軟な考えがむずかしくなる |
| 代表的な陽性症状 | ・妄想：事実ではないことを事実であると思いこみ、修正できない<br>・幻覚：実際にはないものが見えたり、聞こえたりする（とくに幻聴が多い） |
| 代表的な陰性症状 | ・感情の平板化：感情が揺さぶられるイベントに対して反応が鈍くなる<br>・意欲低下：物事に対して自分から行動することが少なくなる。ひきこもりがちになることもある |

## （3）気分（感情）障害

　気分（感情）障害には、大きく分けるとうつ病と双極性障害（躁うつ病）の2つがあります。

　うつ病は、継続的な気分の落ちこみといっしょに考える力や活動量が少なくなり、社会生活に支障が生じます。男性より女性に多く、20代から30代に多いとされています。多くは心理的なストレスや疲労、あるいは人生のイベント（例：引っ越し、出産、退職）などを背景に発症します。代表的な症状は、抑うつ気分や睡眠の障害、自殺を考えることなどです（表3-10）。服薬やその他の医療・福祉支援を受けることで多くの場合で回復しますが、人によってその期間は異なり、再発することが多いことも特徴です。

　双極性障害は、うつ状態の時期と気分が高まり非常に活動的となる時期（躁状態）をもつ病気です。10代から20代半ばにかけて発症することが多いとされています。また、うつ病と比較し、双極性障害はうつ状態の時期が長く、くり返しやすいとされています。

第3章　障害別の基礎的理解と特性に応じた支援 II

| 表3－10 | 気分（感情）障害の代表的な症状 |

| 症状 | 内容 |
|---|---|
| 代表的な<br>うつ症状 | ・抑うつ気分：理由もなく、ゆううつな気分になる<br>・興味の問題：興味があることや楽しいことに、そのような感情をもてない<br>・心理的問題：何をするにも動きが遅くなる、イライラする<br>・気力の問題：疲れやすく気力が出ない、集中力や判断力が落ちる<br>・自信の問題：過度に自分自身が無価値である、迷惑な存在であると感じる<br>・食欲の問題：食欲や体重が減る、あるいは増える<br>・睡眠の問題：眠れない・眠りすぎる、あるいは朝早くに目覚める<br>・自殺の問題：死について考えたり、自殺を実行に移したりする |
| 代表的な<br>躁症状 | ・考えの問題：次から次へといろいろな考えが浮かんでくる<br>・注意の問題：ちょっとしたことで、注意の向き先がころころと変わる<br>・自信の問題：自身の能力などが優れている、たくさんのお金を持っているなどと過度に言う<br>・言動の問題：非常に口数が多く、話し続ける<br>・睡眠の問題：睡眠時間が短くても活動できる<br>・活動の問題：仕事や勉強に関する活動、性的活動が増える<br>・熱中の問題：買い物やギャンブルへの浪費や将来性のない投資など、後日には本人に不利益となる活動に没頭する |

# 4 心理面・身体面・生活面の理解

　診断分類で紹介したとおり、精神障害には多くの種類があります。そして、同じ診断をもっていても症状の種類や内容はさまざまです。

　すなわち、身体障害と比べ、精神障害は個人差が大きい障害といえます。たとえば、ある人はうつ病で一時的に自殺のおそれがあり、24時間の見守りを必要とする場面があるかもしれません。

　一方で、同じくうつ病をわずらう人は自殺のおそれがないかわりに、睡眠の問題や重度の抑うつ状態から、食事や排せつなどが自分ですることが一時的にむずかしくなり介護を必要とする場合があるかもしれません。症状が異なるということは、障害がもたらす生活（家事・買い物・休日の過ごし方など）や就労への影響も個人によって大きく異なります。また、うつ病の初期症状などは認知症の症状と似ていることもあり、高齢者ではみすごされることもあります。さらに、不眠症状などは

第2節 精神障害

身体に支障をきたすこともあります。

よって、精神障害のある人を支援する際には、心理面・身体面・生活面の問題をそれぞれに解きあかそうとするのではなく、精神障害のある人といっしょに心理面・身体面・生活面の問題を包括的に考える必要があります。

特に、重い精神障害のある人の支援では、精神障害のある個人の症状、身体的な疾患、生活上の困難などについてのアセスメントを実施し、どのような支援ができるのかについて計画する人（治療チーム）と、実際に必要な支援を中心的に提供する人（支援チーム）は、同一であることが望ましいとされています。

この点について、日本の介護保険制度における高齢者ケアでは、アセスメントやケア計画を作成する人（おもに介護支援専門員）と実際に支援を提供する人は別である場合が多く、精神障害のある人に対して効果的と考えられている支援を実施しにくい状況です。ただし、障害者の日常生活及び社会生活を総合的に支援するための法律（障害者総合支援法）においても同様の状況であり、精神障害者に対する効果的な支援の普及は制度的な課題となっています。

# 5 障害の特性に応じた支援

精神障害のある人に対する支援は世界的に長らく入院医療が中心でしたが、現在、多くの国では地域支援が主流となっています。日本は精神科病床数が依然として非常に多いという問題をかかえています。しかしながら、新しく入院する患者の入院期間は徐々に短くなっており、地域移行が緩やかに始まっています。また、障害者総合支援法にもとづき、2012（平成24）年4月から地域相談支援（地域移行支援・地域定着支援）が開始され、長期入院患者に対する地域移行も取り組まれています。地域で生活する精神障害のある人が増えるなかで、必要とされている支援も少しずつ明らかになっています。

精神障害のある人の支援をするうえで重要なことは、①その人がどのような背景や希望、長所をもっているかを理解すること、②よい関係を築くこと、そして③さまざまな支援をセットにして提供すること、の3つです。

第3章 障害別の基礎的理解と特性に応じた支援II

179

## （1）本人の希望や長所に着目する

　精神障害のある人の心理面・身体面・生活面の課題は１人ひとり大きく異なります。また、精神障害の発症は若い年代に多いことから、学校で教育を受ける機会や働く機会を失っている人がめずらしくありません。さらに、精神障害のある人とその家族は、周囲の人からの偏見や差別に苦しんだ経験をもつ人も多くいます。

　支援者には、診断名によって精神障害のある個々人をカテゴリー化することではなく、どのようなことで過去に困ったのか、どのような夢や希望をもっているのか、そしてどのような長所（例：性格、能力、環境、関心など）があるのかを、精神障害のある人といっしょに探すことが求められています（図３－３）。

## （2）よい関係を築く

　精神障害のある人への支援で非常に重要なことは、彼らとの関係性です。精神障害のある人のなかには、症状やこれまでの経験から自分の意見を上手に伝えることや自分の希望や目標を整理することが苦手な人がいます。支援者が精神障害のある人と信頼関係を築くためには、彼らの長所に焦点をあてながら、支援者が代わりとなって物事を行うのでなく、彼らが自分自身で物事を決め、実行できるようにかかわる必要があります。

　精神障害のある人の支援の基本は、彼らの希望する人生や目標に進む

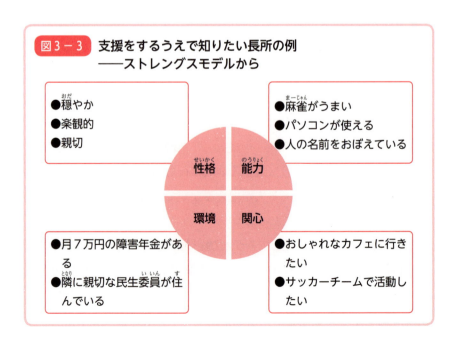

図３－３　支援をするうえで知りたい長所の例
　　　　──ストレングスモデルから

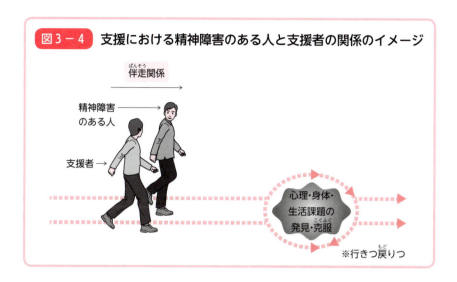

図3-4 支援における精神障害のある人と支援者の関係のイメージ

過程を伴走することにあるといえます（図3-4）。このような支援を実行するには、施設内での集団療法を中心とした支援ではむずかしいことが多く、訪問型の個別支援が必要とされています。

## （3）さまざまな支援を提供する

### 1 医療サービスと福祉サービス

現在の日本では、精神障害のある人に対する治療や支援は、精神科病院やクリニック、そして精神科デイケアや精神科訪問看護など関連する医療サービスと、障害者総合支援法にもとづく福祉サービス（例：居宅介護、生活訓練、就労移行支援、就労継続支援など）の2つに大別されます。また、**精神障害者保健福祉手帳**や障害年金、**自立支援医療**❻などが利用されています。

本来、精神障害のある人の治療や支援は、医療サービスと福祉サービスがセットとなり、包括的なニーズに対応できるものであることが望ましいとされています。

具体的には、医療的な支援だけでなく、精神障害のある人を中心としたケアマネジメントを通じて、それぞれのニーズに応じて、住まいの支援、日常生活の支援、関連制度の利用、仕事の支援、家族の支援、**意思決定支援**❼など、幅広い支援を行うことが期待されています（図3-5）。1つの機関がこれらの支援をすべて行う場合もあれば、地域で連携して行う場合もあります。

❻自立支援医療
p.66参照

❼意思決定支援
p.24参照

図3-5 精神障害のある人がかかえやすいニーズと必要とされる支援

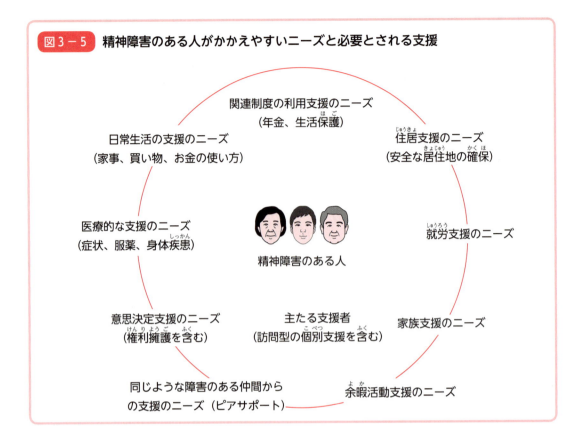

### 2 ピアサポート

近年、精神障害のある人への支援における社会資源の1つとして、**ピアサポート**[8]や**自助グループ**といわれる同じような障害をもつ仲間同士の支援が重要とされています。ピアサポートには、すでにある制度のなかで行われるものから、制度としてはまったく反映されていない活動のなかで行われるものまでさまざまなかたちがあります。

現在の制度のなかで、事業所の職員として働くピアサポーター（あるいはピアスタッフ）は、自身の人生の体験、病いの体験、サービスを利用した体験などさまざまな経験をほかの精神障害のある利用者と共有することで、利用者の生活を支援します。

自助グループ（例：患者会、**断酒会**など）では、同じような障害をもつ仲間同士が集まり、その経験や苦悩を共有します。そのなかで、仲間同士で支え合い、時に自分では気づかない自身の可能性をお互いに引き出すこともあります。自助グループは障害のある人によって組織・運営されます。ピアサポートや自助グループ自体の目的や活動内容、そして参加する人の目的はさまざまであり、治療や支援を目的と

[8] ピアサポート
p.54参照

したものだけではありません。

　たとえば、ピアサポートや自助グループに参加するなかで、これまで精神障害を理由にあきらめていた就労や旅行、サークル活動などの夢や希望にチャレンジする人もいます。また、自分が利用する治療や支援について仲間と経験を分かち合うなかで、自分自身が希望する生活にあった治療（服薬を含む）や支援の内容を考えていく機会をえる人もいます。

　他方、人によっては、同じ困難をかかえた仲間を見つけることだけを目的にピアサポートや自助グループを利用する場合もあります。

　この点は、介護福祉士や社会福祉士、精神保健福祉士、看護師、医師などの専門職による治療や支援とピアサポートとの大きく異なる点です。

◆ 参考文献

● 日本精神保健福祉士養成校協会編『新・精神保健福祉士養成講座1　精神疾患とその治療 第2版』中央法規出版、2016年

● 上島国利・立山萬里・三村將編『精神医学テキスト 改訂第4版——精神障害の理解と治療のために』南江堂、2017年

● 尾崎紀夫・三村將・水野雅文・村井俊哉編『標準精神医学 第7版』医学書院、2018年

● Zubin, J., Spring, B., 'Vulnerability: A new view of schizophrenia', *Journal of Abnormal Psychology*, 86: 103-126, 1977.

● 佐藤さやか・安西信雄「対処様式・能力」『臨床精神医学』第44巻増刊号、pp.59～65、2015年

● 丸田敏雅・松本ちひろ・秋山剛・神庭重信「ICD-11「精神、行動、神経発達の疾患」の開発の経緯」『精神神経学雑誌』第123巻第2号、pp.100-107、2021年

● 融道男・小見山実・大久保善朗・中根允文・岡崎祐士訳『ICD-10 精神および行動の障害——臨床記述と診断ガイドライン』医学書院、2005年

● 坂田増弘「各疾患の特徴」山口創生編『精神障害者雇用のABC』星和書店、pp.20～53、2018年

## 第3節

# 高次脳機能障害

### 学習のポイント

- ■ 高次脳機能障害の具体的な症状とおもな原因について学ぶ
- ■ 高次脳機能障害による身体的、心理的側面への影響や生活面への影響を学ぶ
- ■ 高次脳機能障害の特性に応じた支援とその留意点について学ぶ

| 関連項目 | ⑧『生活支援技術Ⅲ』 | ▶ 第3章第3節「高次脳機能障害に応じた介護」 |
| | ⑤『コミュニケーション技術』 | ▶ 第3章第2節「さまざまなコミュニケーション障害のある人への支援」 |

## 1 高次脳機能障害とは

### （1）高次脳機能障害とは

　病気やけがが原因で脳に損傷が加わると、日常生活や社会生活に大きな支障をきたすような症状がみられることがあります。その症状は、認知の障害といわれるもので、パソコン（パーソナルコンピュータ）にたとえるとデータ処理や演算処理を行うCPUなどパソコンの内蔵機能の不具合にあたります。

　つまり、外からの情報を取り入れることや、取り入れた情報を保存すること、情報を処理して何らかの判断を下すことなどが以前のようにはうまくいかなくなるということです。

　加えて人間の場合は、感情の出方にも変化がみられることがあります。その結果、病気やけがをする前にはみられなかったような行動がみられます。

　しかし、これらの症状は一見したところではわかりにくく、本人も自分の状態に気づかない場合があります。退院後、自宅で生活をするようになってはじめて、家族が「以前とは何か様子が違う」「別人のようになってしまった」として気づくこともあります。

第 3 節　高次脳機能障害

| 表3－11 | 高次脳機能障害診断基準 |

Ⅰ．主要症状等
1．脳の器質的病変の原因となる事故による受傷や疾病の発症の事実が確認されている。
2．現在、日常生活または社会生活に制約があり、その主たる原因が記憶障害、注意障害、遂行機能障害、社会的行動障害などの認知障害である。

Ⅱ．検査所見
MRI、CT、脳波などにより認知障害の原因と考えられる脳の器質的病変の存在が確認されているか、あるいは診断書により脳の器質的病変が存在したと確認できる。

Ⅲ．除外項目
1．脳の器質的病変に基づく認知障害のうち、身体障害として認定可能である症状を有するが上記主要症状（Ⅰ－2）を欠く者は除外する。
2．診断にあたり、受傷または発症以前から有する症状と検査所見は除外する。
3．先天性疾患、周産期における脳損傷、発達障害、進行性疾患を原因とする者は除外する。

Ⅳ．診断
1．ⅠからⅢをすべて満たした場合に高次脳機能障害と診断する。
2．高次脳機能障害の診断は脳の器質的病変の原因となった外傷や疾病の急性期症状を脱した後において行う。
3．神経心理学的検査の所見を参考にすることができる。

出典：厚生労働省社会・援護局障害保健福祉部、国立障害者リハビリテーションセンター「第1章　高次脳機能障害診断基準ガイドライン」『高次脳機能障害者支援の手引き（改訂第2版）』国立障害者リハビリテーションセンター、2008年

高次脳機能障害は、2001（平成13）年度から国の事業として開始された**高次脳機能障害支援モデル事業❶**のなかで診断基準（**表3－11**）が作成され、この基準をもとに診断が行われています。

認知の障害としては、認知症などでも同様の症状がみられることがありますが、診断基準の除外項目にあるように進行性疾患である認知症は、高次脳機能障害からは除外されています。

## （2）高次脳機能障害のおもな症状

おもな症状には、診断基準のⅠ－2に書かれているとおり、記憶障害、注意障害、遂行機能障害、社会的行動障害の4つがあります。症状の具体的なあらわれ方の例については、**表3－12**に示します。

症状のあらわれ方は、個人によって異なるだけではなく、おかれた環境や時間的経過によっても異なってくることがありますので、注意が必

❶高次脳機能障害支援モデル事業

モデル事業の成果をふまえて、2006（平成18）年度からは、地域における支援体制の確立をはかり、高次脳機能障害者への標準的な支援がどこでも可能となることを目的として、「高次脳機能障害支援普及事業」が開始された。2013（平成25）年度からは、高次脳機能障害にあわせもつことの多い失語症などをふまえて、事業名が「高次脳機能障害及びその関連障害に対する支援普及事業」と変更されている。

| 表3-12 | 高次脳機能障害のおもな症状 |
|---|---|

| | 例 |
|---|---|
| 記憶障害 | ・新しい出来事や約束をおぼえられない。<br>・自分で物を置いた場所を忘れてしまう。<br>・（おぼえられないことから）同じことを何度も質問する。 |
| 注意障害 | ・作業をしているときでも、ぼんやりとしている。<br>・ミスが多い。<br>・2つのことを同時にやろうとすると、混乱する。<br>・切り替えられず、なかなか次の作業に進めない。<br>・何かに取り組もうとしても、すぐに疲れる。 |
| 遂行機能障害 | ・自分で計画を立てて実行できない。<br>・人に指示されないと何もできない。<br>・（逆算して準備を進められないため）約束の時間に間に合わない。 |
| 社会的行動障害 | ・子どもっぽくなる（依存性・退行）。<br>・ある分だけ食べてしまう（欲求コントロールの低下）。<br>・興奮しやすく、すぐに怒りだす（感情コントロールの低下）。<br>・1つのことにこだわりつづける（固執性）。<br>・相手の気持ちや状況に合わせた発言や行動ができない（対人技能拙劣）。 |

要です。また、言葉が出にくくなる、言葉が理解できないなどのあらわれ方をする失語症や、感覚のはたらきは保たれているにもかかわらず対象をとらえることが困難になる失認症などの症状をあわせもつ場合もあります。

# 2 障害の原因

## （1）高次脳機能障害のおもな原因

高次脳機能障害のおもな原因は、**表3-13**に示したとおりです。

### 1 脳血管障害（脳卒中）

**❷脳血管障害**
p.60参照

脳の血管の異常によって生じる病気を**脳血管障害❷**（脳卒中）といいます。脳血管障害は、さらに脳梗塞、脳出血、くも膜下出血に分けられます。

脳梗塞も脳出血も、とくに50代以上の年代で多くみられます。生活習

## 第3節 高次脳機能障害

| 表3-13 | 高次脳機能障害のおもな原因 | |
|---|---|---|
| 脳血管障害<br>(脳卒中) | 脳梗塞 | |
| | 脳出血 | |
| | くも膜下出血 | |
| 頭部外傷<br>(外傷性脳損傷) | 脳挫傷 | |
| | びまん性軸索損傷 | |
| 低酸素脳症 | | |
| 脳炎 | | |
| その他<br>(脳腫瘍など) | | |

慣病が原因となることが多いため、再発予防の観点からも高次脳機能障害発症後の生活上の支援では留意が必要となります。

くも膜下出血は、脳動脈瘤という一種のこぶのようなものが破裂することによって生じます。出血量が多く広い範囲にひろがると高次脳機能障害を発症しやすくなります。

### 2 頭部外傷（外傷性脳損傷）

交通事故やスポーツ事故、転倒などによって頭部に外側からの強い力が加わり、その際とくに脳への損傷を受けた場合を外傷性脳損傷と呼んでいます。

外傷性脳損傷には、脳への衝撃によって出血し損傷が生じた場合（脳挫傷）や、脳が強く揺さぶられることによって神経の伝達経路（軸索）があちこちで寸断される場合（びまん性軸索損傷）があります。とくに、意識障害をともなう場合には、高次脳機能障害が生じやすくなります。

20代、30代などでは、交通事故などによる頭部外傷を原因とする場合が多いですが、高齢者になると転倒が原因の頭部外傷が多くなる傾向があります。

### 3 低酸素脳症

心臓の動きが止まる心停止や窒息などによって、脳に十分な酸素が送られなくなると、脳に障害が生じることがあり、低酸素脳症と呼ばれています。心筋梗塞のほか、水におぼれることや喘息発作によっても生じ

187

ることがあります。脳の広範囲に影響を及ぼすことが知られており、若い年代にもみられます。

**4 脳炎**

ウイルス感染などによって脳に炎症が生じる病気です。ヘルペス脳炎などがよく知られていますが、脳炎は子どもにも多くみられます。

## （2）子どもの高次脳機能障害の原因

子どもの場合も、大人と同じような原因があげられますが、発症年齢によって原因の傾向が異なります。

幼児期は、急性脳炎によるものが多く、小学校入学後の学童期になると交通事故による頭部外傷が増加します。

10代後半になると、バイク事故を含めた交通事故やスポーツ事故などによる頭部外傷の割合が多くなります。なお、子どもの場合であっても、一定の割合で脳血管障害（脳卒中）によるものがみられることも忘れてはなりません。

# 3 障害の特性の理解

## （1）身体的側面の理解

生活面への支援をするうえで、高次脳機能障害とあわせて生じやすい身体面への影響や特徴を知っておくことは重要です。なぜならば、高次脳機能障害と身体面への影響の両方をふまえた支援方法を考えることが必要となるからです。

**1 運動機能への影響**

脳の損傷した部位によっては、運動機能にも影響がみられる場合があります。脳血管障害による右半身や左半身にみられる片麻痺といわれる状態もその例です。

麻痺はない場合でも、運動失調といって右手と左手、手と足などの別々の動きを一連の動作としてまとめて行う協調運動がうまくできず、ふらついたような歩き方になることやふるえがでて細かい作業がうまくできなくなることもあります。

また、声を出すための筋肉がうまく動かせず、ぎこちない話し方になる場合もあります（構音障害）。この場合、言葉の理解や言葉を正しく

使うことがむずかしくなる認知障害としての失語症とは異なります。

　その他、食べものをうまくのみこむことができなくなる嚥下障害が生じることもあります。これらの障害に加えて高次脳機能障害があると、安全な生活を送るために環境を整えるなど、周囲からの配慮が必要となります。

### ❷ 感覚機能への影響

　脳の損傷によって感覚機能にも影響がでることがあります。視野の半分が見えなくなる半盲や、味がわからなくなる味覚障害、においがわからなくなる嗅覚障害などがその例です。

　半盲の場合は、高次脳機能障害の症状としての半側空間無視が半盲と同じ半側に対して生じることがあり、その場合の状態はやや複雑です。

　半側空間無視とは、片側半分からの刺激を認識できなくなることで、片側だけ食べ残しがある、まっすぐ歩けずに認識できる側に寄っていくなどの様子がみられたりしますが、本人はその状態に気づいていないことがほとんどです。これに対して、半盲は片側が見えていないことの自覚がありますので、対処方法が異なります。

## （2）心理的側面の理解

　身体機能の障害と異なり、認知機能の障害が一見してわかりにくいことは、先に述べたとおりですが、本人も自分の状態に気づきにくいことが多く、そのために周囲とうまくかかわることがむずかしくなります。

　そこで、心理面を理解するためには、認知障害から生じる特徴を理解しておく必要があります。

### ❶ 障害認識と新たな自己の受けいれ

　自分の病気や障害が正しく認識できない状態を病識低下や病識欠如といいます。心理学的には、自己意識性の障害ともいいます。

　この状態は、高次脳機能障害にみられる症状の1つでもあり、そこにさらに本人の心理機能が関係してくるため、状況は複雑になります。とくに、発症して間もなくの場合には、本人は以前との変化に気づいていないため、今までどおり何でもできると思って行動しようとします。

　その際に、周りから行動を止められたり、できていないことを指摘されると、興奮して怒りだすことがあります。

　怒りださないまでもできないことを認めず、他人のせいにして何かと言い訳をすると周りはとまどいます。

そこで、本人が自分の状態を理解できるようにはたらきかけ、うまくできないことについては対処方法を学ぶことをうながします。これらを通して、何とかやれそうだと思えるようになることで、新たな自分を受けいれられるように支援をすることが高次脳機能障害のリハビリテーションの目標となります。

　信頼関係を築きながら、安心できる環境のなかで、段階的に病識にはたらきかけていきます。図3-6の階層モデルを参考に、気づきがどのような段階にあるのか理解することは、適切な支援を考えるうえでの手がかりとなります。

　また、自分のことは気づきにくい場合でも、グループ訓練や当事者会への参加を通して同じ障害をもつ仲間と出会い、体験を共有することで、徐々に気づきがえられることもあります。新たな自分を受け入れ、自分らしい生き方を模索するきっかけとなることもあります。

### 2 家族の心理

　高次脳機能障害の原因となるけがや病気の場合、発症直後は生命の危機や意識障害をともなう重篤な状態であることがほとんどです。

　家族は、どん底につき落とされたような経験をします。そこから徐々に回復しはじめると、高次脳機能障害についてもいつか治るのではない

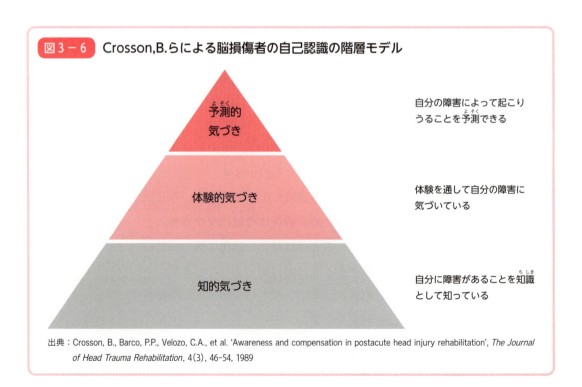

図3-6　Crosson,B.らによる脳損傷者の自己認識の階層モデル

予測的気づき：自分の障害によって起こりうることを予測できる

体験的気づき：体験を通して自分の障害に気づいている

知的気づき：自分に障害があることを知識として知っている

出典：Crosson, B., Barco, P.P., Velozo, C.A., et al. 'Awareness and compensation in postacute head injury rehabilitation', *The Journal of Head Trauma Rehabilitation*, 4(3), 46-54, 1989

かと強い希望を抱きます。

とくに、入院場面では、看護師や医療スタッフに守られた環境にあるため、問題は表にあらわれにくいものです。ところが、退院後自宅での生活が始まると、自分からは何もしようとしない、ちょっとしたことでイライラして怒りだすなど、入院前にはなかったことがみられることがあります。

困った行動を止めようとすると、さらに怒りが激しくなり、ものを投げつけたり、殴りかかってくるなど、身近にいる家族だからこそ、怒りの矛先が向きやすいこともあります。以前とは人が変わったような状態に、家族はとまどい、その状態が長期化すると不安や無力感、気分の落ち込み、孤立感などが強まることもあります。

生活面の支援を進めるうえでは、家族の心理面にも配慮しながら、支援をすることが求められます。

## （3）生活面の理解

身体の重い障害がともなわない限り、トイレに行くことや、用意された食事をとる、入浴するなどの日常生活動作は、ほとんどの場合、自分でできるようになります。

高次脳機能障害のため、はたらきかけがなければ入浴しようとしないといったことは起こる可能性がありますが、入浴動作そのものがまったくできないということはありません。一方、買い物をする、調理をする、掃除をするといった手順の多い動作では、注意障害や記憶障害、遂行機能障害のため支援が必要となる場合がよくあります。

１週間、１か月単位の予定を管理することや、１人暮らしをするなど生活全般を自己管理するためには、さらに支援を必要とします。しかし、支援といっても、必ずしも全面的に介助するということではありません。できる限り本人が希望する自立した生活に向けて、どのような支援があればどこまでやれるのかを見きわめながら、手順書や予定表などをいっしょに作成して活用するなど、その人に合った対処方法を考えて生活に取り入れる練習をしていきます。

また、ある程度決まった日課や環境のもとであれば、自立した生活が送れるようになった場合でも、転居などにより生活環境が大きく変化したり家族構成が変化したりすると、できていたことも一時的にできなくなることがあります。

そこで、環境に何らかの変化があった場合には、生活状況をあらためて確認しながら、支援の組みなおしをすることも必要です。高次脳機能障害のある人への支援は、常に集中的な支援は必要としないものの、周囲の環境は変化していくことが常であり、長期的な支援が必要とされます。

# 4 障害の特性に応じた支援

## （1）高次脳機能障害者に対する相談支援

かつては、身体障害をともなわない場合、高次脳機能障害は福祉の対象にならず、退院後は何の支援も補償も受けられずに、本人も家族も苦しんできました。

その後、2001（平成13）年度から高次脳機能障害支援モデル事業が開始され、「高次脳機能障害診断基準」をはじめ、「高次脳機能障害標準的訓練プログラム」「支援ニーズ判定票」などが作成され、徐々に支援のための土台整備が進みました。

そして、高次脳機能障害は、日常生活や社会生活に制約があると診断されれば、器質性精神障害として**精神障害者保健福祉手帳❸**の対象となるようになりました。身体障害もある場合には、精神障害者保健福祉手帳に加えて**身体障害者手帳❹**の申請も可能です。

18歳未満で発症した場合は、居住する管轄の自治体の指定機関で知的障害と判定されれば**療育手帳❺**の申請が可能です。

高次脳機能障害者に対する相談支援は、障害者の日常生活及び社会生活を総合的に支援するための法律（障害者総合支援法）の地域生活支援事業に定められ、市町村が行う一般的な相談支援のほか、都道府県が行う専門性の高い相談支援に位置づけられています。

都道府県は、高次脳機能障害者の支援拠点機関を設置し、そこに支援コーディネーターを配置して、専門的な相談支援や関係機関とのネットワークづくり、福祉関係者を対象とした研修などを行い、高次脳機能障害支援に関する啓発や普及を行っています。

❸精神障害者保健福祉手帳
p.11参照

❹身体障害者手帳
p.10参照

❺療育手帳
p.10参照

## （２）高次脳機能障害と福祉サービス

　身体障害がない場合でも精神障害者保健福祉手帳の交付を受けられるようになったことにより、障害者総合支援法にもとづいて、**障害福祉サービス**❻を利用することも可能となりました。

　また、**介護保険制度による介護サービス**❼は、原則65歳以上で支援や介護を必要とすると認められた人が対象となりますが、高次脳機能障害の原因疾患の１つである脳血管障害による場合は、支援や介護が必要であるとみとめられると、40歳から対象となります。

　ホームヘルプやデイサービス、入所施設などの介護サービスの利用が可能ですが、介護サービスは、障害福祉サービスより介護保険サービスが優先されます。しかし、自立訓練や就労移行支援、就労継続支援などの介護保険制度にないサービスについては、障害福祉サービスを利用することが可能です（図３－７）。

❻障害福祉サービス
p.28参照

❼介護保険制度による介護サービス
p.41参照

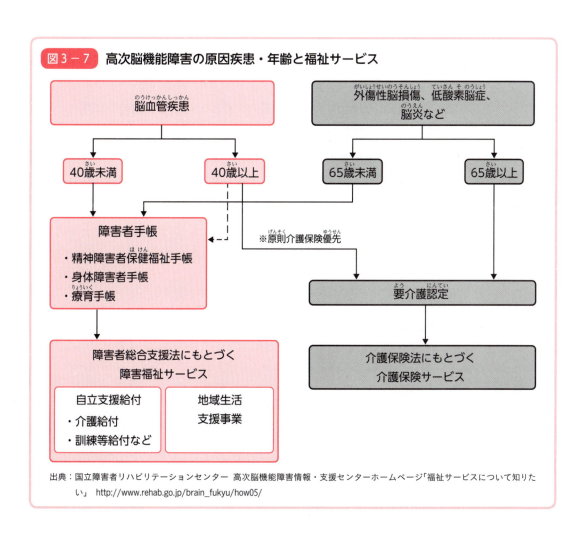

図３－７　高次脳機能障害の原因疾患・年齢と福祉サービス

出典：国立障害者リハビリテーションセンター　高次脳機能障害情報・支援センターホームページ「福祉サービスについて知りたい」 http://www.rehab.go.jp/brain_fukyu/how05/

## （3）症状に応じた支援

### 1 認知障害に対する支援──環境調整

　高次脳機能障害のある人ができる限り自立した望む生活を実現するためには、もっている力を発揮できるように安心して過ごせる環境を整えることが重要です。これを**環境調整**といいます。

　高次脳機能障害支援における環境調整の考え方は、鍵や財布など、大切なものの置き場所を決めるなどの物理的な環境を整えることのみではなく、ルールや日課（1日のやることや順序、時間など）を一定にすることも含みます。これらを**構造化**ということもあります。構造化とは、複雑なものを段階的に小さなものに分けてわかりやすくすることで、高次脳機能障害のみではなく、発達障害や認知症のある人の支援においてもよく用いられます。

　また、環境調整では、本人の症状に合わせて認知障害によって苦手になったことをおぎなう、または代替する方法を検討して用います（**表3－14**）。

　これらの方法は特別なことではありませんが、専業主婦と単身者の場合では、家事に対する支援ニーズが異なる可能性が高いように、その人の生活様式と症状に合わせて工夫するということが重要です。

### 2 社会的行動障害に対する支援

　社会的行動障害の症状もさまざまです。自宅に訪問して生活面の支援をする場面で、とくに感情コントロールの低下により、急に怒りだして興奮がおさまらないことがあると、支援が進まなくなってしまいます。

　その場合、まずは場面や話題を変えると、興奮が収まることがあります。本人がイライラした様子のときに、注意や説得をしようとすると、

---

**表3－14** 環境調整の具体例

・メモリーノートやカレンダーを活用して、スケジュールや日課を忘れずに覚えておく代わりに書きとめておく。
・薬の飲み忘れや飲み間違いが起こらないように、日付を記入した袋に薬を入れてカレンダーに貼りつけておく。飲み終えたら空袋を決まったところに保管して確認してもらう。
・調理の際に火を消し忘れないように、タイマーをセットする。
・調理の手順書を作成して、調理台の前に貼りつける。
・冷蔵庫に入っているもの、消費期限・賞味期限のリストを冷蔵庫のドアに貼る。

かえって興奮しやすくなります。

何度か接していると、その人がイライラするきっかけとなる言葉や場面がわかる場合があります。

支援としては、自分の感情の出方に気づき、コントロールの仕方について学べるように、落ち着いた状態になってから、社会的に好ましい行動を伝えることが重要です。

また、本人をサポートする家族や支援者とも連携しながら、周囲の人それぞれが一致した対応ができているか、不安が生じるような事態が起きていないかなど、状況を確認していくことも必要です。

もしもくり返し症状がみられるときには、高次脳機能障害を支援する機関の専門スタッフなどから助言を受けることや、精神科の受診をすすめることが必要な場合もあります。

## （4）家族支援

退院後、高次脳機能障害に初めて気づくのは、家族の場合が多く、その後は回復への期待や不安、対応のわからなさや、それまでの生活の喪失感など、さまざまな思いがのしかかります。

家族ができる限り障害を理解し、家族としてサポートできるようになるためには、家族支援が重要です。

医療機関等においては専門スタッフによる家族支援を行っているほか、**高次脳機能障害支援拠点機関**❽等では高次脳機能障害に関する研修会を開催し、障害とその対応方法について学ぶ機会を提供しています。

また、当事者家族会も各地で立ち上げられており、家族が家族を支える新たなサポートの場が広がりつつあります。

❽**高次脳機能障害支援拠点機関**
高次脳機能障害者に対する専門的な相談支援、関係機関との支援ネットワークの充実、高次脳機能障害の正しい理解を促進するための普及・啓発、高次脳機能障害者の支援手法等に関する研修等を行い、高次脳機能障害者に対する支援体制の確立をはかることを目的として、都道府県が指定する機関。2020（令和2）年度は、全国で116の支援拠点機関が指定されている。

---

### ◆ 参考文献

- Crosson, B.,et al.,'Awareness and compensation in postacute head injury rehabilitation', *The Journal of head trauma rehabilitation*, 4(3),46-54,1996.
- 国立障害者リハビリテーションセンター高次脳機能障害情報・支援センターホームページ　http://www.rehab.go.jp/brain_fukyu/
- 中島八十一・今橋久美子『福祉職・介護職のためのわかりやすい高次脳機能障害』中央法規出版、2016年
- 蒲澤秀洋監修・阿部順子編著『チームで支える　高次脳機能障害のある人の地域生活――生活版ジョブコーチ手法を活用する自立支援』中央法規出版、2017年
- 緑川晶・山口加代子・三村將編『臨床神経心理学』医歯薬出版、2018年

第 **4** 節

# 発達障害

## 学習のポイント

- 発達障害の特性を理解する
- 発達障害のある人の生活とその支援を学ぶ
- 家族、教育、医療との連携のあり方を理解する

**関連項目**
⑧『生活支援技術Ⅲ』 ▶ 第3章第4節「発達障害に応じた介護」
⑤『コミュニケーション技術』 ▶ 第3章第2節「さまざまなコミュニケーション障害のある人への支援」

# 1 発達障害とは

　**発達障害**は、2004（平成16）年12月に成立し、2005（平成17）年4月から施行となった発達障害者支援法において定義された用語です。

　発達障害者支援法の定義には、広汎性発達障害（自閉症、アスペルガー症候群等）、学習障害、注意欠陥多動性障害などの代表的なタイプがあげられていますが、その他にも数十のタイプが含まれています。具体的には、世界保健機関（WHO）の統計分類**ICD-10（国際疾病分類）**❶のF80-F89、F90-F98となります。

❶**ICD-10（国際疾病分類）**
p.174参照

　発達障害の「発達」は、発達期（低年齢）から何らかの脳機能障害が考えられる特徴的な行動がみられるものという意味で用いられているものです。適切な理解と配慮や支援等があれば、円滑な日常生活や社会生活が実現します。発達しない障害という意味ではありません（図3-8）。

## （1）発達障害の法的位置づけ

　日本において「障害」は、障害者基本法など障害福祉関連の法律では、大きく分けて身体障害、知的障害、精神障害の3つに分類されており、発達障害は精神障害に含まれます。

　障害者手帳や障害年金、障害者雇用など、障害者に向けたさまざまな

第4節　発達障害

| 図3-8 | 発達障害の定義 |

広汎性発達障害（自閉症、アスペルガー症候群等）、学習障害、注意欠陥多動性障害等、通常低年齢で発現する脳機能の障害（発達障害者支援法第2条）
※ICD-10（疾病及び関連保健問題の国際統計分類）におけるF80-F98に含まれる障害
（平成17年4月1日付文部科学事務次官、厚生労働事務次官連名通知）

**ICD-10（WHO）**
＊1990（平成2）年にWHO総会で採択。現在は2003（平成15）年に一部改正されたものを使用。
2018年6月のWHO総会でICD-11が示され、日本での導入方法、時期等は今後検討される。

＜法律＞　＜手帳＞　（参考）DSM-5（米国精神医学会）＊2013年に米国で改訂

F00-F69　統合失調症や気分（感情）障害など

F70-F79　知的障害〈精神遅滞〉

F80-F89　心理的発達の障害
・広汎性発達障害（自閉症、アスペルガー症候群）
・特異的発達障害（学習障害）など

F90-F98　小児〈児童〉期及び青年期に通常発症する行動及び情緒の障害
・多動性障害（注意欠陥多動性障害）
　その他、トゥレット症候群、吃音症　など

精神保健福祉法

障害者福祉法

発達障害者支援法

精神障害者保健福祉手帳

療育手帳

知的障害者福祉法

統合失調症、スペクトラム障害、抑うつ障害群など

神経発達症群
・知的能力障害群
・コミュニケーション症群
・自閉スペクトラム症
・注意欠如・多動症
・限局性学習症
・運動症群
・他の神経発達症群

出典：日詰正文「医療、福祉や教育、そして当事者他みんなでチームとなろう」『LD, ADHD & ASD』No.7、明治図書出版、p.15、2016年を一部改変

制度では、精神障害の枠組みを活用します（診断書の様式も、精神障害者用を使います）。

　ただし、身体障害や知的障害をあわせもつ発達障害者もいますので、その場合には身体障害者手帳や療育手帳（知的障害者向けの障害者手帳）の交付の申請をする場合もあります。

## （2）社会の動向

　2007（平成19）年には、国際連合（以下、国連）が「世界自閉症啓発デー（4月2日）」を制定し、国連事務総長が自閉症についての理解と配慮や支援の推進が国際的に重要な課題であることや、各国の積極的な取り組みを呼びかけました。

　日本では、厚生労働省や日本自閉症協会、日本発達障害福祉ネットワークなどの官民合同でたちあげた日本実行委員会が4月2日から8日を発達障害啓発週間と決定し、東京タワーのブルーライトアップやシン

197

ポジウムなどを行っています。

　2014（平成26）年に内閣府が行った母子保健に関する世論調査では、「発達障害を知っていた」とする回答が87.0％あり、2017（平成29）年に厚生労働省が行った患者調査では、診断やカウンセリング等を受けるために医療機関を受診した発達障害者数は23.3万人で、発達障害者支援法制定前の2002（平成14）年度の調査（3.5万人）に比べると6倍以上となっています。

## 2 障害ごとの特性の理解

　発達障害の種類を明確に分けて診断することは大変むずかしいとされています。障害ごとの特徴がそれぞれ少しずつ重なり合っている場合も多いからです（図3-9）。

　また、年齢や環境により目立つ症状がちがってくるので、同じ人でも

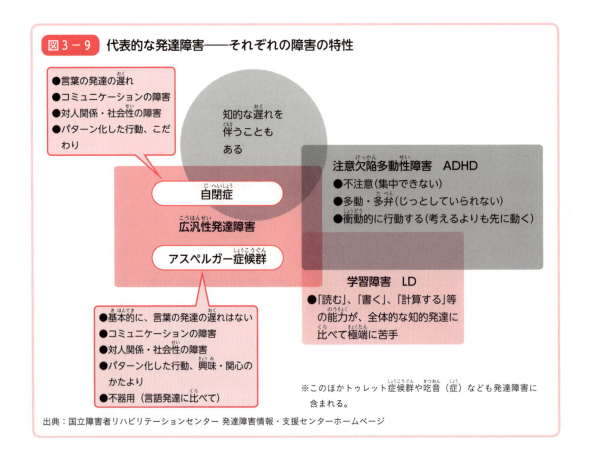

図3-9　代表的な発達障害——それぞれの障害の特性

出典：国立障害者リハビリテーションセンター　発達障害情報・支援センターホームページ

診断された時期により診断名が異なることもあります。

　大切なことは、その人がどんなことができて、何が苦手なのか、どんな魅力があるのかといった「その人」に目を向けることです。そして、その人その人に合った支援があれば、だれもが自分らしく、生きていけるのです。

## （1）自閉症（関連：広汎性発達障害、自閉症スペクトラム、アスペルガー症候群）

　自閉症（Autism Spectrum Disorder：ASD）は、①特有の対人関係やコミュニケーションの症状、②強いこだわり行動や感覚の過敏さ（反対に鈍感さ）などの特徴的な行動が３歳までにあらわれ、その後の均一的な価値観が要求される集団場面になじめないことがあります。記憶力や芸術的な感性にすぐれている場合もあり、専門的な分野で能力を発揮することもあります。

### ◼️ 症状のおもなあらわれ方

・今の相手の表情や態度よりも、文字図形やもの、過去の記憶のほうに関心が高い。

・見通しの立たない状況では不安が強いが、見通しが立つときはしっかりと実行できる。

・感覚刺激が多いところや急激な変化に弱いが、繊細さが芸術的才能につながることがある。

・重度の知的障害がある場合には、睡眠障害や頻繁な自傷などの行動をともなうこともある。

### ◼️ おもな対応

・本人をよく知る家族や支援者に対応のポイントを確認し、適切な対応はきちんと継続する。

・遠回しで否定的な伝え方は避け、肯定的で具体的な伝え方（「○○しましょう」）をする。

・感覚過敏への配慮（照明や音の配慮）、見通しをわかりやすく伝えるなどの工夫をする。

### ◼️ 強度行動障害

　重度の知的障害をともなう自閉症の特性がある人の内面に周囲が気づかず、家族や支援者が一方的にスケジュールを決めたり、刺激の多い（うるさい、明るすぎる、暑いなど）場所に長時間いるような行事への

参加をうながしたりするときに、自分のからだをたたく、食べられないものを口に入れる、危険につながる飛び出しをするなど本人の健康や安全を損ねる行動のほか、他人をたたく、ものを壊す、大泣きが何時間も続くなどの行動が生じます。こういった周囲の暮らしに影響をおよぼす行動がいちじるしく高い頻度で起こり、特別に配慮された支援が必要になっている状態を、**強度行動障害**といいます。

　強度行動障害は、手厚い支援を必要としている対象であることを示す行政的な用語で、医学的な診断等に用いられる用語ではありません。

　周囲の不適切なかかわりや、表現できない身体的な不調等が強度行動障害の背景にあることから、①部屋、人の動き、日程などさまざまな環境面の点検や、本人が理解できる情報の伝え方や本人からの表現手段を見つけるといった本人とのコミュニケーションの工夫、②適切な支援方法を、1人の職員だけでなく関係者全体が同じ対応・支援を行うための計画の作成や記録の取り方、引き継ぎ方法などの工夫が必要です。

　これらの知識や技術を学ぶ**強度行動障害支援者養成研修❷**が、各地で実施されています。

**❷強度行動障害支援者養成研修**

強度行動障害のある人に対して適切な支援を行う職員の人材育成を目的として、都道府県等で実施されている。基礎研修と実践研修がある。

## （2）学習障害（関連：限局性学習障害、ディスレクシア）

　学習障害（Learning Disorder：LD）は、読み、書き、計算のいずれか（または複数）などについて、努力をしていても習得が困難である様子が、小学校入学前後から目立つようになり、学習場面への参加に不安をかかえるようになります。成人期に苦手な部分は継続していても、自分なりの習得の仕方や新しい機器の利用に挑戦するなど、さまざまな工夫に挑戦するケースも多く見受けられます。

**1 症状のおもなあらわれ方**

・話す、理解するはふつうにできているのに、読む、書く、計算することがはなはだしくかたよって苦手である。

**2 おもな対応**

・本人をよく知る家族や支援者に対応のコツを確認し、適切な対応はきちんと継続する。

・苦手な部分について取り組む量を減らす、別の方法（**ICT（情報通信技術）の活用❸**など）を提案するなど柔軟に対応する。

**❸ICT（情報通信技術）の活用**

おもなICTの活用例としては、パソコン、タブレットPC、電子黒板といった機器や液晶テレビ、ディスプレイなどの周辺機器がある。たとえば、教科書を読むことができない場合には、タブレットで電子化された教科書を音声で聞くことで学ぶことが可能になる。

200

### （3）注意欠陥多動性障害（ADHD、注意欠如多動性障害）

注意欠陥多動性障害（Attention-Deficit／Hyperactivity Disorder：ADHD）は、幼児期には一般的にみられる、じっとしていられない、相手の話を最後まで聞かない、忘れものをしてしまうことなど、注意をされてもくり返してしまう様子が、幼児期を過ぎても目立ち、集団参加に不安をかかえることがあります。一方で、困っている人がいればすぐに手を差し出したり励ますといった、仲間思いの行動を示すこともあります。

**1 症状のおもなあらわれ方**

・周囲の人のペースよりも、目立ってエネルギッシュに行動したり発言したりする。

・周囲の物事に次々に関心をもつが、片づけが苦手だったり忘れものが多かったりする。

**2 おもな対応**

・適応的な行動ができた（ブレーキがかかった）ことへの、こまめな評価を行う。

・気の散りにくい座席の位置の提供や短く明確な伝え方などを行うよう配慮する。

### （4）その他（トゥレット症候群、吃音症など）

（1）～（3）の代表的な発達障害のタイプ以外にも、幼児期から特性があらわれ、本人の努力だけでは改善せず、周囲の無理解やいじめ、ひやかしに遭遇しやすいものとして、トゥレット症候群というチック（からだや声の不随意運動が起きやすい障害）や吃音症なども、発達障害の範囲には含まれています。

**1 症状のおもなあらわれ方**

・がまんしていても声が出たり動いたりしてしまう。

・話すときに言葉につかえることが目立つ。

**2 おもな対応**

・ひやかしたり、しかったりしない。

・日常的な行動の1つとして受けとめる。

# 3 生活の特性と生活支援

## （1）日常生活／社会生活上の困難

### 1 生活の変化に対するストレス

室内の音や照明の光、衣類の肌触りや食材などへの感覚が過敏でつらい、工事や災害等によって毎日の日課となっていた場所へ通えなくなることへのストレスが非常に大きいなど、周囲の想像以上に日常生活のなかで困っていることがあります。

### 2 自信をなくしやすい

気が散りやすくきちんと身じたくしようと思っているのに忘れものをしてしまう、しっかり読もうと思っているのに読み飛ばしてしまう、流暢に話せない（吃音）、本人の意思とは関係なくからだが動く、声が出る（チック）など、他人に批判されなくても自信をなくすことがあります。

### 3 周囲とコミュニケーションがかみ合わない

説明を受けている際に一部の言葉にこだわってしまい、相手の伝えたいことを誤解してしまう、吃音やチックのために円滑な表現ができないときに話を打ち切られてしまうなど、周囲とコミュニケーションがかみ合わないことがあります。

## （2）生活支援上の留意点

### 1 引き継ぎの重要性

発達障害は、日本で注目されはじめてからまだ日が浅い障害です。そのため、専門家が少なく、当事者の説明ノウハウなどが十分に蓄積されていないなど、支援をするうえで未熟な部分が多々あります。しかし、幼児期から、その特性と向き合ってきた家族や当事者、支援者のなかには、適切な配慮の方法を見つけることができている場合もありますので、その人の特性をよく知る人に配慮のポイントをたずね、その内容をていねいに引き継ぐことが大切です。

### 2 用具の活用

また、周囲に理解を求めることがむずかしい場合でも、たとえば、聴覚に過敏さをもつ人には防音効果のあるヘッドホン、視覚に過敏さをもつ人にはサングラスを活用してもらうなど、その人に適切な用具を渡す

だけで、当事者のストレスを緩和することに大いに役立つ場合もあります。

### ❸ 障害特性があることを許容した支援

　発達障害の特性がある人の行動は、自分なりに生活の知恵として身につけてきた「こだわり」が目立つことがあり、高齢になっても続いていることが多くあります（たとえば、高齢になり筋力が低下して外出が難しくなっても毎日車いすを使わずに散歩に出かけるという）。そのようなときには、わがままだといって本人を叱るのではなく、できる範囲の対応をする（たとえば、玄関にベンチを置き、外出の気分を味わえるようにする）ことが、QOLの高い暮らしの支援につながります。

## （3）支援チームの構築の重要性

　発達障害者がかかえている不安や苦手感は外見からはわかりにくいので、当事者や家族からの情報提供や、かかわりのある支援者などからの助言が必要になりますが、当事者やその家族が「障害」といわれることへの抵抗を感じて、情報提供を受けたり助言を受けたりすることが十分にできない場合があります。

　医療、教育、福祉等の分野の専門家といわれる立場の人のなかにも、「発達障害者を特別に配慮したり甘やかしたりする必要はない」「適応行動がとれない発達障害者は一切外出させてはいけない」などの極端な見解を主張して関係者を混乱させる場合もあります。

　適切な理解や支援を実現するためには、発達障害者と支援者が信頼しあい、個々の特性をふまえた支援計画を関係者が協働して作成し、計画にそって関係者全員が一貫性のある支援を行い、適宜必要な見直しを行っていくチームアプローチを実現することが重要です。

## （4）「社会的障壁」という視点の重要性

　2013（平成25）年に成立し2016（平成28）年から施行された**障害を理由とする差別の解消の推進に関する法律（障害者差別解消法）**[4]において、すべての国民が障害者（発達障害者を含む）に対して不当な差別的取扱いをしないこと、必要かつ合理的な配慮を行うこととされました。

　2016（平成28）年には発達障害者支援法の一部が改正され「発達障害者とは、発達障害がある者であって発達障害及び社会的障壁により日常生活または社会生活に制限を受けるものをいう」となり、新たに「社会的障壁」という部分が追加されました。

[4] 障害を理由とする差別の解消の推進に関する法律（障害者差別解消法）
p.32参照

社会的障壁とは、発達障害者のかかえる困難に対する無理解や、発達障害の特性をふまえたバリアフリーや合理的配慮が受けられないといった環境の未整備をさしていますので、2016（平成28）年の改正発達障害者支援法は、障害者差別解消法の趣旨を反映したものであるといえます。具体的な発達障害のある人への対応をまとめた情報としては、福祉事業者向けや、社会保険労務士の業務を行う事業者向けなど、各事業者向けガイドラインが内閣府や厚生労働省のホームページに公開されています。

## 4 保護者への支援

### （1）ペアレントメンター

ペアレントメンターは、発達障害児等の子育て経験のある親が育児経験を活かし、子育ての仕方に悩んだり医療や福祉のサービスの利用をどうするか迷ったりしている親の相談に応じるために、一定のトレーニングを受けた場合に認定される役割の名称です。

乳幼児健診や子育て支援センター、PTA等の親が集まる場で、自分自身の育児経験を紹介する、同じ親の立場で共感にもとづいて親からの相談を受ける、地域の資源を紹介するなどの取り組みを行います。

相談を受けるといっても、ペアレントメンターは支援を職業としている専門家ではありません。必要に応じて支援機関を紹介することになるので、ペアレントメンターの活動を後方から支える地域の専門家チームの存在も重要です。

### （2）ペアレントプログラム、ペアレントトレーニング

ペアレントプログラムは、おもに保健師、保育士や子育て支援の分野の職員が、診断の有無にかかわらず子育てにむずかしさを感じる保護者が孤立しないように行うプログラムです。

保護者が子どもの行動を適切にとらえ、子どもが物事をうまく行うためのポイントを同じプログラムに参加する仲間と共有できる内容になっていますので、参加後の保護者のストレスや子どもへのネガティブなかかわりが減少し、ポジティブなかかわりが増加するという効果が報告されています。

204

第**4**節　発達障害

　児童福祉機関や医療機関などさまざまな分野で、保護者自身の子育てに対する意識を前向きにしたり、保護者仲間や支援者と協力するきっかけを提供したりするさまざまな**ペアレントトレーニング**の方法が工夫されています。

## （3）障害福祉サービス等

　保護者だけでは対応できない状態のときには、施設入所支援や短期入所、共同生活援助といった夜間の対応や住まいを中心とした支援、重度訪問介護、行動援護といった家庭内や外出時の介護や入院中の病院等でのコミュニケーション支援などを行う訪問系サービス、自立生活援助といった１人暮らし（保護者と暮らしていても病気等によって支援が期待できない場合も含む）の障害者を定期的に訪問して相談等を行う支援など、さまざまな障害福祉サービスの利用が想定されます。

　特別児童扶養手当は、児童期の保護者が申請した場合、子どもの障害の程度を判断したうえで支給が決定されています。

　その他、発達障害とはどのようなものかといったことの問い合わせや、適当な相談機関が見つからないといったときには、保護者は、都道府県と政令市が設置している発達障害者支援センターの相談窓口を活用することができます。

# 5　支援機関

## （1）発達障害者支援センター

　**発達障害者支援センター**は、発達障害者支援法にもとづき、地域住民に対する普及啓発、当事者や家族からの相談、関係機関に対するアドバイス等を行っている機関です。設置は都道府県や指定都市が行いますが、実際の取り組みは、公的な専門機関（精神保健福祉センターや療育センターなど）や、専門性の高い取り組みをしてきた民間の専門機関（社会福祉法人や医療法人など）が行っています。

　発達障害者支援センターの職員は、管理者のほかに、相談支援、発達支援、就労支援にたずさわる職員をおくこととなっています。具体的には、福祉現場での経験がある者（指導員、保育士、社会福祉士など）、医療現場での経験がある者（医師や看護師、保健師、心理士、精神保健

205

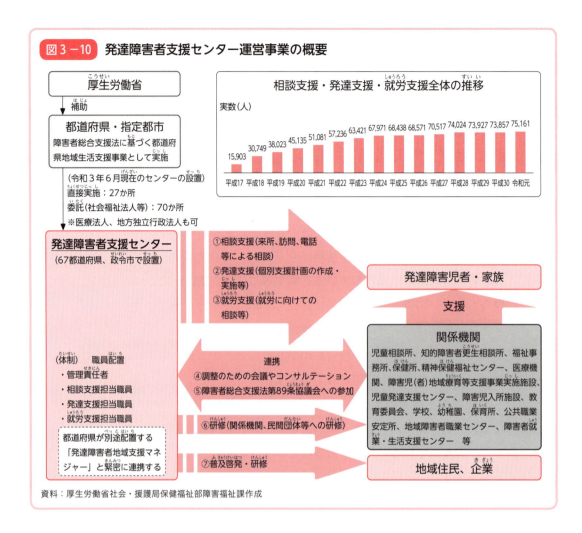

図3-10 発達障害者支援センター運営事業の概要

資料：厚生労働省社会・援護局保健福祉部障害福祉課作成

福祉士、作業療法士や言語聴覚士など)、その他教育や労働分野での支援の経験がある者などが配置されています。

近年は、成人期になってから職場適応や育児などの場面で問題を感じて、はじめて発達障害の可能性に気づいて相談を申しこむ当事者や家族が増加しています。このような成人期の問題に対応するため、当事者同士の支え合いの場の立ち上げや、成人期の家族（親や配偶者）向けの教室（CRAFTモデル[5]など）の実施などが進められています（図3-10）。

### （2）日常的に通う場所

日常的に通う子育て支援施設（幼稚園、保育所、認定こども園など）、学校でも、発達障害についての職員研修が近年は活発に行われています。また、子育て支援施設と学校では、個別的に支援計画が作成され、学年が変わったり進学したりしても、個々の特性にそった支援が引き継

---

[5] CRAFTモデル
Community Reinforcement and Family Training（コミュニティ強化と家族訓練）は、親や友人などの重要な周囲の他者を対象とした本人へのアプローチによって、本人が相談等に結びつく支援を行うためのプログラムとして、近年成果を上げているもの。

がれるように制度上の整備が進められています。

障害児通所支援（おもに就学前の子どもが通う児童発達支援、就学後の子どもが通う放課後等デイサービス）や、就労系サービス（就労移行支援、就労継続支援A型、就労継続支援B型、就労定着支援）、地域生活のための支援（自立訓練、生活介護）などの障害福祉サービスを利用する発達障害者も年々増加しています。

職場についても、企業等のなかに理解者を増やすための精神・発達障害者しごとサポーターの養成や、事業主と障害者のあいだで調整を行う職場適応援助者（ジョブコーチ）や就労定着支援員の活用などにより、職場全体が適切な理解をしたうえで安心して仕事に取り組めるような環境づくりが進められています。

## （3）医療機関

発達障害の特性の有無(診断)、てんかんや気分障害などをあわせもつ人の治療(入院や投薬処方を含む)などは、医師を中心とした医療機関の役割です。

医療機関では、個々の能力の詳細なアセスメントにもとづいたリハビリテーション、集団に参加することで自分の特性理解を深められる精神科ショート・ケアなどを行っています。

## （4）介護福祉職の役割

介護福祉職として、実際の介護現場で発達障害児・者にかかわる際には、以上の基本的な知識をもっておくことと同時に、保護者・家族・専門機関・医療機関等との連携により、チームでかかわっていくことが重要になります。とくに重度の知的障害をともなう場合には、言語でのコミュニケーションがむずかしいこともあり、自傷や他害といった行動などが出現することにより、支援に困難を感じるケースもあります。1人でかかえこまずに、支援チームを有効に機能させてねばりづよく支援を行うことが大切です。

-------------------------------------------------------------------

◆ 参考文献

● 発達障害の支援を考える議員連盟編『改正発達障害者支援法の解説——正しい理解と支援の拡大を目指して』ぎょうせい、2017年
● 国立障害者リハビリテーションセンター 発達障害情報・支援センターのホームページ

# 第 **5** 節

# 難病

## 学習のポイント

- ■ 難病の定義について説明できる
- ■ 難病に関する基礎的知識を理解できる
- ■ 難病の人に対するアセスメントの視点と生活支援上の留意点を理解できる

**関連項目** ⑧『生活支援技術Ⅲ』▶ 第3章第5～8節「【難病】」

## 1 難病とは

### （1）難病の定義

　2014（平成26）年に**難病の患者に対する医療等に関する法律（難病法）**（平成26年法律第50号）が成立しました。難病の定義は「発病の機構が明らかでなく、かつ、治療方法が確立していない希少な疾病であって、当該疾病にかかることにより長期にわたり療養を必要とすることとなるもの」と規定されています（**図3－11**）。

---

**図3－11** 難病と指定難病の定義（難病法）

【難病】
- ・発病の機構（原因）が明らかでない
- ・希少な疾病である
- ・治療方法が確立していない
- ・長期の療養を必要とする

医療費助成の対象

【指定難病】
- ＊良質かつ適切な医療の確保をはかる必要性が高いもの
- ・患者数が一定の基準（国の人口の0.1％程度）よりも少ない
- ・客観的な診断基準が確立している

第5節　難病

## （2）難病の種類

　医療費助成の対象となる難病は、指定難病として規定されています（難病法第5条）。具体的な要件は、①患者数が日本において一定の人数（人口の0.1％程度以下）に達しないこと、②客観的な診断基準（またはそれに準ずるもの）が確立していることです。

　2015（平成27）年1月に110疾病が指定され、医療費助成が開始されました。その後、指定難病は追加され、2021（令和3）年11月からは338疾病となりました。疾患群では、筋萎縮性側索硬化症・パーキンソン病・筋ジストロフィーなど神経・筋系疾患のほかに、代謝系疾患、染色体または遺伝子に変化をともなう症候群、皮膚・結合組織疾患、免疫系疾患、循環器系疾患、血液系疾患、腎・泌尿器系疾患、骨・関節系疾患、内分泌系疾患、肺・呼吸器系疾患、視覚系疾患、聴覚・平衡機能系疾患、消化器系疾患、耳鼻科系疾患に分類されます。

# 2 おもな難病の理解

## （1）筋萎縮性側索硬化症
### （amyotrophic lateral sclerosis：ALS）

　筋萎縮性側索硬化症（ALS）❶は、脳や末梢神経からの命令を筋肉に伝える運動ニューロン（運動神経細胞）が散発性・進行性に変性脱落する「神経変性疾患」です。日本において1年間で新たにこの病気にかかる人（発症率）は人口10万人当たりおよそ1～2.5人であり、男性患者が多く女性に比べて1.2～1.3倍です。好発年齢は60～70代です。家族歴のある患者の割合は約5％を占めます。

### ◼ 症状

　はしが持ちにくいなど上下肢の筋力低下から始まります。進行により舌などの筋萎縮により嚥下障害や構音障害、呼吸筋の萎縮により呼吸困難を生じます。感覚障害や排尿障害はあらわれにくく、視力や聴力、内臓機能なども正常であることが多いです。

### ◼ 治療

　治療の基本は、筋肉や関節痛に対する対症療法や症状の進行を遅らせる薬物療法、リハビリテーション等が中心となります。

---

❶筋萎縮性側索硬化症（ALS）

筋萎縮性側索硬化症（ALS）における2019（令和元）年度の特定医療費（指定難病）受給者証保持者数は9894人である。特定医療費（指定難病）受給者証とは、「指定難病に罹患した対象者が、住所地を管轄する保健所へ申請し、認定を受けることで発行され、医療費の助成を受けられるもの」である。

第3章　障害別の基礎的理解と特性に応じた支援Ⅱ

209

## （2）パーキンソン病（Parkinson's disease）

パーキンソン病[2]は、脳幹にある黒質線条体の神経細胞が減少し、運動を調整するはたらきをになうドーパミンが減少することにより生じる「神経変性疾患」です。日本における有病率は10万人当たりおよそ100～150人です。好発年齢は50～70代です。

### 1 症状

初発症状は手足がふるえる**安静時振戦**がもっとも多くみられます。運動症状として、筋肉がこわばる**筋強剛（固縮）**、立位や歩行中に前方に重心がかたむき前傾姿勢になりやすい**姿勢反射障害**、動作がゆっくりとなる**無動・寡動**がみられます。これらは、**パーキンソン病の四大症状**といわれています（図3－12）。

姿勢反射障害や無動・寡動にともない、歩行中に前方に重心がかたむき止まりにくくなる加速歩行、小股で歩行する小刻み歩行、歩き始めにすくんでしまう**すくみ足**がみられます。無動・寡動により、表情の変化が乏しくなる**仮面様顔貌**など、活動・参加に影響を及ぼします。運動症状のほかに、自律神経障害による起立性低血圧や便秘、精神症状として、うつ症状をきたす場合もあります。パーキンソン病の症状の進行度の指標として、おもに**ホーエン・ヤール（Hoehn & Yahr）の重症度分類**[3]と**生活機能障害度**[4]が用いられます（図3－13）。

### 2 治療

治療の基本は、減少したドーパミンを補充、受容、分解抑制するなど

---

**❷パーキンソン病**
パーキンソン病における2019（令和元）年度の特定医療費（指定難病）受給者証保持者数は13万5152人である。

**❸ホーエン・ヤール（Hoehn&Yahr）の重症度分類**
パーキンソン病の症状により、日常生活または社会生活に支障があると判断する基準。ステージ0～Ⅴに分類されている。

**❹生活機能障害度**
生活機能の障害度に応じてⅠ～Ⅲ度の3段階に分類したもの。

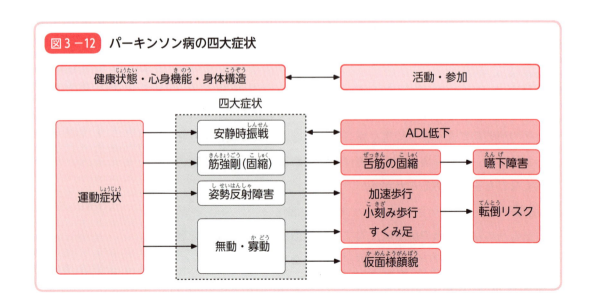

図3－12　パーキンソン病の四大症状

## 第5節 難病

### 図3-13 パーキンソン病の進行度の指標

| ホーエン・ヤールの重症度分類 | 生活機能障害度 |
|---|---|
| **ステージ0**<br>パーキンソニズム(症状)なし | |
| **ステージⅠ**<br>一側性(片側上下肢)の軽微な機能低下 | **Ⅰ度**<br>日常生活、通院にほとんど介助を要しない |
| **ステージⅡ**<br>両側性または躯幹の障害、平衡障害はない | |

**特定疾患医療費助成制度の対象範囲**

| | |
|---|---|
| **ステージⅢ**<br>姿勢反射障害の初期症状などがみられる。身体機能は軽度から中等度に低減するが、労働可能で、日常生活動作は介助を必要としない | |
| **ステージⅣ**<br>日常生活動作の低下がいちじるしく、自力による生活は困難となるが、立つことや歩くことはどうにかできる | **Ⅱ度**<br>日常生活、通院に部分的に介助を要する |
| **ステージⅤ**<br>立つことはできなくなり、車いすやベッド上での生活になる。日常生活は全介助 | **Ⅲ度**<br>日常生活に全面的な介助を要し、歩行・起立が不能 |

の薬物療法が中心となります。近年、効果的な治療方法も開発され、仕事や日常生活を継続しやすくなりました。進行を緩やかにするために、前向きな気持ちで生活することも効果的です。

## (3) 悪性関節リウマチ(malignant rheumatoid arthritis)

**関節リウマチ**(rheumatoid arthritis)とは、体内に侵入した病原菌や異物に対して排除する能力としての免疫が、自己に対して攻撃してしまう「自己免疫疾患」です。指定難病である**悪性関節リウマチ❺**は、関節の痛みや腫れ、変形を生じる関節リウマチに血管炎、内臓障害などの関節外症状を認め、難治性または重症な臨床病態をともなう場合の疾患です。

❺**悪性関節リウマチ**
悪性関節リウマチにおける2019(令和元)年度特定医療費(指定難病)受給者証保持者数は5246人である。

211

2019（令和元）年度の国民生活基礎調査によると、関節リウマチの通院患者数は男性が人口1000人当たり3.6人、女性は10.6人と男性より約3倍多く発症しています。好発年齢は、30〜50代です。悪性関節リウマチの発症は60代が多く、男女比は1：2です。

## 1 症状

　関節リウマチの初期症状として、起床時に手指などの関節が動きにくくなる朝のこわばりがあります（**図3−14**）。その後、関節の腫脹（腫れ）や疼痛（痛み）を生じます。関節の腫脹や疼痛は左右対称に出ることが多く、進行すると肘や膝の関節にも広がります。また、関節の骨や軟骨が破壊されるとともに筋肉も萎縮することにより変形し、関節可動域が制限されます。関節以外の症状では、疲れやすさ、微熱、食欲低下などがみられます。悪性関節リウマチの症状では、血管炎や**皮下結節❻**などの関節外症状や臓器症状として間質性肺炎を生じる場合もあります。

**❻皮下結節**
皮下結節とは、局所的に皮下が丸く盛り上がった状態をさす。

## 2 治療

　治療の基本は、リウマチの症状の緩和、関節外病変を抑制するために、ステロイドなどの薬物療法、血漿交換療法などです。

**図3−14　関節リウマチ・悪性関節リウマチの症状**

**悪性関節リウマチ**

【関節外症状】
・血管炎
・皮下結節
・発熱
・体重減少
・筋力低下
・多発性神経炎
・皮膚の潰瘍、四肢先端の壊死
・間質性肺炎など

**関節リウマチ**

【関節症状】
・朝のこわばり
・手指・足趾などの関節腫脹
・疼痛
・関節の変形

【関節外症状】
・疲れやすさ
・微熱
・食欲低下など

## （4）筋ジストロフィー（muscular dystrophy）

筋ジストロフィー[7]は、筋線維の変性・壊死を主病変とし、進行性の筋力低下をみる「遺伝性筋疾患」です。遺伝子に変異が生じることにより、たんぱく質の機能が障害され、筋肉の変性や壊死が起きる病気です（図3-15）。

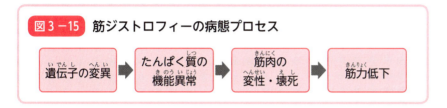

図3-15 筋ジストロフィーの病態プロセス

運動機能が軽症な人は受診率が低いため正確に把握することが困難ですが、日本における有病率は10万人当たりおよそ17～20人と推測されます。

### 1 症状

おもな症状は筋力低下による運動機能障害です。デュシェンヌ型の症状では、歩行開始遅延が30～50％にみられます。歩行時のふらつきや登はん性起立（Gowers徴候）[8]、ふくらはぎ（腓腹筋）の仮性肥大がみられます。進行すると、10歳前後で歩行不能となります。20歳前後で呼吸機能が低下した場合、人工呼吸器が必要となります。

### 2 治療

現在、根本的な治療法はありませんが、症状の進行を少しでも遅くすることが治療の基本です。症状に応じた薬物療法、嚥下訓練などのリハビリテーションを行います。

---

[7] 筋ジストロフィー
筋ジストロフィーには、症状の特徴や発症年齢、遺伝形式等にもとづいてデュシェンヌ型（Duchenne muscular dystrophy：DMD）、ベッカー型などに分類される。もっとも発症率が高いのはデュシェンヌ型。筋ジストロフィーにおける2019（令和元）年度特定医療費（指定難病）受給者証保持者数は4510人である。

[8] 登はん性起立（Gowers徴候）
登はん性起立（Gowers徴候）とは、筋力低下により、下肢の力だけでは立ち上がることがむずかしいため、まず手を床につき、殿部がもち上がったところで手を膝にあてて立ち上がる動作のこと。

## 3 難病の特性の理解

難病は根本的な治療がむずかしく、慢性的な経過をたどる疾患です。そのため、発症初期では完治しにくいことや今後症状が悪化したり、長期にわたって療養したりすることへの不安が生じやすくなります。しかし、適切な治療を受け、痛みや活動などをコントロールすることで生活や社会参加を継続することもできます。症状が進行すると、ベッド上の生活や痰の吸引[9]などのケアが必要となる場合もあります。それによ

**❾痰の吸引**

2011（平成23）年度まで、介護職員等による痰の吸引等は当面のやむをえない措置として、一定の要件のもと（本人の文書による同意、適切な医学的管理等）で認められてきた。医療行為である痰の吸引等について、2012（平成24）年度からは、介護職員等による痰の吸引等がより安全に実施されるよう「社会福祉士及び介護福祉士法」が一部改正され、介護福祉士の業務として喀痰吸引や経管栄養を実施できることとなり、介護福祉士養成カリキュラムに「医療的ケア」が、あらたに設定された。

り、学校や職場など社会生活への参加や役割に制約が生じ、経済的な負担も加わります。状態に応じて長期にわたる療養生活は、本人とともに家族のライフスタイルにも影響をおよぼします。そのため、対象となる1人ひとりの身体的側面、心理的側面および生活面をふまえてアセスメントすることが必要となります。

**1 身体的側面の理解**

① 根本的な治療は困難であり、慢性的な経過をたどる

② 痛みなどの症状による活動への影響

③ 症状の変化（日によって変化に差がある）

**2 心理的側面の理解**

① 原因が不明で、治療法が確立していないことへの不安

② 長期にわたり療養することへの不安

③ 痛みなどの症状に対する苦痛

**3 生活面の理解**

① 痛みなどの症状から生じる生活への影響

② 学校、職場、家事など社会生活への参加制約

③ QOLへの影響

④ 治療費など経済的負担

⑤ 家族介護者への負担

---

# 4 難病の特性に応じた支援

## （1）生活支援の留意点

対象となる人が症状をコントロールしながら、安心して生活が送れるよう、QOLの向上をめざして支援します。難病は活動制限や役割などの喪失体験により、身体的・心理的な負担も大きいため、現状と向き合い受容できるよう支援します。中途障害の場合、受容にいたる過程は年齢や環境にも影響されますが、障害の発生直後の**障害受容過程**❿をくり返しながら受容期に達するといわれています。このような心理的側面と身体的側面との関連をふまえ、1人ひとりの生活状況を理解し、状況に応じて本人や家族のライフスタイルを再構築できるように支援します。

**❿障害受容過程**
p.51参照

第 5 節　難病

## （2）難病対策

　1972（昭和47）年に策定された難病対策要綱では「調査研究の推進」「医療施設の整備」「医療費の自己負担の解消」が難病対策の柱とされました。2014（平成26）年の難病法では、難病の患者に対する医療等の総合的な推進をはかるための基本的な方針について規定されています。

### ■1 難病の理解と促進に向けた普及啓発

　難病患者の社会参加を支援し、地域で尊厳をもって生活を送るとする共生社会の実現をめざすため、**難病情報センター**では難病の解説、国の難病対策の説明、各種制度・サービス概要などの情報を掲載しています（図3－16）。

### ■2 難病医療支援

　難病は多様であるため、早期に正しく診断し、適切な医療が受けられるよう、難病医療連絡協議会を中心に、難病医療拠点病院、難病医療協

第3章　障害別の基礎的理解と特性に応じた支援 II

---

**図3－16　おもな難病対策・支援**

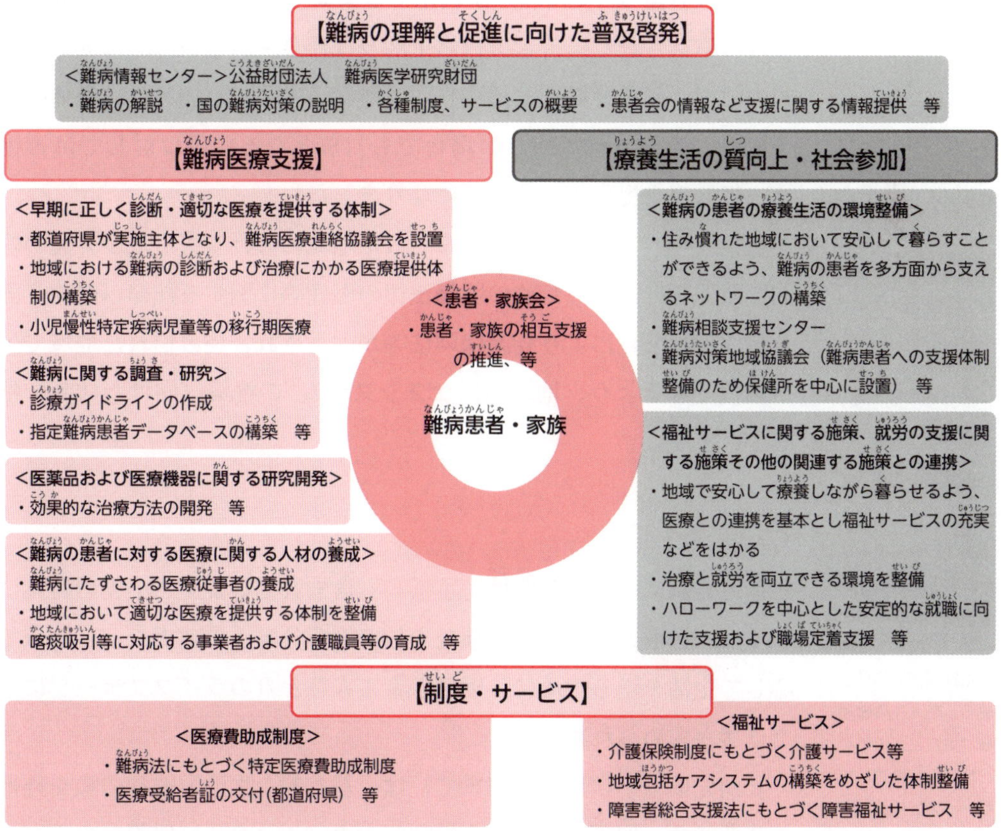

**【難病の理解と促進に向けた普及啓発】**

＜難病情報センター＞公益財団法人　難病医学研究財団
・難病の解説　・国の難病対策の説明　・各種制度、サービスの概要　・患者会の情報など支援に関する情報提供　等

**【難病医療支援】**

＜早期に正しく診断・適切な医療を提供する体制＞
・都道府県が実施主体となり、難病医療連絡協議会を設置
・地域における難病の診断および治療にかかる医療提供体制の構築
・小児慢性特定疾病児童等の移行期医療

＜難病に関する調査・研究＞
・診療ガイドラインの作成
・指定難病患者データベースの構築　等

＜医薬品および医療機器に関する研究開発＞
・効果的な治療方法の開発　等

＜難病の患者に対する医療に関する人材の養成＞
・難病にたずさわる医療従事者の養成
・地域において適切な医療を提供する体制を整備
・喀痰吸引等に対応する事業者および介護職員等の育成　等

**【療養生活の質向上・社会参加】**

＜難病の患者の療養生活の環境整備＞
・住み慣れた地域において安心して暮らすことができるよう、難病の患者を多方面から支えるネットワークの構築
・難病相談支援センター
・難病対策地域協議会（難病患者への支援体制整備のため保健所を中心に設置）　等

＜福祉サービスに関する施策、就労の支援に関する施策その他の関連する施策との連携＞
・地域で安心して療養しながら暮らせるよう、医療との連携を基本とし福祉サービスの充実などをはかる
・治療と就労を両立できる環境を整備
・ハローワークを中心とした安定的な就職に向けた支援および職場定着支援　等

＜患者・家族会＞
・患者・家族の相互支援の推進、等

**難病患者・家族**

**【制度・サービス】**

＜医療費助成制度＞
・難病法にもとづく特定医療費助成制度
・医療受給者証の交付（都道府県）　等

＜福祉サービス＞
・介護保険制度にもとづく介護サービス等
・地域包括ケアシステムの構築をめざした体制整備
・障害者総合支援法にもとづく障害福祉サービス　等

力病院などの医療支援体制を構築しています。

効果的な治療方法の開発に向けて、難病に関する調査研究や医薬品および医療機器に関する研究開発に取り組んでいます。難病に関する正しい知識をもつ医療従事者の養成など、地域において適切な医療を提供する体制を整備しています。

### 3 療養生活の質の維持向上・社会参加

難病患者の療養生活の質の維持向上をはかるため、難病相談支援センターでは地域で生活する難病の患者等の日常生活における相談・支援、地域交流活動の促進や就労支援など社会参加に向けた支援を行います。難病患者地域支援対策推進事業として、保健所を中心とした難病対策地域協議会を設置し、安心して療養できるよう地域の特性を把握し、支援ネットワークを構築しています。治療と就労を両立できるよう、ハローワークなどの環境を整えています。

### 4 制度・サービス

難病法による指定難病の対象者は、医療受給者証が交付され、特定医療費助成制度を利用できます。また、**介護保険法で定める特定疾病**[11]の対象者は**介護サービス等**[12]が利用できます。さらに、2013（平成25）年4月に施行された障害者の日常生活及び社会生活を総合的に支援するための法律（障害者総合支援法）に「難病患者等」が加わり、身体障害者手帳等が交付されていない場合でも対象となる疾患に対して障害福祉サービス等を提供できるようになりました。

2014（平成26）年6月に公布された地域における医療及び介護の総合的な確保を推進するための関係法律の整備等に関する法律（医療介護総合確保推進法）により介護保険法等が改正され、住み慣れた地域で生活が継続できるよう、**地域包括ケアシステム**[13]の構築に向けた体制を整備しています。

## （3）ライフステージ

指定難病には、小児慢性特定疾病も含まれています。小児の難病に対しては、医療とともに児童福祉や教育等多分野との連携など、地域で安心して生活を送るために、難病患者1人ひとりのライフステージに応じた支援が求められます。

乳幼児期（小学校入学前まで）は、基本的な生活習慣や信頼を獲得する時期です。保護者のになう役割が大きいことから、保護者の不安や負

---

**⓫介護保険法で定める特定疾病**

介護保険法で定める特定疾病には、関節リウマチ、筋萎縮性側索硬化症（ALS）、脊髄小脳変性症など16の疾病が指定されている。

**⓬介護サービス等**

介護サービス等とは、介護給付（施設サービス、居宅サービス、地域密着型サービス）、予防給付（介護予防サービス、地域密着型介護予防サービス）、総合事業（介護予防・生活支援サービス事業、一般介護予防事業）をさす。

**⓭地域包括ケアシステム**

地域包括ケアシステムとは、高齢者の尊厳の保持と自立生活の支援の目的のもとで、可能な限り住み慣れた地域で、自分らしい暮らしを人生の最期まで続けることができるよう、地域の包括的な支援・サービス提供体制を構築すること。

担の軽減をはかるため、保護者や子どものニーズに応じた就学先を決定するための就学相談、発育・発達相談などを行います。

学童期(小学校入学後～高校卒業まで)は、学校や地域で学び、自立に向けて成長する時期です。自立した地域生活を支え、成長過程に応じた適切な障害福祉サービスの利用などを支援する相談などを行います。

青壮年期（18～64歳）では、アイデンティティを確立し社会的自立を確立する時期です。障害のある人が自立した地域生活を送るために障害や就労、生活などの障害特性に応じた支援を行います。

高齢期(65歳以上)では、身体的・生理的機能が徐々に衰退する時期です。65歳以上からは障害の有無にかかわらず介護保険法にもとづくサービスの対象となります。介護保険制度によるサービスを基本とし、障害特性に応じた障害福祉サービスの活用に関する相談などを行います。対象者のライフステージに応じて、本人や家族のニーズをふまえてアセスメントすることにより、QOLを高める支援につながります。

--------------------------------------------------------------------------------

◆ 参考文献

● 厚生労働省社会・援護局障害保健福祉部「障害者総合支援法における障害支援区分　難病患者等に対する認定マニュアル」2018年

● Hoehn,M.M., Yahr,M.D.'Parkinsonism: onset, progression, and mortality' *Neurology*, 17, pp.427-442, 1967.

● 難病情報センター　https://www.nanbyou.or.jp/

● 上田敏『リハビリテーションを考える——障害者の全人間的復権』青木書店、1983年

演習3−1　障害の基礎的な理解

次の文章の空欄に入る適切な語句を考えてみよう。

- 統合失調症の代表的な陽性症状には、事実ではないことを事実であると思いこむ ① 、実際にないものが見えたり、聞こえたりする ② がある。代表的な陰性症状には、感情が揺さぶられることなく反応が鈍くなる ③ 、物事に対し自分から行動することが少なくなる ④ がある。

- 高次脳機能障害のおもな症状（診断基準による）には、⑤ 、⑥ 、⑦ 、⑧ がある。

- 発達障害者支援法において定義された代表的な障害のタイプには、⑨ 、⑩ 、⑪ などがある。

- 筋萎縮性側索硬化症（ALS）は、運動ニューロンが進行性に変性脱落する ⑫ 変性疾患で、症状には、筋萎縮により ⑬ 障害、⑭ 障害、⑮ 困難がみられる。

- パーキンソン病は、脳幹の黒質の神経細胞が減少し ⑯ が欠乏することで生じる。四大症状として、⑰ 、⑱ 、⑲ 、⑳ がみられる。

## 演習3-2　知的障害のある人の自立支援

　グループに分かれ、次の場面設定で役割を決めてロールプレイングを行い、利用者の自立支援について考えてみよう。

> 場所設定：知的障害のある人が数人で住んでいるグループホーム
> 人物設定：中度の知的障害のあるＡさん、グループホームで働く介護福祉職のＢさん
> 場面設定：Ａさんは自分の好きなようにご飯を食べたいが、周囲の様子に気が散ってしまうためテーブルに食べ物をこぼしてしまう。見た目もよくないし、栄養も十分に摂取できていない。Ｂさんは、どのように支援したらよいかを考えている。

**1** ロールプレイングの進め方
　①　Ａさん、Ｂさん、観察者（兼タイムキーパー）役を決める。観察者役はＡさんとＢさんのやり取りを観察する
　②　3分間のロールプレイングを行う
　③　3者それぞれが感じたことを話す
　④　役割を交代して同じことを行う

**2**　すべての役を体験したら、どのような支援が望ましいかを話し合う。

# 第 **4** 章

# 連携と協働

第 **1** 節　**地域のサポート体制**

第 **2** 節　**チームアプローチ**

## 第 1 節

# 地域のサポート体制

### 学習のポイント

■ 地域のサポート体制の概念と社会資源の考え方を理解する
■ 障害福祉サービスの利用のしくみと相談支援専門員の役割を知る
■ （自立支援）協議会のもつ機能と地域のサポート体制づくりを学ぶ

**関連項目** ① 『人間の理解』 ▶ 第 3 章「介護実践におけるチームマネジメント」
④ 『介護の基本Ⅱ』 ▶ 第 4 章「協働する多職種の機能と役割」

## 1 地域のサポート体制

### （1）理想的な地域のサポート体制

❶ライフステージ
p.167参照

私たちのまわりには、**ライフステージ**❶や生活場面に応じたさまざまな資源や支援があります（**図 4 - 1**）。

❷合理的配慮
障害者の権利に関する条約第 2 条には、合理的配慮の定義として「障害者が他の者との平等を基礎として全ての人権及び基本的自由を享有し、又は行使することを確保するための必要かつ適当な変更及び調整であって、特定の場合において必要とされるものであり、かつ、均衡を失した又は過度の負担を課さないものをいう」とある。

たとえば、学校や保育所、病院や保健所、警察や消防署、役所や税務署などの公的機関、また、コンビニエンスストアやスーパーマーケット、銀行や郵便局、駅やガソリンスタンド、友人、知人、家族や近隣住民など、私たちは周りにあるさまざまな社会資源と関係しそれらを活用しサービスの提供を受けながら、毎日生活をしています。

これらの社会資源は、障害のあるなしや年齢には関係なく存在しています。こうした地域社会にあるものが、障壁や差別がなく、十分な**合理的配慮**❷のもと、**ノーマライゼーション**❸の理念がふつうのこととなり、**ソーシャルインクルージョン**❹が進んだ、だれもがふつうに暮らせる住みやすい地域社会となることが、理想的な地域のサポート体制といえるでしょう。

❸ノーマライゼーション
p.13参照

### （2）共生社会

❹ソーシャルインクルージョン
p.17参照

障害者の日常生活及び社会生活を総合的に支援するための法律（以下、障害者総合支援法）の第 1 条（目的）には、「……障害の有無にか

222

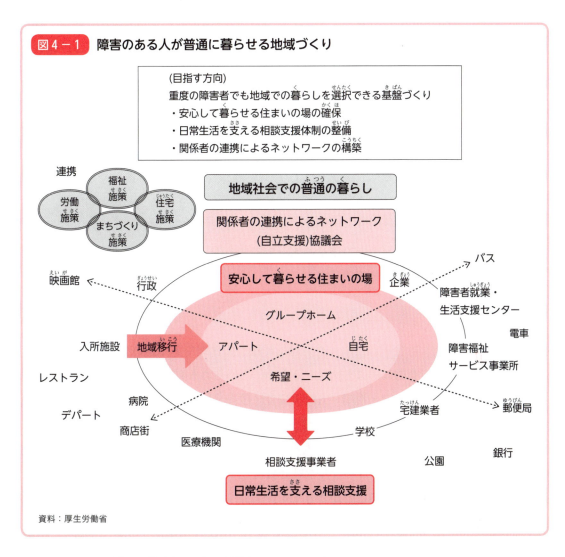

かわらず国民が相互に人格と個性を尊重し安心して暮らすことのできる地域社会の実現に寄与することを目的とする」とあり、私たちがめざすべき地域社会のあり方とする共生社会が示されています。

### (3) 地域のサポート体制とケアマネジメント

　介助や介護、支援を含め、社会的ニーズをもつ障害者への対応をはかるためには、障害特性や状況に応じた適切な社会資源とのマッチングやコーディネートが大切です。多様なニーズを満たすために活用されているのがケアマネジメントの手法であり、「障害者ケアガイドライン」に次のように定義されています。

　　障害児者の地域における生活を支援するために、ケアマネジメン

トを希望する者の意向を踏まえて、福祉・保健・医療・教育・就労等の幅広いニーズと、様々な地域の社会資源の間に立って、複数のサービスを適切に結びつけて調整を図るとともに、総合的かつ継続的なサービスの供給を確保し、さらに社会資源の改善及び開発をも推進する援助方法である[1]。

ケアマネジメントにより、個々の障害者に対し多職種や多機関と連携し支援体制を整え、チームとしてアプローチすることが大切です。

個々のサポート体制の積み重ねから、地域のサポート体制づくりへと、こうした役割を障害分野で中心的ににないなうのが、**相談支援専門員**❺といわれる専門職です。

**❺相談支援専門員**
「障害者の日常生活及び社会生活を総合的に支援するための法律に基づく指定計画相談支援の事業の人員及び運営に関する基準」第3条に規定する、指定特定相談支援事業所におかなければならない従業者。サービス利用支援にかかるサービス等利用計画の作成やサービス継続支援におけるサービス等利用計画の見直し（モニタリング）をする。相談支援の要。

## （4）社会資源とは

**社会資源**とは、社会福祉の援助の過程で多く用いられることばです。社会的ニーズを充足するために用いられる有形無形の資源のことで、施設・制度・機関・人材・資金・技術・情報・知識等の総称です。

具体的には、福祉サービス全般や地域住民だけでなく、建物や専門職、ボランティアの人々、地域の慣習など、広い範囲が含まれますが、それらはフォーマルな社会資源とインフォーマルな社会資源の2つに大きく分けることができます。

### ■1 フォーマルな社会資源

制度化された社会資源のことで、行政によるサービスや保健所、児童相談所等（行政機関）、障害福祉サービス（事業所）、教育機関や医療機関、社会福祉協議会などが含まれます。

たとえば、民生委員は民生委員法により給与を支給しないこと（同法第10条）やその職務（同法第14条）等が定められているため、無償ですが**フォーマルな社会資源**といえます。

### ■2 インフォーマルな社会資源

制度化されていない社会資源のことで、家族や親戚、近隣住民やボランティア、自治会、あるいは当事者組織や家族会など、利害関係を含まない愛情や善意を中心とする社会資源をさします。

たとえば、徘徊がある高齢者の見守りとして、地域のコンビニエンスストアが協力するというような場合、コンビニエンスストア（その店員のみなさん）が**インフォーマルな社会資源**となります。

## 3 分け方がむずかしい社会資源

とらえ方によっては双方に属するものや、分け方がむずかしい場合もあります。

たとえば、障害当事者団体から当事者を派遣する活動は、インフォーマルな活動からスタートしました。その後、ピアサポーター派遣事業などのように制度に位置づけられたものもあり、その場合はフォーマルな支援といえます。

また、介護保険法や障害者総合支援法にもとづき実施されているホームヘルパー派遣であればフォーマル、ボランティア団体からの無償（もしくは実費程度）の清掃ボランティア派遣であればインフォーマルと考えます。

## 4 当事者組織や家族会の重要性

障害当事者や家族にとって特徴的で重要な社会資源は、ピア（peer＝仲間）の存在に加えて当事者組織や家族会の存在です。

ロール・モデル（role model：手本）として、共感的な理解や説得力のある相談活動は、下記のように当事者組織やピアにしかできないものです。

・悩みやつらさの体験者としての「共感性」
・自立生活の経験にもとづいた「知識や技術の共有（伝達）」
・相互関係による「情緒的な支援」
・権利擁護活動

障害当事者は、先輩の障害者から体験談を聞くことによって、自分自身の障害について理解し学ぶことができます。

また、家族会は同じ介護疲れや介護不安をかかえている家族の悩みや葛藤に対して、重要なサポートとなっています。エンパワメントを引き出す支援としても欠かせない社会資源です。

## 5 地域の社会資源を理解して利用する

社会資源の分類を知ることが重要なのではありません。地域にあるさまざまな社会資源の情報、有効に機能すると思われる資源の内容や特徴を含め理解しておくこと、また、そうした情報をたずねられる多くの人脈をふだんからつくっておくことが大切です。

さらに、いまある地域の社会資源も障害のある人たちが利用しやすい、あるいは利用できるような工夫やはたらきかけをしていくことも重要です。

**事例1** 意図的なはたらきかけが新たなサービスになる
──合理的配慮はまわりの人の理解から

　地域の公民館や生涯学習センターなどでは、住民を対象とした料理教室や俳句教室、さまざまな文化教室などが開催されています。

　視覚障害のあるＡさんは、ある料理教室に申し込んだところ、地域の住民であるにもかかわらず、「配慮ができないので無理です」と断られてしまいました。

　そこで、ある支援機関の職員が、「自分がＡさんに付きそいますので」と申し出て、何とか参加することができました。

　年間6回のコースのなかで、受講を重ねるうちに講師も慣れてきました。また、いっしょに参加している人たちが、支援機関の職員の支援方法をまねて、声かけなどのサポートを始めました。

　翌年も同じ講師の料理教室に申し込みをすると、「少しだけお手伝いいただければ」とこころよく引き受けてくれました。そのうち、前年によく声をかけてくれた参加者のＢさんが「自分もいっしょに手伝いますよ」と申し出てくれました。

　さらに3年目には、支援員がいなくても、Ａさんに確認しながら料理教室が進行できるようになり、どうしても困ったときには支援機関の職員に問い合わせをするようになりました。

　少し時間はかかりましたが、地域住民が参加する一般の教室であっても、理解が進めば障害者も参加できます。専門の支援者がいなくても、「合理的配慮」と地域の人たちのちょっとした理解があれば、インクルーシブな取り組みが広がっていくのです。

# 2 障害福祉サービスの提供のしくみ

## （1）障害者総合支援法上のサービス

　障害福祉サービスは全国共通のしくみで行われる<u>自立支援給付</u>と都道府県や市町村の創意工夫で提供される<u>地域生活支援事業</u>に大別されます。

❻自立支援給付
p.28参照

　**自立支援給付**❻は、個々の障害のある人の状態等に応じ、必要な支援の度合いや勘案する事項をふまえて個別に支給決定が行われる「障害福祉サービス」のほかに、地域相談支援給付、計画相談支援給付、補装具費、自立支援医療により構成されています。

第1節　地域のサポート体制

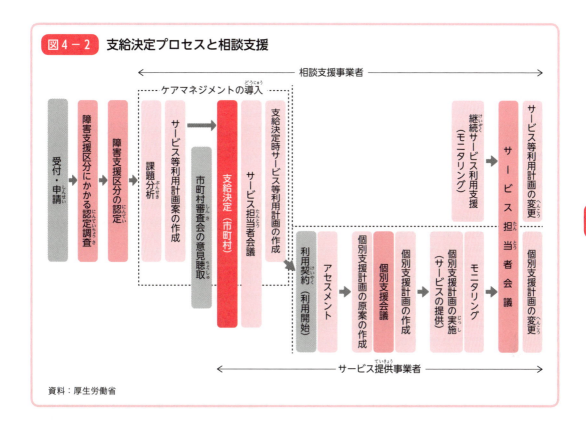

図4-2　支給決定プロセスと相談支援

資料：厚生労働省

　障害福祉サービスは介護の支援を中心とする**介護給付**と、訓練等の支援を受ける**訓練等給付**に分けられています。

　地域生活支援事業は、都道府県の実施する**都道府県地域生活支援事業**と市町村の実施する**市町村地域生活支援事業**に分けられ、それぞれそのなかで**必須事業**と**任意事業**に分けられています。とくに任意事業については「実施している」「実施していない」だけでなく、サービスの量や内容も含め市町村ごとに充足度が異なるため、市町村格差となっています。

## （2）障害福祉サービス利用のプロセス

　障害福祉サービスを利用するためには、一定の手続きをふまえ市町村から支給決定を受ける必要があります。利用のプロセスは**図4-2**に示すとおりです。

　とくに、**相談支援専門員**等は、障害福祉サービス等を利用する人の意向をもとに**サービス等利用計画案**❼を作成し、市町村に提出する必要があります。市町村はサービス等利用計画案等を勘案して障害福祉サービスの支給決定をするため、相談支援専門員の役割は非常に重要です。障

---

❼**サービス等利用計画案**

障害者総合支援法第5条第22項の「障害者の心身の状況、その置かれている環境、当該障害者等又は障害児の保護者の障害福祉サービス又は地域相談支援の利用に関する意向その他の事情を勘案し、利用する障害福祉サービス又は地域相談支援の種類及び内容その他の厚生労働省令で定める事項を定めた計画」のこと。第22条第4項では、「市町村は、支給要否決定を行うに当たって（中略）指定特定相談支援事業者が作成するサービス等利用計画案の提出を求めるものとする」とされている。

227

害福祉サービスを利用するサポート体制を整えるためには欠かせない手続きとなります。

サービス等利用計画は、利用者本人の24時間365日を考慮して、総合的な援助方針や解決すべき課題をふまえ、もっとも適切なサービスの組み合わせによる全体的な計画です。それに対し「個別支援計画」は、サービス等利用計画をふまえ、サービス提供事業所の**サービス管理責任者**等が適切な支援内容を検討した計画です。

個別支援計画は、介護福祉職がサービス提供事業者としてどのような支援目標や先の見通しをもってサービスを提供するのかの指標になるものです。

サービス等利用計画は、本人・関係者で行うサービス担当者会議をふまえて、個別支援計画は本人および事業所内の関係者との個別支援計画作成会議をふまえて作成することが必要です。

---

## 3 相談支援事業等との連携

先天性の原因あるいは大きな事故や病気により障害が残ってしまった場合、障害者本人や家族が、どこのだれに相談したらいいのか最初から知っている人はほとんどいません。また、さまざまな制度やサービスがあるなかで、それらをうまく整理して使いこなすことは容易ではありません。

本項では、もっとも身近な相談窓口でもある相談支援事業等について説明します。

### （1）相談支援事業等とは

相談支援事業は、障害者や家族、あるいは関係機関等が困ったときの相談の窓口です。

障害者の相談支援は次の①～③の３層構造といわれています（障害児の相談支援の説明については省いています）。

① **計画相談支援**❽を実施し、サービス等利用計画等を作成する指定特定相談支援事業所

② 障害児者に関するさまざまな相談を幅広く受ける障害者相談支援事業所

❽**計画相談支援**
「サービス利用支援」と「継続サービス利用支援」をいい、新規の利用や更新時の「サービス等利用計画」の案等を作成すること、また、モニタリング期間ごとに「サービス等利用計画」の変更を実施することをいう。

③　地域の相談支援の中核的な役割をになう基幹相談支援センター

　①～③は、それぞれに機能や役割が異なりますが、地域の実情に応じて一体的に運営している場合もあります。

　①指定特定相談支援事業所は、介護保険制度でいう居宅介護支援事業所にあたり、居宅介護支援事業所のケアマネジャー（介護支援専門員）にあたるのが相談支援専門員となります。

　また基幹相談支援センターは、介護保険制度でいう地域包括支援センターに類似した役割をもつ機関になります。

## （2）具体的な連携方法と留意点

　指定特定相談支援事業は、障害福祉サービスの利用を前提としたサービス等利用計画の作成により報酬が入るしくみになっています。そのため、基本的なさまざまな相談もそのなかに含まれていますが、サービス等利用計画の作成に結びつかない一般的な相談ばかりだと報酬が入らず無償のサービス提供になってしまいます。

　一方、**障害者相談支援事業**❾では、サービス等利用計画の作成いかんにかかわらず相談を行います。市町村窓口の行政職員が直接、あるいは委託による相談員によって、一般的な相談を幅広く受けることができます。

　たとえば、障害福祉サービスの利用を明確に希望している場合には指定特定相談支援事業所を、これからのことも含め困りごとなどの整理が必要な場合には障害者相談支援事業所を紹介するという使い分けが可能です。

　地域の相談支援事業所について、どのような機能をもつ事業所なのかを事前に調べておき、いつでも気軽に相談できる相談支援専門員を見つけておくことが必要です。本人・家族から相談を受けた際に、円滑に連携することができます。

❾**障害者相談支援事業**

市町村地域生活支援事業の必須事業で、実施主体は市町村となっている。常勤の相談支援専門員が配置されている指定特定相談支援事業者または指定一般相談支援事業者への委託が可能。事業の具体的内容は、①福祉サービスの利用援助（情報提供、相談等）、②社会資源を活用するための支援（各種支援施策に関する助言・指導等）、③社会生活力を高めるための支援、④ピアカウンセリング、⑤権利の擁護のために必要な援助、⑥専門機関の紹介など。

# 4 基幹相談支援センターとの連携

## （1）基幹相談支援センターとは

　**基幹相談支援センター**は、地域の相談支援の中核的な役割をになう拠点機関です。次の①～④に示す障害者相談支援事業や成年後見制度利用

支援事業、各種相談業務（身体障害・知的障害・精神障害）を総合的に実施しています。

① 総合的・専門的な相談支援の実施

② 地域の相談支援体制の強化の取り組み

③ 地域移行・地域定着の促進の取り組み

④ 権利擁護・虐待の防止

　また、地域の実情に応じて市町村が設置する協議会の運営の委託を受けています。地域の障害者等の支援体制強化をはかる役割、**地域生活支援拠点**⑩の相談や地域の体制づくり機能などを期待されています。

⑩**地域生活支援拠点**
　p.233参照

## （2）具体的な連携方法と留意点

　基幹相談支援センターは、地域の中核的な総合相談機関として、設置が促進されています。

　しかしながら、設置は市町村の裁量にまかせられているため、財源等の課題から全国の設置率は45％程度となっています（2020（令和2）年4月現在）。

　また、前述の障害者相談支援事業所が基幹相談支援センターと同様の機能をになっている場合もあります。

　実質的に地域全体の障害者福祉の状況や相談支援の状況を把握し、地域や地域の人材を支える機関であり、介護福祉職が支援や対応で苦慮した場合や、地域の支援体制やネットワークづくり等、さまざまな場面で相談やアドバイスを受けることが可能です。

**事例2**　　**本人が必要とするサービスにつなぐ**

　Cさん（52歳・男性）は、仕事中に倒れ、脳梗塞により救急病院に運ばれました。一命を取り留め、回復期病院に転院してリハビリを実施しましたが、左片麻痺と高次脳機能障害があります。

　介護保険の第2号被保険者で特定疾病のため、要介護2の認定を受け、退院後、デイケアに通所しています。本人も家族も、「なんとか仕事に戻りたい（戻ってほしい）」と思いながらリハビリを続けていました。

　本人も家族も仕事に復帰することを強く希望しています。デイケア

のD介護福祉士は、本人や家族の気持ちを聞いて介護支援専門員に相談しますが、介護保険には就労支援サービスがなく困っています。

そこで、D介護福祉士は介護保険のケアマネジャーだけでなく、障害福祉領域の相談支援事業所や基幹相談支援センターにも相談しました。

すると、Cさんのようなケースでは、自立訓練や就労移行支援など、自立や仕事に向けた障害福祉サービスが利用可能なことがわかりました。

---

# 5 協議会との連携

## （1）協議会とは

協議会[11]は、地域の関係者が集まり、個別の相談支援の事例を通じて明らかになった地域の課題を共有し、その課題をふまえて、地域のサービス基盤の整備を着実に進めていく役割をになっています。

都道府県および市町村は、協議会を置くよう努めなければなりません（障害者総合支援法第89条の3）。

また、協議会には当事者・家族の参画が明確化されており、より当事者の意見が反映されるように取り組みが進められています。

## （2）協議会の機能

市町村の協議会のもつ機能は大きく6つに整理されています（**表4－1**）。基本的には、地域に暮らす障害者1人ひとりの各個別の事例や地域の実情をふまえ、ニーズの満たされない、あるいは対応が困難な事例や資源不足などの情報を収集する「情報機能」やネットワークで解決しようとする「調整機能」、不足資源の検討や開発の「開発機能」、人材の質の向上等の「教育機能」、障害当事者、本人中心支援を進める「権利擁護機能」、体制整備や委託事業所等や地域診断等を含めた「評価機能」などがあります。

個別の課題を地域の課題として取り上げる協議会は、地域全体として障害福祉に取り組むためのエンジンだといわれています。

また、市町村で解決できない、圏域や都道府県全体で議論すべきことは都道府県の協議会で検討されます。

**[11] 協議会**
もともとは「自立支援協議会」という名称が使われていたが、地域の実情に応じて定められるよう弾力化するため、2013（平成25）年4月の障害者総合支援法の施行から、「協議会」という名称にあらためられた。しかし、自立支援協議会という名称のまま定着している地域が多い。

| 表4－1 | 市町村（自立支援）協議会の機能 |
|---|---|
| 情報機能 | ・困難事例や地域の現状・課題等の情報共有と情報発信 |
| 調整機能 | ・地域の関係機関によるネットワーク構築<br>・困難事例への対応のあり方に対する協議、調整 |
| 開発機能 | ・地域の社会資源の開発、改善 |
| 教育機能 | ・構成員の資質向上の場としての活用 |
| 権利擁護機能 | ・権利擁護に関する取り組みを展開する |
| 評価機能 | ・中立公平性を確保する観点から、委託相談支援事業者、基幹相談支援センター等の運営評価<br>・指定特定相談支援事業、重度包括支援事業等の評価<br>・都道府県相談支援体制整備事業の活用 |

出典：財団法人日本障害者リハビリテーション協会『自立支援協議会の運営マニュアル』（平成20年3月発行）

## （3）協議会との連携

協議会はあくまで協議の場であるため、必要に応じて議論し課題を解決していくために、関係者等が集まってくるものです。

事務局機能（運営）をになう市町村や基幹相談支援センターなどが、運営委員会のような組織をつくるなどして全体的な実施内容が話し合われ、部会や全体会で議論を深めます。

連携というよりは「参加型」、名前のとおり「協議型」で、個別の課題や地域の課題について情報共有し、議論します。大きな課題や差し迫って重要な課題であれば部会などをつくり、解決に向けて集中的に取り組んでいくことが必要になります。

たとえば、障害者虐待防止に向けたネットワークづくりや取り組み強化の議論・促進（例：権利擁護部会）、不足するグループホームを地域でどのように増やしていくか（例：グループホーム部会）、人材の育成や確保についてどのように考えるか（例：人材育成部会、研修部会）などの取り組みがあります。

全国をみると協議会が活発に動いている地域は、その積み重ねのなかで少しずつ地域全体の支える力、福祉力が向上し、さまざまな課題解決につながっています。

第 **1** 節　地域のサポート体制

---

**事例 3**　　**個別の事例から地域のサポートシステムへ**

　　Y市の施設で知的障害のEさんが1人で外へ出てしまい、どこへ行ってしまったかわからなくなってしまいました。警察にも協力してもらい行方をさがしたところ、夜遅くに隣町で発見されました。寒い季節だったこともあり、発見されなかったら大事になっていたかもしれません。

　　以前、認知症のFさんが徘徊して、少し離れた駅で見つかったなどといったケースもあり、Y市ではこうした共通課題に対し、どのように対応すべきかを自立支援協議会で話し合いました。

　　さまざまなアイデアが出された結果、緊急時の地域での見守りシステムがつくられました。警察、関係機関、コンビニエンスストアや最寄りの駅などに、見守り協力拠点（サポーター）をお願いし、緊急対応の場合に、市からの要請によって、いっせいに手配の依頼ができるしくみです。

　　このように、個別の課題を地域の課題として解決方法や対応策を考えていくことで、地域のサポート体制がさまざまな面で広がっていきます。

---

# 6 地域生活支援拠点との連携

## （1）地域生活支援拠点とは

　地域生活支援拠点は、障害者等の重度化・高齢化や親なきあとに備えるとともに、地域移行を進めるため、重度障害にも対応できる専門性をもって、障害者等やその家族の緊急事態への対応をはかるもので、次の2つの具体的な目的をもって整備されています（**図4-3**）。

① 緊急時の迅速・確実な相談支援の実施・短期入所等の活用
　　地域における生活の安心感を担保する機能を備える

② 体験の機会の提供を通じて、施設や親元からグループホーム、1人暮らし等への生活の場の移行支援体制の整備
　　障害者等の地域での生活を支援する

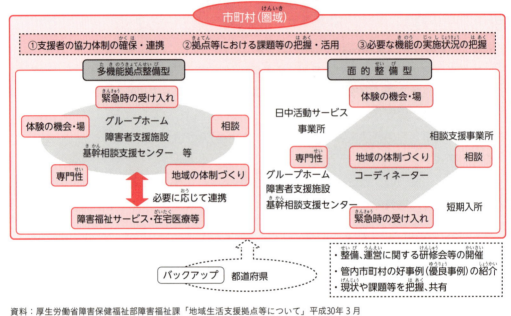

資料：厚生労働省障害保健福祉部障害福祉課「地域生活支援拠点等について」平成30年3月

### （2）地域生活支援拠点の5つの機能と整備

（1）で述べた目的を達成するため、「相談」「緊急時の受け入れ・対応」「体験の機会・場」「専門的人材の確保・養成」「地域の体制づくり」という5つの機能を集約して、「多機能拠点整備型」「面的整備型」等、地域の実情に応じた整備が行われています。

### （3）地域生活支援拠点との連携

地域生活支援拠点そのものが、障害のある人を地域で支えるサポート体制の1つです。個別事例を積み重ね、地域の共通課題を把握し、地域づくりのために活用することが重要です。

市町村は「定期的に又は必要な時に、拠点等の運営に必要な機能の実施状況を把握しなければならない」と運営上の留意点が示されていま

す。

　相談機能（コーディネート機能）に連絡・相談をすることにより、障害のある人を地域で支える各種機能が効果的・効率的に運用されることが重要であり、国として整備促進が強く推し進められています。

　このように相談支援、ケアマネジメントの機能を1つの軸とし、障害児者の個々のニーズや困りごとへの対応がはかられています。個別支援を多職種連携やチームアプローチによる支援にしていくと同時に、それらを地域の課題として地域住民やすべての社会資源へと地域のサポート体制の輪を広げていきます。**ミクロからメゾ、マクロ❷**への支援体制構築につなげていくことが求められています。

　人口減少、超高齢化社会への取り組みとして、地域包括ケアシステムの構築や我が事・丸ごとといった地域全体での取り組みが推進されていこうとしていることは、障害児者支援のみに限定しない地域の福祉力の成熟過程と考えられます。

　また、地域や社会から自然なサポートが受けられるようになること、それが可能になるように、地域にはたらきかけていくことも広い意味で地域のサポート体制といえ、福祉にたずさわる者の大きな役割です。介護福祉職も地域の住民として、1つの社会資源としてかかわることが重要です。

　結果として、地域のサポート体制のめざすべきものにつながっていくのです。

❷ミクロ、メゾ、マクロ
社会福祉学ではソーシャルワーク実践の対象を一般的にミクロ（個人や家族）、メゾ（小集団・組織）、マクロ（地域社会）の3つに分類している。

---

**◆ 引用文献**

1）厚生労働省「障害者ケアガイドライン」2002年

**◆ 参考文献**

● 介護福祉士養成講座編集委員会編『新・介護福祉士養成講座13 障害の理解 第4版』中央法規出版、2015年
● 小澤温編『介護福祉士養成テキストブック12 障害の理解』ミネルヴァ書房、2010年
● 厚生労働省「相談支援従事者指導者養成研修 平成30年度版行政説明資料」

第 **2** 節

# チームアプローチ

## 学習のポイント

- チームアプローチのあり方を知る
- 保健医療関係職種にどのような職種があるかを確認する

| 関連項目 | ② 『社会の理解』 ▶ 第 2 章 「地域共生社会の実現に向けた制度や施策」 |
| | ② 『社会の理解』 ▶ 第 5 章 「障害者保健福祉と障害者総合支援制度」 |
| | ④ 『介護の基本Ⅱ』 ▶ 第 4 章 「協働する多職種の機能と役割」 |

## 1 チームアプローチとは

　介護の現場では、対象者に対し複数の人、さらには職種の違う人がかかわります。その際に、1 人ひとりが違う意見を表明し、異なる支援方法が混在すると対象者は混乱してしまいます。

　同職種における支援体制は、一部の人しかできないような支援方法を用いて体制をつくるのではなく、かかわる皆がだれでも同じように支援ができるような体制をつくる必要があります。「○○さんしかできない特別なケア」があるというのは、本人にとってもよいこととはいえません。

　また、多職種における支援体制は、支援にかかわる人たち同士が顔の見える関係をつくり、チームアプローチの手法を用いて支援する必要があります。

### （1）グループとチームの違い

　グループとチームの違いは何だと思いますか。少し考えてみましょう。

　グループもチームも共通の目的やカテゴリーで集まるものではありますが、チームのほうがより団結力が強い言葉です。

　チームというと学生時代の部活動などが思い浮かぶのではないでしょ

うか。その当時、「チームワークを高めよう」と思った経験はありませんか。そのためにはみなさんはどのような努力をしてきたでしょうか。たとえば、部活動ではチームのメンバーでいっしょの時間を過ごし、コミュニケーションをとり、メンバー1人ひとりの得意不得意を理解して、目標に向かって阿吽の呼吸で動けるような仲間になった経験はありませんか。

　単にそこに人が集まって活動し、情報を共有するというだけの関係であるグループを越えて、効果的に活動できるような関係を築いた経験が、だれにでもあると思います。それがチームなのです。

## （2）チームアプローチの必要性

　障害のある人の生活を支えるうえで、チームアプローチの手法はとても大切です。なぜ、チームアプローチが求められるのでしょうか。介護を必要としている対象者の課題は、介護福祉職のかかわりだけで解決するものばかりではありません。対象者の課題は複雑にからまっていて、むしろ複数の専門職で対応しなければ課題解決に向かわないケースのほうが多いのです。

　たとえば、在宅のALS（筋萎縮性側索硬化症）の人を対象とする場合などは、どこからどこまでが医療的課題で、どこからどこまでが福祉や介護の課題なのか、はっきりと線引きすることは困難です。多職種の役割が重なる部分と重ならない部分があり、同じことを違う職種が行うこともありますし、どちらも範囲ではないところだけれども少しずつ手を伸ばして行っていくところもあると思います。

　多職種が同じ方向を向いて支援に入るためには、チームで一丸となってその人を支えていくことが必要になります。

　より効果的にチームが機能していくためには、次の4つの特別な行動が必要だといわれています。それは、「率直に意見を言う」「協働する」「試みる」「省察する（自分のことをかえりみて考えめぐらす）」です。

　事例1のように同職種の介護福祉士と話をするだけでなく、ほかの専門職に「率直に意見を言う」というのは、実はとてもむずかしいことです。

| 事例1 | 多職種で行う会議の場面を思い浮かべてみましょう |

　Gさんは30代の脳性麻痺の女性で、障害者施設に長く入所しています。医療的ケアが必要な人で、施設では胃ろうからの食事（経管栄養）は看護師が行ってきました。そのため、昼食をはさんだ外出の行事には参加できていない状況でした。Gさんの担当をしているH介護福祉士は、次回の外出行事（海に遊びに行く）に参加したそうなGさんをどうにかして連れていけないものかと悩んでいます。

　行事前の会議の際に、H介護福祉士はGさんから「10年くらい海を見ていなくて、行ってみたい」との発言があったことを話しました。その会議に参加していたJ看護師は、「気持ちはわかるけれど、看護師が外に出ることで、施設に残る医療ケアの必要な利用者へのケアがまわらなくなるのでむずかしい」と話しました。嘱託医も「それは仕方がないね。近場の行事への参加はどうかな」と話していました。

　H介護福祉士は、看護師の人数が少ないこともわかっていましたので、経管栄養などの医療行為が一定の条件下で介護福祉士により可能であることを伝え、「うちの施設でも実施できないものか」と話すと、K介護主任からは「ただでさえ人手不足のなかみんなで支援をしているのに、これ以上新しい仕事を増やすのはむずかしい」、さらにJ看護師も「新しいことをすることは、どんなリスクがあるかもわからないので、慎重になったほうがよい」という意見を述べていたので、そこにH介護福祉士も同調した格好で会議は終わりました。

　しかし、実際にはH介護福祉士は、今回は時間がないにしても、近い将来、何とか介護福祉職だけでGさんと外出ができるようにしたいと考えています。さらには施設が人員不足だからこそ、看護師しかできない業務を減らし、介護福祉士の業務範囲を増やしたほうが効率がよくなるとも思っています。それでも、多職種や上司と意見を対立させるのはよくないと思い、これ以上の考えを出すことをやめることにしました。

　Gさんのためにどのような支援をしていくかを念頭に、今後、事例のH介護福祉士が会議でどのような発言をしていくのがよいのかを考えてみましょう。支援の目的や役割を考えていけるようにしましょう。

第2節　チームアプローチ

## 2 チームづくりの方法

### （1）チームの形成過程

　障害のある人を支援するチームづくりの方法について考えてみます。

　チームづくりの過程については、**タックマンモデル❶**の理論を用いて説明します。

　タックマンモデルでは、チームが形成されてから実際に機能するまでの生成過程を、①形成期（Forming）、②混乱期（Storming）、③統一期（Norming）、④機能期（Performing）の４つの段階に分類しています（図4－4）。

### （2）チーム形成過程でのコンフリクト

　チームの形成過程における「②混乱期」では、**コンフリクト**（衝突・対立）が起こります。介護福祉職がチームづくりを行っていく過程のなかで、ジレンマを感じる出来事かもしれません。ここでは、とくにこのコンフリクトについて説明します。

#### ■ コンフリクトとは

　専門職間の多職種連携では、さまざまな職種で取り組むため、それぞれが受けてきた教育や視点、価値観の違いから、どうしてもほかの職種

❶タックマンモデル
アメリカの心理学者であるタックマン（Tuckman, B.W.：1938～2016年）が唱えたモデルで、組織の進化段階を、①Forming（形成・結成）、②Storming（混乱・激動）、③Norming（統一・規範形成）、④Performing（機能・成就）の４つのフェーズに分けて整理した。現在はそれらに⑤Adjourning（解散・散会）を加える分類もある。

第**4**章　連携と協働

図4－4　タックマンモデル

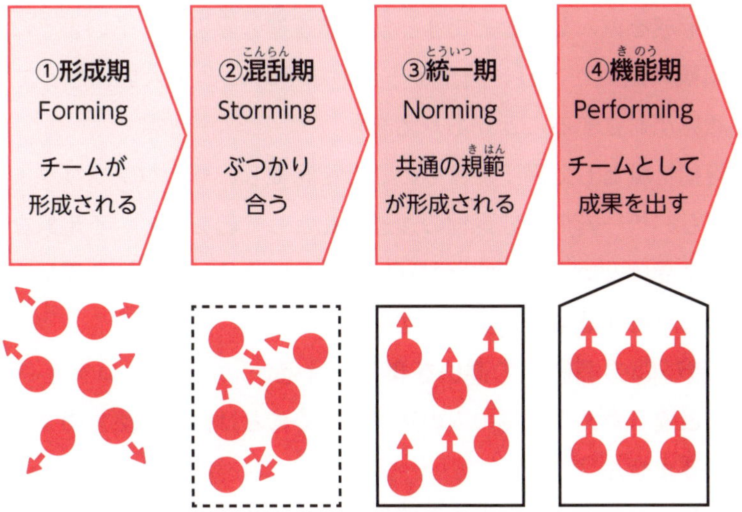

①形成期 Forming
チームが形成される

②混乱期 Storming
ぶつかり合う

③統一期 Norming
共通の規範が形成される

④機能期 Performing
チームとして成果を出す

239

の意見を受け入れることができず、意見が対立してしまうことがあります。そのような状況を「コンフリクト（衝突・対立）」と呼びます。コンフリクトを解消しないままでいると、チームが形成されないままになるばかりか、感情的なしこりが残り、通常業務にも支障をきたしてしまうことがあります。

### 2 コンフリクトに対する心構え

逆に、コンフリクトを避けるために、自分の意見の表明を行わずにただ従うことを続けていても、「チーム」にはなりえません。前向きなディスカッションを行い、相手の立場をお互いに理解し合うことが重要です。多職種・同職種の専門職でチームを形成する場合には、コンフリクトは必ず起こるものだという心がまえが必要です。対立が起こったときにはその原因を分析し、速やかに解消する必要があります。

同じ介護福祉職であっても、立場の違いで視点は変わってきます。たとえば、管理職の介護福祉職は組織運営全体や将来ビジョンを見据えて考えていく立場にあるので、現場の介護福祉職と同じ価値観が共有されないこともあります。

## （3）多職種連携をすすめる

### 1 多職種連携の際の対立

自分と異なるほかの職種の場合には、受けてきた専門教育も、その人の価値観を形成している背景も根本的に違うということを認識しておく必要があります。個人によってその程度には差がありますが、たとえば、医師や看護師は人命救助の視点が強く、弁護士は社会正義、教育者は人格形成を重んじるなどです。多職種連携の際には、そのような背景や価値観の違いがあり、同じように対象者のことを大切に思っていても、意見が対立することがありえます。

介護福祉職として働くにはそのことを認識し、もしコンフリクトが起こっても、チームの形成過程の通過儀礼として起こっている現象なのだと冷静に受けとめ、感情的な対立にならないよう、相手の立場に立って理解しようとする姿勢が重要です。

### 2 多職種間の価値観の違いを乗り越える

自分と違う考えや立場の人の意見を聞くことは決して気分のよいものではありません。

しかし、たとえ会議の場の雰囲気が悪くなろうとも、意見を言わざる

第2節 チームアプローチ

をえないという状況は、それほど対象者を大切に思っていることの証なのです。そして、介護福祉士という専門職として発言しなければならないことでもあります。それは自分にもあてはまりますし、一見対立していると思われる相手にもあてはまるのです。同じように対象者を大切に思っている仲間として、相手の意見に耳を傾けてみましょう。そこから真の「チーム」が生まれてきます。

　ICF❷において定義されている「生命レベル」「生活レベル」「人生レベル」の生活機能分類があることをふまえ、すべての職種がすべてのレベルを視野に入れて議論することで、多職種間の価値観の違いを乗り越えて理解し合える精神風土をつくっていくことが重要です。また、「チーム」の中では常に情報共有が大事です。最近、他法人の多職種で情報共有しやすくするためのICTの活用がさかんになってきました。情報共有の仕方を相談しておくことが重要です。綿密なやりとりをしながら齟齬をなくす努力をしましょう。

❷ICF
p.6参照

### 事例2　複数の課題がある家族を多職種チームで支える

　87歳の父親Aさん（要支援1、最近足腰が弱ってきている）と、83歳の母親Bさん（要介護2、認知症、週3回デイサービスに通所）と、54歳の娘Cさん（統合失調症の診断あり、現在ひきこもりの状態）という家族構成です。デイサービスの職員が送迎時に「家の中から娘さんの怒鳴り声が聞こえる」ことに気づき、介護支援専門員へ連絡しました。介護支援専門員が地域包括支援センターへ相談したところ、基幹相談支援センターと連携し、自宅へ訪問する機会を設けることになりました。

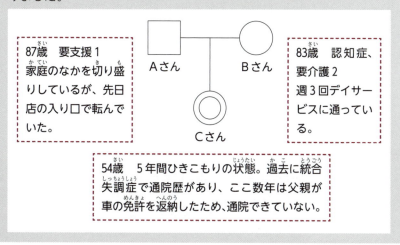

訪問してじっくりと話を聞いたところ、以下のような状況が把握された
ためサービス担当者会議を開催し、全員で情報共有を行い、役割
分担を行いました。居宅介護事業所のサービス提供責任者（介護福祉
士）は基幹相談支援センターを通じてＣさんの家事援助の依頼を受け、
会議に参加することとなりました。

------------------------------------------------------------------

**Ａさん**：デイサービスの朝の支度が大変。５年ほど前に免許を返納してか
　　ら車の運転ができなくなったので、娘も家からあまり外出できなくな
　　り、時々怒鳴り声をあげるようになってきた。本来は優しい娘である。
　　私もだんだんと力が弱り、とにかく買い物が十分にできないことが悩み
　　である。妻のＢは、いまのところ私が支えているが、いつまでできるか
　　不安もある。

**Ｃさん**：外出できなくなって、服とかの買い物もできなくなりストレスが
　　たまっている。親が言うことを聞かないときはつい怒鳴ることもある。
　　ただ、バスや電車を使ってあまり外出をしたくない。理由は巨大組織に
　　追われており、外出中は常にねらわれているから。病院への通院は今は
　　行っていないが、行く手段がないだけで別に嫌というわけではない。

**Ｂさんのデイサービス職員**：Ａさんの介護負担が心配。娘さんの怒鳴り声
　　を聞いたことがあり、家の中が心配。送迎時に時々娘さんと話すと、
　　「買い物に行ってきてほしい」と頼まれることがある。

**Ｂさんの担当ケアマネジャー（介護支援専門員）**：親に依存した生活をし
　　ている無職の娘がいる。最近親を怒鳴っている声を自分も聞いている。
　　高齢者虐待の視点ももったうえで経過をみていく必要があるのではない
　　かと思っている。デイサービスの支度や家の中の支援をサービスに組み
　　込みたいが、娘が同居しているので、家事援助を入れることができなく
　　て困っている。

**担当地区の民生委員**：時々訪問に行くと、Ａさんが「100歳まで俺が頑張
　　る」等と話しているのを聞くが、ほかにも支援が必要だと思う。娘のＣ
　　さんは昔から変わっているが、慣れれば話をする子である。自分にはい
　　ろいろ話をするが、最近は夕方起き出し、朝から昼は寝ているようであ
　　る。「おばちゃん、買い物に行ってきて」と頼まれることもある。家の
　　中から異臭がするので、ごみ出しや片づけができなくなっているのでは
　　ないかと心配している。

**地域包括支援センター職員（保健師）**：家族の間でいろいろと事情があり
　　そうだが、親子は思い合っているように感じている。娘のほうに支援が
　　必要と感じ、基幹相談支援センターの同行訪問の承諾をもらった。娘は
　　最初拒否的であったが、買い物の相談にのるということで、介入への了
　　解をもらえた。

**基幹相談支援センター職員（社会福祉士）**：地域包括支援センターとも連
　　携し、家族の経過を観察しながら、今後、Ｃさんの生活支援について中
　　長期的な視点で検討する必要があると考えている。通院できていないた

め、**障害年金**[3]受給が止まっていることが把握できたので、まずは通院の支援から開始し、買い物支援や金銭管理の方法などについても具体的に支援していく必要があると考えている。サービス等利用計画の作成も念頭に置き、地域の相談支援事業所との連携も必要と考え、今回の訪問に同行をお願いした。

**相談支援専門員（精神保健福祉士）**：Cさんは、訪問にも拒否はあまり見られなかった。買い物を頼んでも親が思うように動かないことや、部屋の片づけやごみ出しがうまくいかないこと等を話していた。まずはヘルパーを入れて生活環境を整えることから対応したい。また、通院への同行を行い、病状についても把握していきたい。

**居宅介護事業所のサービス提供責任者（介護福祉士）**：Cさんが家事支援を希望しているとのことで、居宅介護の家事援助で対応することとした。統合失調症のある人の家事援助に入るにあたり、どういったことに気をつけたらよいか、今後支援をするうえで、どこに連絡をして共有したらよいのか等気になる。

- - - - - - - - - - - - - - - - - - - - - - - - - - - - - - - - - - - - - - - - - -

会議を受けて、介護福祉職（ホームヘルパー）がCさん宅に入る際の留意点を、以下のよう整理しました。

①Cさんは、長年ひきこもっているので、最初はこちらからあれこれはたらきかけないようにしつつ、徐々に慣れていく必要がある。

②統合失調症があるため、巨大組織にねらわれていると話しているが、妄想と感じても否定も肯定もせずに対応する。

③病状については、通院に同行する相談支援専門員から支援チームに提供される情報を対応するヘルパーも共有しておく。

家の中での支援を行うのはCさんのヘルパーだけなので、両親の様子も観察しておいてほしい旨、地域包括支援センターとBさんの担当介護支援専門員から協力の依頼がありました。挨拶や声かけのタイミングで、いつもと違う様子がないか等を確認するようにしました。

そして、情報共有はAさん、Bさんの異変やCさんの様子はもちろんのこと、家の中で気づいたことについて、ICTを活用し、支援チームで共有することとなりました。

**❸障害年金**

障害年金を受給している人のうち、有期認定の場合は更新時期など一定期間に障害の状態を確認される場合がある。そのようなときには医師に診断書を書いてもらう必要がある。

第4章 連携と協働

1つの家族で問題が多岐にわたる場合、**図4－5**に示すように、福祉的な支援では、さまざまな機関がそれぞれの支援対象者にかかわりますが、個別の対象者のみに着目すると、時に支援者同士で対立することもあります。それは、各支援者が各対象者の権利を擁護しようとした結果だととらえられますが、家族全体に複数の問題が絡み合っている場合に

## 図4-5 高齢者支援チームと障害者支援チームの協働

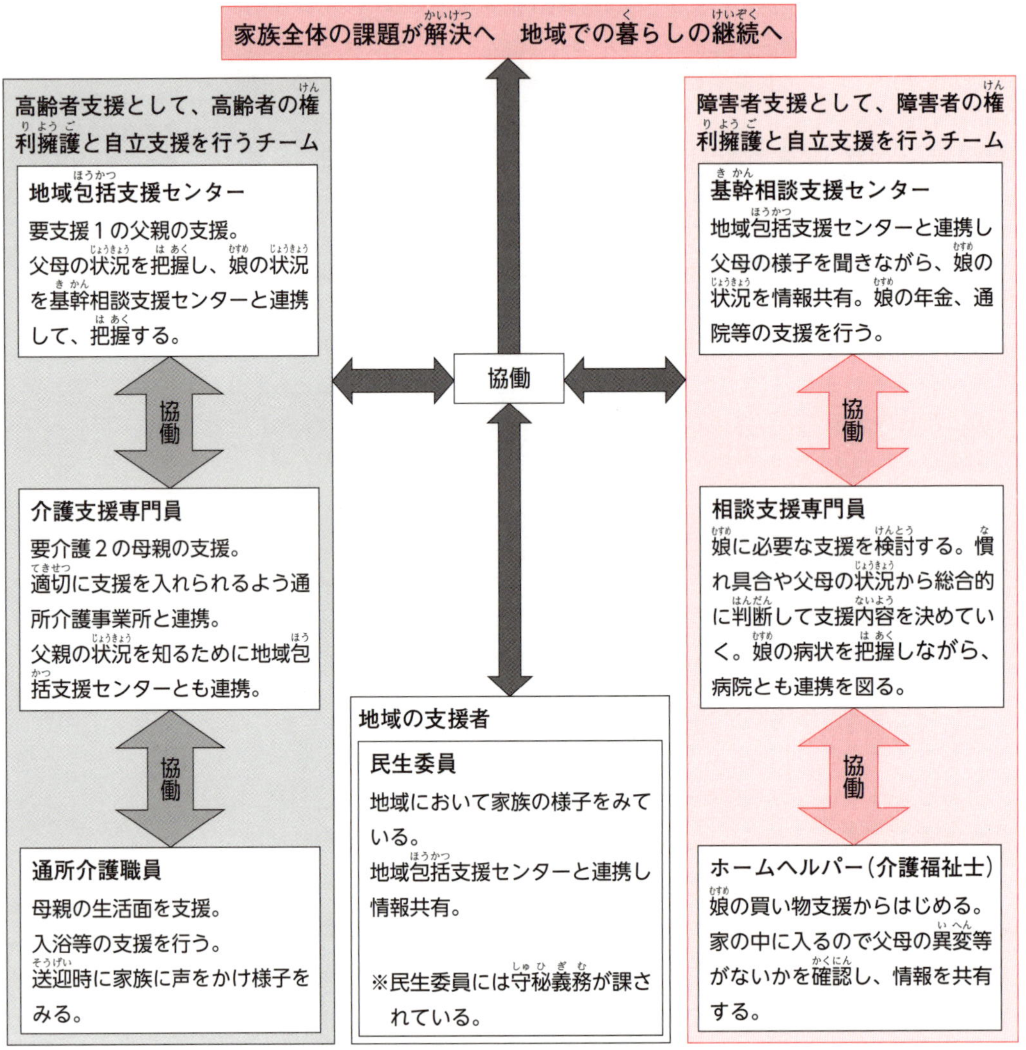

**家族全体の課題が解決へ　地域での暮らしの継続へ**

**高齢者支援として、高齢者の権利擁護と自立支援を行うチーム**

- 地域包括支援センター
  要支援1の父親の支援。父母の状況を把握し、娘の状況を基幹相談支援センターと連携して、把握する。

　↕協働

- 介護支援専門員
  要介護2の母親の支援。適切に支援を入れられるよう通所介護事業所と連携。父親の状況を知るために地域包括支援センターとも連携。

　↕協働

- 通所介護職員
  母親の生活面を支援。入浴等の支援を行う。送迎時に家族に声をかけ様子をみる。

**協働**（中央）

- 地域の支援者
  民生委員
  地域において家族の様子をみている。
  地域包括支援センターと連携し情報共有。
  ※民生委員には守秘義務が課されている。

**障害者支援として、障害者の権利擁護と自立支援を行うチーム**

- 基幹相談支援センター
  地域包括支援センターと連携し父母の様子を聞きながら、娘の状況を情報共有。娘の年金、通院等の支援を行う。

　↕協働

- 相談支援専門員
  娘に必要な支援を検討する。慣れ具合や父母の状況から総合的に判断して支援内容を決めていく。娘の病状を把握しながら、病院とも連携を図る。

　↕協働

- ホームヘルパー（介護福祉士）
  娘の買い物支援からはじめる。家の中に入るので父母の異変等がないかを確認し、情報を共有する。

---

は、各対象者の支援チーム同士の連携により、家族全体を包括的にみる視点をもつことがとても重要です。事例2では、高齢者支援チームと障害者支援チームが、双方の考え方を尊重し合いながらさまざまな視点をもつ人たちとの連携を通じ、この家族が地域で暮らし続けられるように共に協働していくことが求められています。

### （4）合意をめざすための対応

意見の対立があったときには、合意をめざすうえで「協働」「競争」「妥協」「回避」「順応」の5つの対応が考えられます。

第2節　チームアプローチ

目的は何かを確認し、そのうえで合意できる点を探していきましょう。「自己主張性」と「協力性」の2つのバランスをとる、つまり自己主張もしつつ協力していくということは、お互いの違いを受け入れて「協働」するということになり——本来はここをめざしたいですが——そこまではむずかしい場合、「妥協」しつつ、Win-Win❹になることを考えましょう。たとえば、議論するとぶつかりそうなので、課題を先延ばしにすることは「回避」です。また、相手の意見を聞かないで自分の意見だけを押し付けるのは「競争」です。自己主張は抑えて協力だけすると「順応」になります。

❹Win-Win
相手も自分も双方が勝つことを意味し、ともに利益となる関係のことをさす。

## 3　保健医療関係職種の業務

本項では、保健・医療・福祉関係資格・職種の業務の概要を表4-2に整理し紹介します。他の職種の任務や業務分野を知り、業務に関係する多くの職種の立場や視点を知っておくことが大切です。

| 表4-2 | 保健・医療・福祉関係資格・職種の業務分野 |
| --- | --- |

| 資格名(根拠法) | 任務・業務分野 |
| --- | --- |
| 医師<br>(医師法) | ○医療及び保健指導を掌ることによって公衆衛生の向上及び増進に寄与し、国民の健康な生活を確保する。<br>○医師でなければ、医業をなしてはならない。(=業務独占) |
| 歯科医師<br>(歯科医師法) | ○歯科医療及び保健指導を掌ることによって公衆衛生の向上及び増進に寄与し、国民の健康な生活を確保する。<br>○歯科医師でなければ、歯科医業をなしてはならない。(=業務独占) |
| 薬剤師<br>(薬剤師法) | ○調剤、医薬品の供給その他薬事衛生をつかさどることによって、公衆衛生の向上及び増進に寄与し、国民の健康な生活を確保する。<br>○薬剤師でない者は、販売又は授与の目的で調剤してはならない。ただし、医師若しくは歯科医師、獣医師が自己の処方せんにより自ら調剤するときは、この限りではない。 |
| 保健師<br>(保健師助産師<br>看護師法) | ○保健師の名称を用いて、保健指導に従事することを業とする者。<br>○保健師でない者は、保健師又はこれに類似する名称を用いて、上記の業をしてはならない。(=名称独占)<br>○保健師は、非看護師の療養上の世話又は診療の補助に係る業務禁止行為規定を免除される。 |
| 助産師<br>(保健師助産師<br>看護師法) | ○助産又は妊婦、じょく婦若しくは新生児の保健指導を行うことを業とする女子。<br>○助産師でない者は、上記の業をしてはならない。(=業務独占)<br>○助産師は、非看護師の療養上の世話又は診療の補助に係る業務禁止行為規定を免除される。<br>○助産師は、妊婦、産婦、じょく婦、胎児又は新生児に異常があると認めたときは、医師の診療を要し、自らこれらの者に対して処置してはならない。ただし、臨時応急の手当てはこの限りではない。 |

245

| 資格名（根拠法） | 任務・業務分野 |
|---|---|
| 看護師<br>（保健師助産師看護師法） | ○傷病者若しくはじょく婦に対する療養上の世話又は診療の補助を行うことを業とする者。<br>○看護師でない者は、上記の業をしてはならない。（＝業務独占） |
| 診療放射線技師<br>（診療放射線技師法） | ○医師又は歯科医師の指示の下に、放射線を人体に対して照射することを業とする者。<br>○医師、歯科医師又は放射線技師でなければ、上記の業をしてはならない。（＝業務独占）<br>○保健師助産師看護師法（以下、保助看法）の規定にかかわらず、診療の補助として磁気共鳴画像診断装置その他の画像による診断を行うための装置であって政令が定める検査を行うことを業とすることができる。 |
| 臨床検査技師<br>（臨床検査技師等に関する法律） | ○医師又は歯科医師の指示の下に、検体検査［微生物学的検査、免疫学的検査、血液学的検査、病理学的検査、生化学的検査、尿・糞便等一般検査、遺伝子関連・染色体検査］及び省令で定める生理学的検査を行うことを業とする者。<br>○保助看法の規定にかかわらず、診療の補助として採血及び検体採取（医師又は歯科医師の具体的な指示を受けて行うものに限る）並びに省令で定める生理学的検査を行うことを業とすることができる。 |
| 理学療法士<br>（理学療法士及び作業療法士法） | ○「理学療法」とは、身体に障害のある者に対して、主としてその基本的動作能力の回復を図るため、治療体操その他の運動を行わせ、及び電気刺激、マッサージ、温熱その他の物理的手段を加えることをいう。<br>○医師の指示の下に、理学療法を行うことを業とする者。<br>○保助看法の規定にかかわらず、診療の補助として理学療法を行うことを業とすることができる。 |
| 作業療法士<br>（理学療法士及び作業療法士法） | ○「作業療法」とは、身体又は精神に障害のある者に対して、主としてその応用的動作能力又は社会的適応能力の回復を図るため、手芸、工作その他の作業を行わせることをいう。<br>○医師の指示の下に、作業療法を行うことを業とする者。<br>○保助看法の規定にかかわらず、診療の補助として作業療法を行うことを業とすることができる。 |
| 視能訓練士<br>（視能訓練士法） | ○医師の指示の下に、両眼視機能に障害のある者に対するその両眼視機能の回復のための矯正訓練及びこれに必要な検査を行うことを業とする者。<br>○医師の指示の下に、上記の業務のほか、眼科に係る検査を行うことを業とすることができる。<br>○保助看法の規定にかかわらず、診療の補助として両眼視機能の回復のための矯正訓練及びこれに必要な検査並びに眼科検査を行うことを業とすることができる。 |
| 言語聴覚士<br>（言語聴覚士法） | ○音声機能、言語機能又は聴覚に障害のある者についてその機能の維持向上を図るため、言語訓練その他の訓練、これに必要な検査及び助言、指導その他の援助を行うことを業とする者。<br>○保助看法の規定にかかわらず、診療の補助として医師又は歯科医師の指示の下に、嚥下訓練、人工内耳の調整その他省令で定める行為を行うことを業とすることができる。 |
| 臨床工学技士<br>（臨床工学技士法） | ○医師の指示の下に、生命維持管理装置（人の呼吸、循環又は代謝の機能の一部を代替、又は補助することが目的とされている装置）の操作（生命維持管理装置の先端部の身体への接続又は身体からの除去であって政令で定めるものを含む）及び保守点検を行うことを業とする者。<br>○保助看法の規定にかかわらず、診療の補助として生命維持管理装置の操作を行うことを業とすることができる。 |
| 義肢装具士<br>（義肢装具士法） | ○医師の指示の下に、「義肢」（上肢又は下肢の全部又は一部に欠損のある者に装着して、その欠損を補てんし、又はその欠損により失われた機能を代替するための器具器械）及び「装具」（上肢若しくは下肢の全部若しくは一部又は体幹の機能に障害のある者に装着して、当該機能を回復させ、若しくはその低下を抑制し、又は当該機能を補完するための器具器械）の装着部位の採型並びに義肢及び装具の製作及び身体への適合を行うことを業とする者。<br>○保助看法の規定にかかわらず、診療の補助として義肢及び装具の装着部位の採型並びに義肢及び装具の身体への適合を行うことを業とすることができる。 |

第 2 節 チームアプローチ

| 資格名(根拠法) | 任務・業務分野 |
|---|---|
| 救急救命士<br>(救急救命士法) | ○医師の指示の下に、救急救命処置を行うことを業とする者。<br>○「救急救命処置」とは、その症状が著しく悪化するおそれがあり又はその生命が危険な状態にある傷病者が病院又は診療所に搬送されるまでの間に、当該重度傷病者に対して行われる気道の確保、心拍の回復その他の処置であって、当該重度傷病者の症状の著しい悪化を防止し、又はその生命の危険を回避するために緊急に必要なものをいう。<br>○<u>保助看法の規定にかかわらず、診療の補助として救急救命処置を行うことを業とすることができる。</u><br>○医師の具体的な指示を受けなければ、省令で定める救急救命処置を行ってはならない。 |
| 歯科衛生士<br>(歯科衛生士法) | ○歯科医師の指導の下、歯牙及び口腔の疾患の予防処置として、(1)歯牙露出面及び正常な歯茎の遊離縁下の付着物及び沈着物を機械的操作によって除去すること、(2)歯牙及び口腔に対して薬物を塗布することを行うことを業とする者。<br>○<u>保助看法の規定にかかわらず、歯科診療の補助をなすことを業とすることができる。</u><br>○歯科保健指導をなすことを業とすることができる。<br>○<u>歯科衛生士でなければ、上記の業をしてはならない。</u>(=業務独占) |
| 歯科技工士<br>(歯科技工士法) | ○歯科技工を業とする者。<br>○「歯科技工」とは、特定人に対する歯科医療の用に供する補てつ物、充てん物又は矯正装置を作成し、修理し、又は加工することをいう。ただし、歯科医師がその診療中の患者のために自ら行う行為を除く。<br>○<u>歯科医師又は歯科技工士でなければ、業として歯科技工を行ってはならない。</u>(=業務独占) |
| 社会福祉士<br>(社会福祉士及び介護福祉士法) | ○身体上若しくは精神上の障害があること又は環境上の理由により日常生活を営むのに支障がある者の福祉に関する相談に応じ、助言、指導、福祉サービスを提供する者又は医師その他の保健医療サービスを提供する者その他の関係者との連絡及び調整その他の援助を行うことを業とする者。<br>○<u>社会福祉士でない者は、社会福祉士という名称を使用してはならない。</u>(=名称独占。<u>介護福祉士、精神保健福祉士も同じ</u>) |
| 介護福祉士<br>(社会福祉士及び介護福祉士法) | ○身体上又は精神上の障害があることにより日常生活を営むのに支障がある者につき心身の状況に応じた介護(喀痰吸引等を含む)を行い、並びにその者及びその介護者に対して介護に関する指導を行うことを業とする者。 |
| 精神保健福祉士<br>(精神保健福祉士法) | ○精神科病院その他の医療施設において精神障害の医療を受け、又は精神障害者の社会復帰の促進を図ることを目的とする施設を利用している者の地域相談支援の利用に関する相談、社会復帰に関する相談に応じ、助言、指導、日常生活への適応のために必要な訓練その他の援助を行うことを業とする者。 |
| 公認心理師<br>(公認心理師法) | ○公認心理師の名称を用いて、保健医療、福祉、教育その他の分野において、心理学に関する専門的知識及び技術をもって、①心理に関する支援を要する者の心理状態を観察し、その結果を分析、②心理に関する支援を要する者に対し、その心理に関する相談に応じ、助言、指導その他の援助、③心理に関する支援を要する者の関係者に対し、その相談に応じ、助言、指導その他の援助、④心の健康に関する知識の普及を図るための教育及び情報を提供するなどの行為を行うことを業とする者。<br>○<u>公認心理師でない者は、公認心理師という名称を使用してはならない。</u>(=名称独占) |

注:下線部は業務独占、名称独占、業務禁止行為免除の規定

出典:野村陽子編『最新保健学講座7 保健医療福祉行政論』メヂカルフレンド社,2008年を一部改変

第 4 章　連携と協働

---

◆ 参考文献

● エイミー・C・エドモンドソン、野津智子訳『チームが機能するとはどういうことか』
英治出版、2014年
● 埼玉県立大学編『IPWを学ぶ——利用者中心の保健医療福祉連携』中央法規出版、2009年

## 演習4-1　連携と協働の基礎的な理解

次の文章の空欄に入る適切な語句を考えてみよう。

- 障害のある人が、地域のアパート等で1人ひとりのニーズにそった支援を受けながら数人で生活する居住の場を ① という。
- 障害福祉サービス等を利用する人の意向をふまえ、② は、③ （案）を作成する。
- 障害者の相談支援事業は、計画相談支援を実施する ④ 、さまざまな相談を幅広く受ける ⑤ 、地域の中核的な相談支援の役割をもつ ⑥ などがある。
- 「個別支援計画」は、サービス等利用計画をふまえ、サービス提供事業所の ⑦ 等により作成される。
- ⑧ 等は、障害者等の重度化・高齢化や親なきあとを見すえ、居住支援のための機能を、地域の実情に応じた創意工夫により整備し、障害者の生活を地域全体で支えるサービス提供体制の構築をはかるものである。

## 演習4-2　自分が在住する地域の協議会を知る

**1** 各自が在住する地域の協議会について市町村のホームページ等で調査を行い、次の①～⑤の調査項目についてまとめてみよう。

> ①名称
> ②設立年月日
> ③組織Ⅰ（全体会等）
> ④組織Ⅱ（専門部会等）
> ⑤組織Ⅱの活動内容

**2** グループ内で調査結果を報告し合い、協議会の活動内容を共有しよう。また、各地域の活動内容の違いについて話し合ってみよう。

# 第 5 章

## 家族への支援

第 1 節　家族への支援とは

第 2 節　家族の介護力の評価と介護負担の軽減

# 第1節

# 家族への支援とは

> **学習のポイント**
> ■ 障害者の家族への支援を、「自分だったら」「自分の家族だったら」と考える
> ■「障害受容」を、本人、家族に押しつけていないか考える
> ■「家族支援」を、本人と家族の双方の立場から考える
>
> 関連項目　②『社会の理解』▶ 第1章「社会と生活のしくみ」

## 1 家族に障害のある人がいるということ

### （1）実は身近な障害者

　現在、日本の障害者数は964万7000人とされています。これは、「日本の人口の13～14人に1人が障害者」という割合になります。たとえば、あなたに両親と祖父母がいるとしたら、あなたを含めて7人になります。それを1つの家族と考えると、2家族で14人ですから、そのうち1人が障害のある人、という計算になります。

　家族に障害のある人がいるということは、特別なことではありません。ごく身近で一般的なことなのです。

　障害のある人を支える家族への支援を考えるときに大切なのは、障害

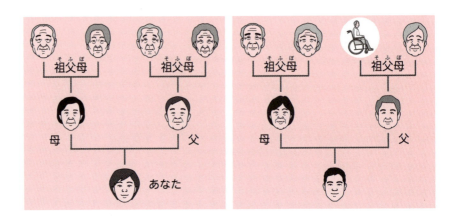

第1節　家族への支援とは

のある人を支える家族の課題を特別なこととして考えるのではなく、「自分の家族だったら」「自分だったら」と、自分におきかえて考えてみることです。

そのときには社会の障害者に対する見方を考える必要があります。

## （2）障害者に対する差別

**障害者基本法**❶では、すべての国民が障害の有無によって分けへだてられることなく、相互に人格と個性を尊重し合いながら共生する社会を実現することが、法の目的として定められています。

❶障害者基本法
p.4参照

鉄道の駅のほとんどに、車いすを利用する人も使いやすいバリアフリーのトイレが設けられ、駅のホームへ上り下りできるようエレベーターが設置され、街で障害のある人と出会う機会も増えました。企業による障害者の雇用も増えています。障害のある人もない人も共生する社会づくりが進んでいます。

一方、障害者が住むグループホームの建設を、近隣の住民が反対してつくらせなかったり、障害者が不動産屋でアパートを貸してもらえなかったり、レストランの入店やホテルの宿泊を断られたりする例が、今も続いています。

このようなことが起きる背景には、「障害者がきたら迷惑だ」「障害者を『健常者』と同じように尊重する必要はない」「障害者はかわいそうだから、一般の社会とは分けへだてた場所で保護するべきだ」などといった、障害者に対する社会の否定的な価値観や差別的な意識があると考えられます。

そして、このような社会のなかの障害者に対する否定的な価値観や差別的な意識は、知らないうちに支援者や障害のある人の家族のなかにも入りこんでいる可能性があります。そのことが、障害者やその家族の支援にも影響を与えることに支援者は注意する必要があります。

第5章　家族への支援

# 2 障害のある人の家族への支援

## 1 障害をもって生まれた子どもの家族の場合

　自分の子どもが障害をもって生まれたらどのような気持ちになるのか想像してみましょう。障害のある人の親の気持ちを理解することが、支援の第 1 歩につながります。

### （1）出生期

　「生まれた子どもに障害があることを医師から告げられたとき、自分が現実のなかにいないような感覚になった」と、ある母親は言っていました。

　大きな精神的ショックを受けて、医師の言葉を信じたくないという気持ちが、そのような感覚にさせたのではないかと思います。そして、医師の告知が現実であることを知ったとき、子どもを心配する気持ちや、これからどうなってしまうのだろうという不安感、自分が思い描いていた子どもの成長や家族の夢を一度に失ってしまったような気持ちになり、悲しみとも怒りともつかない感情がこみ上げてきて、泣き続けたそうです。

　子どもの障害について最初に相談するのは、家族でしょう。多くの場合は、配偶者から「2人の子どもなのだから、いっしょに育てよう」と言われる場合が多いと思いますが、なかには、「うちの家系には、障害者はいない。そちらの家系の血筋ではないか」と責められて傷ついた、という場合もあると聞きます。

### （2）乳幼児期

　親は子どもの障害を治そうと、必死になってあちこちの医療機関を訪ね歩きます。たくさんの医師に診察してもらい、リハビリを受け、療育の教室に通い、子どもの障害にとってよいといわれることは何でもすることでしょう。

　そのようなリハビリや療育の場は、障害のある子どもをもつ親同士が出会う場にもなります。同じ悩みや不安をもつ親に出会うことにより孤

独感がいやされて、「苦しい思いをしているのは、自分だけじゃないんだ」という安心感や心強さをもつことにより、気持ちが前向きになる場合もあるでしょう。

　乳幼児期のうちは、障害があってもなくても歩くことができませんし、話すこともできません。ベビーカーに乗っている状態で、その赤ちゃんに障害があるということは、他人にはわからないかもしれません。親は子どもの障害のことで、内心ずっと悩んだり、不安な気持ちをかかえつづけているのですが、そのことを家族以外に打ち明けるには、勇気が必要ではないかと思います。

　「『うちの子には、障害があります』と言ったら、相手はどう思うだろう」「気まずい空気になるかもしれないし、それがいやで自分たちを避けるようになるかもしれない」「『かわいそうに』と同情されたら、こちらもいやな気持ちになるだろう」「そうなったら、ご近所同士の関係が悪くなり、住みづらくなるかもしれない」……。そのようなことを考えているうちに、赤ちゃんをベビーカーに乗せて公園に出かけ、親同士の友だちをつくる「公園デビュー」もしにくくなると、地域では、親子で孤立した状況になってしまいます。成長するに従い、子どもの成長・発達に違いが出てきます。同じ時期に生まれた赤ちゃんが歩けるようになったり、言葉が話せるようになったりしてくると、周囲から質問されるようになります。「まだ歩かないの？　でも、歩きはじめるのが遅い子もいるから大丈夫」とか、「言葉が出るのが遅い子もいるよ。私の知っている子なんて、〇歳でやっと話せるようになったけど、今ではおしゃべりで……」と言われたりして、子どもに障害があることを自分から話さなければ、わかってもらえない状況になっていきます。

## （3）「障害もわが子の一部」という気づき

　親は子どもに障害があることを周囲に話せない理由について考えることでしょう。しかし、長い時間の気持ちの葛藤を経て、「障害があることも含めて、わたしの大切な子どもなのではないだろうか。障害も子どもの一部であり、隠す必要はないのだ」と、子どもの存在のすべてを肯定することができるようになることは、社会の「障害」に対する否定的な価値観や差別的な意識から解放されることともいえます。

## 2 「中途障害」の家族の場合

　生まれたときに障害がない人も、病気や事故が原因で、人生の途中から障害をもつことになる場合があります。そのような状態を**中途障害**といいます。

### （1）配偶者が「中途障害」に

　たとえば、配偶者が中途障害になった場合を考えます。それまで元気に生活して働いていた人が、病気や事故で倒れたら、心配でいたたまれない気持ちになることでしょう。仕事をしながら毎日でも病院に様子を見にいくかもしれません。一方、自宅のそうじや洗濯もしなくてはいけませんし、自分の食事もつくる必要があります。

　子どもがいる場合、子どもの世話も必要です。親が1人入院でいなくなったわけですから、子どもも心配しています。さびしい気持ちをがまんしているかもしれません。子どもの気持ちを察して、やさしくかかわってあげる必要があることはわかっていても、配偶者のことが心配ですし、だれにも家事や子育てを分担してもらえない場合には、仕事の疲れも重なってイライラしてしまうかもしれません。

　子どもがさびしさから甘えたくてわがままを言っていることがわかっていても、強くしかってしまうかもしれません。子どもは大泣きし、その泣き声で押さえていた感情が爆発してしまうという悪循環におちいってしまい、家庭のなかの空気は張りつめたような状態になってしまうかもしれません。

### （2）退院し、家庭に戻ったあと

　その後、配偶者は障害をもって退院することになります。障害をもつことになったことで、配偶者の気持ちは沈みこんでいるかもしれません。話を聞いて、気持ちが前向きになるようはたらきかけなくてはならないでしょう。

　また、その人が働いていた場合、職場に戻ることができればよいですが、それができない場合には収入が減り、経済的な問題がでてくる可能性があります。出費を抑えるため生活費を切りつめるか、もっと収入のよい仕事を探さなくてはならないかもしれません。

　障害のある家族の介護も必要です。仕事、家事、子育て、家族の精神

254

的なサポートと介護、経済的な問題を１人でになう苦労を聞いてもらえる相手も、家族のなかにはいないとしたら、それがどのような状況なのか、想像しながら支援を考えることが必要です。

## 3 障害受容とは

障害受容❷とは、文字どおり、本人が自分自身の障害を受け入れたり、親が子どものもつ障害を受け入れたりすることをいいます。

❷障害受容
p.51参照

### （１）支援の現場での障害受容

支援の現場では、次のような会話が交わされるときがあります。

「Ａさんは、まだ障害受容できていないよね……」「Ｂちゃんのお母さんは、どうしたら子どもの障害受容ができるようになるだろう……」。

たとえば、けがで障害を負い、ずっとふさぎこんで、なかなか前向きになってリハビリに取り組もうとしない人がいた場合、障害受容のモデルでは、③混乱期から⑤適応期に進めない人、と考えるでしょう。そして、リハビリがうまく進まないのは、「本人が障害を受容していないからだ」と考えることは、そのことを本人の責任にしてしまうことになります。

子どもに障害があるかもしれないと考えた保育所の職員が、子どもの母親に医師の診断を受けることをすすめても、母親が「うちの子に障害はありません」と言って受診しようとしない場合、「お母さんは、子どもの障害受容ができていない」と言うことは、親を責めてしまうことにつながります。

### （２）障害受容の問題

田島[1]は『障害受容からの自由――あなたのあるがままに』のなかで、当事者の「受障後の心理過程は必ずしも『段階理論』どおりにはいかない、モデル先にありきの発想はかえって危険」「『障害受容』が、『いつの間にか、障害を持つ者の義務になってはいないだろうか？』」「疾病や障害を受容する過程は当事者のものであり、専門家や社会が強いるものではないはずである。『立派な障害者』を期待することは新たな社会的不利を形成してしまう」という言葉を紹介しています。

また、南雲[2]は、障害を負ったあとの心の苦しみについて、自分自

身のなかから生じるものを「自己受容」、他人から負わされるものを「社会受容」としました。そして、「障害受容とはこの2つの苦しみを緩和する方法」としたうえで、次のように述べています。

　　　「日本では自己受容イコール障害受容となり、社会受容が姿を消してしまいました。」
　　　「(自己受容は、)『私のため』というよりもむしろ家族や医療関係者を含む社会の人のためであることのほうが事実に近いようです。」
　　　「障害受容の本質は、『第一の心の苦しみ』のためではなくて、『第二の心の苦しみ』のためにあるからです。」

　さらに、スティグマは、「『第二の心の苦しみ』に対する答えの一つの方向」としたうえで、「スティグマは他者から見た"その人らしさ"(社会的アイデンティティ)を形作ります」と述べています。
　一方で、アメリカの社会学者のゴフマン (Goffman, E.) [3] は、社会的アイデンティティによって負わされる心の苦しみを「スティグマ(負の烙印・レッテル)」と名づけ、次のように述べています。

　　　「われわれ常人がスティグマのある人に対してとる態度、われわれが彼に関してとる行為はよく知られている。」
　　　「よくあることだが、スティグマのある人を、定義上当然完全な意味での人間ではない、とわれわれは思い込んでいる。このわれわれが無意識に自明としている前提に基づいて、われわれはいろいろな差別をし、ときに深く考えもしないで、事実上彼らのライフ・チャンスを狭めている。」

　田島は、「障害受容についての4つの提言」として、次のように提案しています。
① 完全に「障害受容」することなどできない。
② 専門家・支援者は「障害受容」は対象者に絶対に押し付けるな！
③ 専門家・支援者は「障害受容」を求めるのではなく、サービスの選択肢の少なさや障害に対する負の烙印を問題視すべきである。
④ 「障害受容できていない」と思わせる人は「孤立した状態にいる」

と捉え、行為レベルで一歩踏み出し、その人にとって希望の感じられる仲間（もちろん自分がなってもよい）やその人にとっての目前の課題をクリアできる支援につながるよう働きかけよう。

## 4 家族の人生計画の変更

これから結婚して家族をつくろうという年代の人であれば、結婚したらしばらくは2人で働き、その後子どもが生まれたら、育児休業後は子どもを保育所に通わせて2人で働いて、子どもには習いごとをさせて、休みには家族で旅行に行って……など、いろいろ将来のことを考えます。

では、生まれた子どもに障害があった場合や、配偶者が病気や事故で障害をもった場合はどうでしょうか。

### （1）子どもに障害があった場合

障害のある子どもを受け入れる保育所は増えてはきましたが、重度の障害がある場合、受け入れ先の保育所を探すことがむずかしい可能性があります。保育所が見つかったとしても、定期的な医療機関への通院やリハビリが必要な場合、仕事を休む必要がでてきます。

また、障害児の療育を行う児童発達支援センターや児童発達支援事業を利用する場合、保育所のように出勤時間の前から勤務時間が終わるまでといった長い時間の利用はできないので、自宅からの送り迎えを考えると、常勤職員として働きつづけることがむずかしくなる場合もあります。生まれる前に考えていた子どもの習いごとや家族旅行などの将来の計画も、考え直さなくてはならないかもしれません。

### （2）配偶者が病気や事故で障害をもつことになった場合

障害によって働くことがむずかしくなった場合、2人で働いて収入をえるという計画を、1人で働いて家計を支えるように見直しが必要になります。子どもがいる場合の子育てや、障害のある配偶者への介護や家事などを1人で行うことになるかもしれません。

このように、障害のある人の家族は、思い描いていた人生の計画を見直しながら生活しています。家族を支援しようとするとき、支援者には家族が口に出さない家族のもつ背景への想像力が求められます。

# 3 家族支援とは何か

　障害のある人の家族支援をするための福祉サービスのイメージとして、事例1・事例2を示します。

## 事例1　障害のある子どものいる家族の結婚式

　Cさんは夫と3人の子どもの5人家族で、1人の子どもには障害があります。ある日、Cさんのきょうだいが結婚することになり、家族で結婚式に出席することになりました。しかし、障害の重い子どもを連れて、正装して結婚式に出ることは困難です。相談支援専門員から「ショートステイにお子さんを預けて結婚式に出てはどうですか？」とすすめられました。

　Cさんは、親としてどのようなことを感じているでしょうか。また、障害のある子どもはどのように感じるでしょうか。

　きょうだいの結婚式であれば、一般的には家族・親族がそろって参加するものでしょう。しかし、障害のある子どもを連れて参加することがむずかしいため、その子をショートステイに預けて、ほかの家族だけで参加せざるをえないと考えています。

　結婚式は、相手の親族と知り合う機会でもありますし、親族そろって記念写真も撮ります。その機会を、障害のある子どもは失ってしまうことになります。本当は、障害のある子どもも含めて全員で参加したい、と考えるのではないでしょうか。

## 事例2　障害のある子どものいる家族のスキー旅行

　Dさんの3人いる子どものうちの1人には障害があります。あるとき、日帰りのスキー旅行を計画しました。障害のある子どもがいっしょだと、親のうちどちらかが障害のある子の面倒をみていなくてはなりません。そこで、ショートステイに障害のある子どもを預けて、スキー旅行に行くことを考えました。

258

Dさんは、親としてどのようなことを感じますか。また、障害のある子どもはどのように感じるでしょうか。

家族でスキー旅行に行くときに、障害のある子どもだけをショートステイに預けて連れていかないという選択は、親としては、どこかで、子どもに対して申し訳なくさびしい気持ちが残るのではないでしょうか。

## （1）家族支援に必要な視点

障害のある子どもの視点から考えると、家族・親族で参加する結婚式に、自分だけ出席できないとしたら、仲間外れにされたような気持ちにならないでしょうか。家族のスキー旅行に連れていってもらえないとしたら、悲しくさびしい気持ちにならないでしょうか。

家族支援を、家族の介護負担の軽減という視点だけで考えてしまうと、家族、障害のある本人の両方の気持ちの理解が抜け落ちてしまうおそれがあります。この2つの事例の場合、ほかにどのような支援の方法が考えられるでしょうか。

### 1 よりよい支援方法の提案

たとえば、事例1のように結婚式に家族だけでは対応がむずかしい場合、障害のある子どもに支援者が1人ついて、家族といっしょに参加する方法が考えられます。家族にとっても、障害のある子どもの対応を支援者に任せられるので、いっしょに無理なく参加できます。

事例2のスキー旅行の場合も、支援者が同行する方法が考えられます。スキー場での障害のある子どものそり遊びの対応は支援者が行い、家族はそれぞれスキーを楽しみ、お昼にはいっしょにご飯を食べたり、雪遊びをしたりしながら楽しい家族旅行の思い出をつくることができます。

写真5-1 結婚式での支援（障害のある子ども（前列左から3人目）と同行した支援者（後列左））

写真5-2 家族のスキー旅行での支援（障害のある子どものそり遊びに同行した支援者が撮った家族写真）

## 2 家族の負担軽減と家族の気持ち

次に、家族の介護負担を軽減する場合について考えます。家庭で生活する障害者の介護のにない手は、家族に負うところが大きいです。日々の障害者の家庭での生活を直接支援している家族にとって、介護を続けるために、その役割から一時的に解放されて、息抜きをする**レスパイトケア❸**は必要なことです。

ショートステイを利用して、何日間か障害のある家族を預け、日ごろの介護疲れを回復しようとした場合、家族は「この人も、本当は家ですごしたいと思っているのはわかっているけれど、わたしも時々休みがないと続かないから、申し訳ないけれどショートステイに泊まってきてもらおう」と思うかもしれません。

❸レスパイトケア
家族等の介護者に代わり、一時的に介護を提供するサービスのことで、具体的には放課後等デイサービスなどがある。

## 3 家族の負担軽減と本人の思い

今度は、障害のある本人の側から考えてみましょう。

介護している家族から、「介護負担の軽減のためにショートステイに行ってきてほしい」と言われた場合、障害のある人は「わたしの存在が、家族にとって負担になっているのだな。本当は家ですごしたいけれど、がまんしてショートステイに行ってこよう」という気持ちになるかもしれません。

## 4 ショートステイでの支援内容を考える

この問題を解決するにはどうしたらよいかを考えてみましょう。

ショートステイを利用している時間が、障害のある本人にとって、がまんを強いられるのではなく、本人がやりたいと思えることができ、すごしたい時間を希望どおりにすごすことができれば、本人も満足した生活を送ることができます。ショートステイの場所から、ふだん通っている学校や通所事業所に通うことができれば、自宅での生活を大きく変えることなく、ふだんと同じような生活を送ることができます。そうなれば、家族は自分の負担軽減のために、障害のある本人をショートステイに預けて申し訳ないという気持ちにならずにすむかもしれません。

## 5 家族支援と本人支援の本質は同じ

家族支援は、家族を支援することのようにみえて、本質は障害のある本人の生活を支援することであるといえます。家族支援と聞いて、家族の負担軽減の側面だけを考えてしまうと、家族も障害のある本人も本当は納得できないのに、仕方なくあきらめるという生活に誘導してしまうおそれがあります。

第 1 節 家族への支援とは

　家族の気持ち、障害のある本人の気持ちをそれぞれの立場になって考えてみて、どちらも納得できるような支援の選択肢を提案し、障害のある本人と家族に自分の望む選択をしてもらうことが重要であると思います。

## （2）家族のなかのきょうだい

　「障害のある人の家族」というと、一番に親が思い浮かばれて、きょうだいへの関心は薄くなりがちです。しかし、きょうだいも、障害のあるきょうだいの影響を受けて、さまざまな気持ちを抱えながら育ちます。スキー旅行の付き添いをした事例 2 のDさん家族のきょうだい（姉と弟）に、話を聞いてみました。

### ■ 姉の気持ち

　スキー旅行の写真の左端の姉は、結婚して 2 児の母になりました。親が障害のある妹の世話をしている様子を見て育ったため、子どもの頃は、「自分が親を困らせてはいけない」「自分が我慢すれば親が楽だろう」と思っていたそうです。たとえば、小学生のときに、学校で障害のある妹の真似をされてからかわれたことがあったそうです。姉は、それが悲しく、恥ずかしくて、自分が感じたことを親には感じさせたくない、親に言ってはいけないと思い、黙っていたそうです。

　そして、それ以来、妹の存在を隠そうとするようになり、結婚した夫に、最初に妹のことを話すときも勇気が必要だったそうです。自分にとって、かけがいのない存在の妹だとわかっていても、障害のある妹のことを話して受け入れられなかったらどうしようという不安と、自分が妹を差別しているのではないかという思いから、どのように話してわかってもらえばいいのか悩み、なかなか言えなかったということでした。

### ■ 弟の気持ち

　写真の中央に写っている弟は、親の会社を継ぎ、結婚して小学生の父になりました。弟は、障害のある姉のことを隠すことはなかったそうです。それは、隠したら自分が障害のある姉や、すべての障害のある人に対して差別することになるのではないかと考えていたからだそうです。

　友だちに障害のある姉のことを話すと、驚かれたり同情されたりすることはなかったものの、「そうなんだ」と言われて、その後は話題に出なかったということでした。弟の友だちに、障害のある人のきょうだい

261

はいないそうですが、もしいたら、人には話さない「障害のある人の
きょうだいあるある」の話題で盛り上がったと思う、と話してくれまし
た。同じ立場のきょうだい同士が出会うことで、きょうだいにしかわか
らない気持ちや体験を共有できる場があることが大切であると感じまし
た。

### 3 きょうだいへの理解

　アメリカのきょうだい支援プロジェクトの初代ディレクター、マイ
ヤー（Meyer, D. J.）は、きょうだいは、障害のある子どもの親の悩
みの多くを共有し、その他に、きょうだい特有の悩みもかかえている、
と述べています。たとえば、親が共有している情報が、きょうだいには
秘密にされたり、福祉サービスの提供者から無視されたりしたときに感
じる孤独。自分は障害から免れたという罪悪感。障害のある子どもに家
族の注意が集まったり、自分には許されない行動が障害のあるきょうだ
いには許されたりしたときの不満。学業、スポーツでよい成績をとるこ
とや、よい子でなければならないという重圧。障害のあるきょうだいの
将来における自分の役割に対する不安などをあげています。

　一方、きょうだいは、障害のあるきょうだいのよいところに目を向け
たりすることで、人への洞察力が成熟したり、障害のあるきょうだいや
家族を誇りに思い、健康と家族に感謝する気持ちをもつなどを、苦労の
末に獲得すると述べています。

　支援者は、きょうだいも含めて家族を考えているか、きょうだいが直
面する問題について理解しようとしているか、自己検証する必要がある
でしょう。

- - - - - - - - - - - - - - - - - - - - - - - - - - - - - - - - - - - - - - - - - - - - - - - - - - - - - - - - - - - - - - - - -

### ◆ 引用文献

1）田島明子編著『障害受容からの自由──あなたのあるがままに』シービーアール、
　　p.5、p.218、2015年
2）南雲直二『社会受容──障害受容の本質』荘道社、p.4、p.34、p.45、p.46、2002年
3）アービング・ゴッフマン著、石黒毅訳『スティグマの社会学──烙印を押されたアイ
　　デンティティ』せりか書房、p.19、2001年

### ◆ 参考文献

● 上田敏「障害の受容──その本質と諸段階について」『総合リハビリテーション』第8巻
　　第7号、pp.515〜521、1980年
● きょうだい支援プロジェクト初代ディレクター　ドナルド・マイヤー（Donald
　　Meyer）、きょうだい支援の会：訳「きょうだいの重要性を見過ごせない理由」きょうだ
　　い支援を広める会ホームページ（https://www.siblingjp.org/）

# 第2節

# 家族の介護力の評価と介護負担の軽減

### 学習のポイント

■ 家族と障害者、環境との関係性に着目した支援を意識する
■ 家族の歴史や考え方を尊重し、家族の介護力をふまえた支援について学ぶ

関連項目 ▶ ②『社会の理解』▶ 第1章「社会と生活のしくみ」

## 1 家族の介護力の評価

家族の介護力は、単に家族の構成や年齢、職業、健康状態等、表面的な情報から「家族が本人を介護する能力」ととらえがちですが、それだけでははかれません。なぜなら、障害者の家族自体が支援を必要としている場合も多いからです。

介護福祉職は、さまざまな支援場面で障害のある人のニーズに合わせながら援助しますが、そのなかで家族としてかかえるニーズに出会うことも多くあります。そして、支援をはじめる手がかりを見いだすために適切なアセスメントが必要となります。現在はとくに、虐待、育児不安、障害者自身と家族の高齢化による介護負担の増加など、家族との生活における問題が複雑さを増しています。

そのため、実際の支援場面では障害者個人への支援だけにとどまらず、家族もまた支援対象者となっている場合が多くみられます。生活上の問題が、「障害者個人に起因するものなのか」「家族に起因するものなのか」それとも「両者の関係性や環境などから派生していることなのか」を見さだめながら、評価をすることが大切です。

### （1）個人と家族全体をみる視点

家族を構成する個人と家族全体の生活をみわたし、適切なアセスメン

トをすることが、家族の介護力をふまえた支援を行うための基本です。

「虫の目と鳥の目」という言葉があります。支援者は「虫の目」で生活場面の近い場所から障害者自身と家族構成員をとらえがちですが、時には「鳥の目」のように空高くから下を眺めるように、家族全体をとらえる目で見ることで、さまざまな感情や関係性の濃淡が把握され、より適切なアセスメントにつながることになります。

### ■1 家族構成員の主観の差異を認める

人はさまざまな集団に属して生活をしています。地域、学校、仕事、趣味のサークルや世代ごとの仲間などたくさんの集団があります。一見、家族が暮らす地元地域では隣組とのかかわりはなく、孤立しているようにみえても、実は地元から離れた仕事や趣味サークル、学校などのレベルでのつながりがあることも多くあります。また、子どもには子どもの世代としての常識や価値観、親には親の世代やこれまでの環境からくる価値観などがあるため、それらを尊重しなければなりません。

家族間の関係性によっては、家族内で印象深く共有されているエピソードや情報1つとっても、その感想やもっている印象は家族1人ひとりでは大きく異なることがあります。家族全員からの情報を収集し、総合的にアセスメントすることにより、家族の真の姿を浮かびあがらせることになるのです。

### ■2 ヤングケアラーの問題

2020（令和2）年3月、全国に先駆けて、**埼玉県ケアラー支援条例❶**が成立し、介護や看病、療育が必要な家族や近親者を無償でサポートする人への支援策について、1つの考えが示されました。

この条例において、「高齢、身体上又は精神上の障害又は疾病等により援助を必要とする親族、友人その他の身近な人に対して、無償で介護、看護、日常生活上の世話その他の援助を提供する者」がケアラーと定義され、そのうち18歳未満の者がヤングケアラーとして定義されています。

近年特に、その問題性が強く指摘されているのは、**ヤングケアラー❷**についてです。要介護状態の家族のために大人が担うような介護を行い、家族の世話や家事などを担わざるをえなくなっている子どもや若者のことです。その結果、友人関係などが希薄になり、孤立やひきこもりの原因になったり、就職や進学を断念せざるをえない状況に追い込まれることが社会問題化しています。

---

**❶埼玉県ケアラー支援条例**

介護者（ケアラー）の社会的な孤立防止や「介護する子ども」への支援などを求める動きを受け成立した。「全てのケアラーが個人として尊重され、健康で文化的な生活を営むことができるように」することを明記し、県や県民、関係機関が連携しながらケアラーを社会全体で支えていくことや、県が推進計画をつくることなどを定めている。

**❷ヤングケアラー**

ヤングケアラーに関するはじめての実態調査（「令和2年度 子ども・子育て支援推進調査研究事業 ヤングケアラーの実態に関する調査研究報告書（令和3年3月）」三菱UFJリサーチ＆コンサルティング）によると、「世話をしている家族がいる」という生徒の割合は、中学生（中学2年生）が5.7％でおよそ17人に1人、全日制高校の生徒（高校2年生）が4.1％でおよそ24人に1人。世話をしている家族「父母」「祖父母」「きょうだい」のうち、きょうだいの割合がもっとも高い結果であった。

介護福祉職は家族全体の状況を確認、アセスメントする際には、単に「介護する側」と「される側」といった2つの視点だけで判断してしまうと、ケアラーが抱える問題や悩みを見過ごしてしまう可能性があります。そのため、家族構成員の主観や差異を認めながら、介護者の気づきにくい問題にも目を向けて、早期発見・支援にも努めなければなりません。ヤングケアラーについては、「経済財政運営と改革の基本方針2021」に盛りこまれ、今後、対策が講じられる予定です。

高齢化が進む社会のなかで、ヤングケアラーは今後さらに増えていくことが予想されるため、安易に家族による介護が「できている」と判断しないことが重要です。日常の何気ない会話などから、事態が深刻化しないよう、注意深いアセスメントが求められています。

## （2）障害者と家族とのバランスがとれた関係づくり

障害者との関係性の構築は支援の基本となりますが、なかには障害者自身は困っておらず、その家族が支援を求めてくることがあります。その場合には、家族との関係性の構築から始めることになります。

障害者自身の周辺情報を含めた、家族の現状を聴き取ることで、問題の核心が浮かびあがってくることもあります。また、同居する家族のニーズと障害者自身のニーズが相反することも多くみられるため、どちらかを無視してしまうようなことは避けながらのていねいな関係性づくりが求められます。

### ❶ 関係性の構築を基盤としたアセスメント

障害者やその家族との関係性が築けていない状態で、日常生活に関するアセスメントを行おうとしても心を開いてくれず、想像や未確定な情報ばかりの評価におちいりやすくなります。

そこで、介護福祉職は障害者やその家族の意向を十分に聴き取り、思いや希望など、他人にはあまり知られたくないプライバシーを打ち明けられる関係性づくりを常に意識することが大切です。人としての信頼関係構築に向けた取り組みが、家族の介護力の評価を進める手がかりとなります。

### ❷ 家族の歴史と関係性の構築

家族介護において、家族は自分の生活を調整し、さまざまな役割や新たな経験をえています。その経験や思いが歴史となって重なり、家族の形がつくられることになります。これは一般的な家庭も同様であり、子

どもの成長や親の高齢化など、それぞれのライフステージごとに生じる新たな経験や思いが、家族の歴史を形成しています。

ある日突然、支援者が家族の現況や歴史を知ろうとしても、それは簡単なことではありません。とくに障害のある子どもが学齢期を過ぎ、社会に積極的に出る時期を迎えているのに社会参加がままならず、家族だけで障害のある子どもをかかえこんでしまうような生活を続けてきた場合には、さらに困難となります。まずは、ていねいな対応を心がけ、時間をかけて信頼関係の構築を進めていくことが肝要となります。

### 3 支援者1人の限界を意識する

家族の介護力と一口で言っても、それは広範囲で多岐にわたります。支援者1人がえられる情報の限界性を認識し、関係者とともに進めていくことが重要です。具体的には、複数の関係者が支援会議などを通じて有機的な連携をすることで、さまざまな情報やエピソードが集約されやすくなります。支援者自身が熱心になるあまり、ひとりよがりな支援になってしまう危険性を理解しておくことは重要です。

### 4 家族の訴えを聴くことの大切さ

障害のある利用者自身の生活環境をよりよくするために、家族の状態を多面的に理解することは支援を進めていくための環境づくりの第1歩になります。

たとえば、子どものひきこもりの問題では、ひきこもる子ども自身は何も困っていないように振るまいますが、その家族が困り果てて支援を求めてくることもしばしばあります。

### 5 時間をおしまず、障害者や家族のペースに寄り添う

関係性を構築するには、単純に費やした時間だけでは推しはかれません。「行きつ戻りつ」さまざまな援助場面を通じて築いていくことになります。近道は存在しないでしょうし、利用者のペースに合わせず無理をすれば、関係性の構築にはつながらず、かえって壊れてしまう可能性が高まることにも注意が必要です。

障害者自身が望む生活環境を整えつつ、家族も応援ができる環境づくりに焦りは禁物です。多くの時間がかかるものと心えておきましょう。

### 6 拙速な評価や判断は間違いを起こしやすい

一見すると、支援者からは非常に不合理な生活状態（たとえば、極端に汚れた部屋など）に家族がおかれているようにみえても、すぐに新たな提案や否定をすることは差し控えるべきでしょう。

第2節　家族の介護力の評価と介護負担の軽減

　たとえば、加齢にともなう日常生活上の変化は緩やかに生活全体を支配していきます。加齢に合わせ調理や入浴、そうじなど家事の手間を省き、いつしかそれがあたりまえとなってしまいます。非常に不合理な生活状態にみえますが、本人や家族は自覚していないことがほとんどです。しかし、その状態を頭ごなしに否定したり、修正したりすることは、家族の生き方を否定することになりかねません。家族1人ひとりが生きてきた歴史を大切にし、みな一生懸命生きている対象ととらえる視点を忘れてはなりません。

　ただし、虐待等の人権侵害が生じている場合は別です。行政等のしかるべき窓口に相談し、虐待状態の解消に向けた早急な介入が必要となります。

## （3）障害者や家族の可能性を引き出す

　ここまで家族のアセスメント時における留意点を述べてきましたが、重要なことは本人を中心としながらも、家族の夢や希望にも配慮した支援です。

　障害者やその家族が安心できる生活を実現するには、どのような援助が必要なのかを意識しなければ、家族の絆やモチベーションをうばいかねません。援助（代行）と支援を使い分けながら、障害者やその家族ができないことは援助（代行）し、工夫によって本人にできることを整理しながら支援をします。

　支援者の視点や常識的な価値観にもとづいたアセスメントを過信し、一方的に「こうあるべき」といった対応をしてしまうと、障害者やその家族にとって不必要な支援となってしまい、障害者の生活への満足度は高まりません。

　エンパワメントを意識した質の高い介護をめざし、1人ひとりが大切にしていることや、そうせざるをえなかった理由を、本人や家族とともに探していくような姿勢が支援者には求められます。

　障害者本人を中心とした質の高いサービス提供の基盤をつくるためには、与えられた環境のなかで、一見マイナスにみえることもプラスに転換する発想が必要です。

第5章　家族への支援

267

| 事例 1 | 家族環境の大きな変化を乗り越える事例 |

Ｅさん（30歳、療育手帳あり、重度）は、両親と兄夫婦の5人家族で長らく生活していました。Ｅさんは言葉がうまく出ませんが、単語程度で意思を伝えられます。兄夫婦はＥさんと同居はしているものの、父親から「Ｅのことは自分たちがすべて面倒をみるので、お前には迷惑をかけない。介護に手を出したり、心配をしなくていいんだ」と言われながら生活をしてきました。

3年前に父親が亡くなり、先月に母親も亡くなりました。Ｅさんの面倒をみる人は必然的に兄夫婦になりました。何をどうしたらよいかわからない兄夫婦は、障害者の施設へ入所をさせようと思い、市役所へ相談に行きました。市役所で相談支援専門員と話をするうちに、障害者に対するさまざまなサービスがあり、施設入所だけがＥさんの生活を応援することではないことに気づきました。

そして、Ｅさん自身にどこで生活をしたいかとたずねてみたところ「にいちゃん（との生活を望む）」という言葉が出ました。この短い言葉で兄の気持ちに大きな変化があらわれました。長い間、両親からＥさんに「かまうな」と言われたとおりにしていたが、本心ではきょうだいの情や思いもあって、自分の気持ちに背いていたことに気づいたのでした。兄の妻も同居をしたときからの胸のつかえが取れたとのことで、兄の気持ちを後押ししました。

その結果、Ｅさんは自宅で公的な福祉サービスも受けながら、兄夫婦と楽しく生活していくことになりました。

事例1のように、障害者本人を援助しているのはおもに親ですが、高齢化などの理由により、本人を援助することが徐々にむずかしくなります。親なきあとはきょうだいが本人を援助せざるをえない状況になります。しかし、うまくいかないことも多く、そのようなときに福祉へ援助を求めてくることがあります。

だれしも人生の大きな岐路に立ったとき、友人や家族、先生などさまざまな人に相談をし意見を聴いて、何かを決定した経験があるはずです。まずは、障害者の希望や夢を受け入れて保証し、障害者やその家族に問題やつまずきの原因などを説明し余計な不安をやわらげ、安心させることが大切です。また、身体や精神症状の不安などがある場合には、必要に応じて専門医へつなぐことも必要となります。

# 2 家族の介護力をふまえた支援

　介護福祉職が受ける日常的な相談は、それぞれの事業所において提供されるサービス内容に関することが多いと思います。福祉サービスの利用については制度が非常に複雑になっており、障害者やその家族は福祉サービスを利用したいけれども、「何をどうしてよいかわからない」という声を多く耳にします。そこで、相談支援事業所や福祉サービスを提供する事業所に相談してみるものの、福祉サービスを利用することを前提に、事業者側の一方的な説明になってしまうことが多くみられます。

　対応自体は間違いではないのですが、それだけでは本人の表面上の困りごとを知るだけで終わってしまう可能性が高く、背景にある問題や本来もっている「健康な部分」「強さ」「思い」「心の糧」などの**ストレングス❸**を推察し、引き出すような支援にはつながりません。

❸**ストレングス**
p.19参照

　本来は、障害者や家族の日常生活における現実的な悩みやストレスについて話し合い、必要な助言、指示をすることになります。これは知識不足、情報不足、生活技術の未熟により不適応が生じている場合に有効です。ストレス発散方法をいっしょに考え、健康感、自尊心、自信の回復をはかるという、エンパワメントを意識した支援となります。興味や関心があることを引き出し、相手のストレングスを探るような視点で応対できるきっかけとなります。

　また、障害者本人と家族のよい面を伝え、有能感（自分にはできるという気持ち）や自信をもってもらうことも重要です。障害者本人と家族のやる気を引き出し、内発的な動機づけを暗示、意識させることにつながります。

## （1）公的なサービスの利用

　障害や病気などの理由により、支援を受ける必要性を感じた場合に行政や相談の窓口、福祉サービスの事業所などへ連絡を取り、福祉専門職を頼ることは一般的になりつつあります。

　そこで、障害児者の公的な福祉サービスが必要となった場合、その提供を受けるための根拠となる法律は**障害者の日常生活及び社会生活を総合的に支援するための法律❹**（以下、障害者総合支援法）と**児童福祉法❺**の2つに規定されています。

❹**障害者の日常生活及び社会生活を総合的に支援するための法律**
p.27参照

❺**児童福祉法**
p.29参照

**❻相談支援専門員**
p.224参照

**❼サービス管理責任者**
p.228参照

それらの法律において、障害児者の福祉ニーズと公的な福祉サービス等の社会資源を適切につなぐ役割としては、**相談支援専門員❻**が想定されています。

また、直接の福祉サービスを提供する事業所には**サービス管理責任者❼**等が配置されており、事業所が提供するサービスを障害者のニーズに合わせ、支援場面でリアルタイムにきめ細かな調整をくり返しながらサービス提供することになります。

とくに意思表出や意思決定に支援が必要な障害者に対しては、十分な配慮が必要で家族の協力が不可欠となります。家族を含め、相談支援専門員やサービス管理責任者等がチームとなり、協働することで障害者への支援の質の向上が望めます。

## （2）障害者を中心とした支援と家族への配慮

障害のある人への介護は、本書のなかでもたびたび述べられているとおり、本人を中心におくことが基本となります。しかし現実には、障害者の表出した希望は、両親、家族の意見にかき消されて、家族主導の支援が行われてしまっていることは、さまざまな場面で指摘されています。

たとえば、就職時期を迎えた重度の知的障害者をかかえる家族は「安全」や「リスク」を重視してしまい、本人の人生の糧や夢など前向きな生き方を支える要素をわかりにくくしてしまうことがあります。障害のあるなしは関係なく、多くの人々にとって家族は唯一無二のかけがえのない存在です。その家族がよかれと考えて出した結果が、障害者の可能性をいちじるしくせばめてしまうことがあります。純粋な善意によるものであり、無意識によるものであるがゆえに、根深い問題に発展してしまうことがあります。

---

**事例2** **家族の意向が障害者本人の意思をみえにくくした例**

軽度の知的障害のある女性（Fさん）の、特別支援学校卒業時（18歳）の夢は、「〇〇ハンバーガーショップ」で働くことでした。しかし、家族を含めた関係者は、Fさんの能力ではむずかしいと考え、近隣の障害者の作業所を強くすすめました。Fさんもそれを受け入れて通所を開始しましたが、卒業後3年間で家族や作業所と何度もトラブ

ルを起こし、作業所を4度も変わることになりました。

そこで、もう一度Fさんの気持ちを確認したところ、ハンバーガーショップで働くことへの未練があり、本心をうまく表出できていなかったことがわかりました。家族と関係者は反省し、卒業時の支援に立ち戻り、ハンバーガーショップでの就職試験を受けることになりました。

結果は不採用でした。ですが、ハンバーガーショップからは、今後も作業所でのトレーニングを続けることで採用の可能性はあるので、再度採用試験を受けてほしいとの説明がありました。

それ以降、Fさんは見違えるように意欲的になり、作業所に通いながら力をつけ、2年後には、見事ハンバーガーショップで働くことができました。家族との関係性ももとどおり良好になり、家族の絆も強まりました。

## （3）本人主体の支援をするための環境

事例2では、親権や家族の価値観に配慮しながらも、本人主体の支援環境を整備することができ、その人らしい生活を取り戻す瞬間がありました。しかし、現実の生活場面では先天性の障害のある人の場合などは、家族との生活が長期化する傾向にあるため、障害者の主体性をうばうような現実が散見されます。

また、本来であれば就職や結婚などのライフステージの変化により、親から独立をする時期を迎えても、障害や病気などの理由で独立できない傾向が指摘されています。それゆえに親と本人だけの生活が長期化し、非常に密着性の高い関係が形成されることが、しばしば起こるのではないでしょうか。

このような状況を緩和させるために、2018（平成30）年度から障害者総合支援法に**自立生活援助**❽という、新たな福祉サービスが位置づけられました。自立生活援助は、賃貸住宅等における1人暮らしを希望する障害者が、安心して地域で生活することができるよう、一定期間にわたり、定期的な巡回訪問や随時の対応により、障害者の理解力、生活力等をおぎなう観点からの適切なタイミングに支援を受けることができるサービスです。

❽自立生活援助
p.30参照

### 1 円満な家族ばかりではない

障害者がおかれている状況によっては、家族そのものが障害を誘発させる原因や生活上の障壁になっている場合があります。常に家族の関係性は変化していくことを前提にかかわります。状況に応じて、支援の内容を変化させていくことが必要になります。

たとえば、「本人の障害や病気が重くなり、今まで以上の介護が必要になった」「家族構成員の死亡や高齢化により、家族のバランスが崩れた」ことが原因としてあげられます。それまで微妙なバランスで保たれていたものが、ふとしたきっかけで崩れ、極端な場合に過干渉や虐待といった問題としてあらわれます。

### 2 家族の関係性の変化に敏感であること

これまで潜在化していた家族の関係性の変化が、「他人に迷惑をかける」「これ以上はぜいたくだ」「家族だからがんばるべきだ」などといった家族としての遠慮や価値観により、さらに潜在化に拍車をかけることがあります。障害児への過干渉や虐待などのケースの場合においてはしつけや教育方針と主張することで、自己の行動を正当化している家族もあり、容認できる状態にはありません。

こうした家族に、「いつでも相談してください」「何でも話をうかがいます」というはたらきかけだけをしていても、必要な情報を聴き取ることはむずかしく、適切な支援につながらないことは明らかです。

そこで、日ごろからの支援場面において、障害者やその家族がおかれている状況の客観的なアセスメント（評価）を関係者とくり返しながら、常に家族の関係性の変化に敏感でありたいものです。家族関係や生育・生活史を含めたエピソードに対する、本人や家族構成員の反応、心理的葛藤などへの共感的理解も必要不可欠となるでしょう。

## （4）家族関係性の変化に着目した支援

家族にとって障害のある人の存在が一概にマイナスばかりを生じさせるわけではありません。障害があっても、その人が希望するその人らしい生活が実現されることで、家族は誇りを感じることができるなどプラスになることもあります。一度は強い失望感や不全感を感じ、家族全体が自暴自棄におちいっても、新たな人生の可能性や内発的な動機（やる気）を引き出すことができれば、家族の関係性がより強まるなど、プラスの変化や支援につながることもあります。

第 2 節　家族の介護力の評価と介護負担の軽減

そのため、障害者の成長やライフステージの変化に支援内容を合わせていくことで、障害者自身の内発的な動機（やる気）や環境の強さを引き出し、プラスに転じる機会になるような支援を意識することが重要となります。

## 1 家族のあり方は1つではない

家族との関係性について注意や配慮がともなう支援場面が現実にはあります。たとえば、親子の自立に対する考え方のへだたりがある場合やニートと呼ばれるような働かない子どもがいる場合などです。親と子の同居率が高いといわれる日本においては、必然のことといえるかもしれません。

一方、家族のあり方については非常に幅広な概念であり、単なる血縁関係や同居による関係だけが家族をあらわす言葉ではなく、さまざまな類型が考えられます。きょうだいや叔父叔母、祖父母、内縁関係、ステップファミリー❾や同性結婚など、「家族」という概念や環境にはさまざまな形があります。障害者自らがだれを家族と認識し、どのような関係性を望んでいるのかを把握しておくことは、今後の介護方針等を検討するうえで関係者が柱としてすえるような貴重な情報であると考えられます。

介護福祉職という立場だけから障害者に向き合うと、みえてこないことが多くあります。その結果、精度の高いアセスメントが行えなくなり、その後の支援に大きなくいちがいが生まれやすくなるのです。障害者や家族個々の思いや視点を考慮しながら、さらにその心理面のサポートによって家族関係性は変容するということを理解すべきでしょう。

家族の生活課題に対する対処行動に注目しながら「なぜだろう」といった姿勢で整理し、その可能性から家族をとらえたいものです。単に支援者や他人からの判断だけで家族を規定し、家族としての役割や責務（家族介護）を押しつけないことは、重要となります。

## 2 障害者を大切にしながら、家族としての幸福も追求する

障害者とその家族の関係性が非常に強い場合には、共同作業による支援ニーズと支援目標（どのように暮らしたいか）の選択と設定が、その出発点となります。こうしたなかで実際の支援過程では、生活や家族に対する自己の限られた体験や価値観から障害者やその家族をとらえるのではなく、社会のさまざまな問題の重層性や複合性を理解し、それに耐えうるチームづくりが求められています。常に障害者本人の感情や思い

❾ステップファミリー
再婚などによって、血縁のない親子・きょうだいなどの関係で構成された家族のこと。

第5章　家族への支援

を受容し、共感しながら、家族としての幸せを探求するような視点が支援方針を決めることとなります。

　次の事例3にみられるように、家族には本人に関するたくさんの情報やエピソードがあり、家族だけが知りうる、本人を理解するための大事な情報をもっています。しかし、家族はそのことに気づかないことが多くあります。プロ野球というものに興味をもたない家庭において、プロ野球は、何の価値ももたないことでしょう。しかし、Hさんの家庭においては人生の価値を高める大事なものであったことになります。ヘルパーのGさんが、身体が動かないといった機能障害による介護ニーズだけに着目せず、家族関係性などの環境に対しても感性をするどくして、福祉における価値を的確にとらえることができた結果ともいえます。

事例3 **家族関係性の変化に着目した支援例**

　障害者居宅介護従業者（ホームヘルパー）のGさんは、新しくHさん（身体障害者手帳1級、脳性麻痺による四肢体幹機能障害）の担当になりました。Hさんは45歳で、80歳を迎えた両親との3人暮らしでした。Hさんの障害は重く自分の意思を言葉にすることはできませんが、周りからの問いかけには「あー。うー」といった言葉と表情などで意思を表出することはできます。

　ある日のこと、Gさんはいつものように訪問して、入浴介助に入りました。これまでの入浴介助の訪問時には気がつかなかったのですが、Hさんはプロ野球が好きで、たまたまテレビ中継されていたプロ野球の応援に合わせて、声をあげていました。そのことを両親に確認すると、「昔はよく家族でナイターに行きました」「姉が嫁ぎ、私たち両親も年をとったので、連れていきたくてもいけないのです」とのことでした。ホームヘルプサービスの利用もなかなか決心ができなかったのですが、相談支援専門員や友だちのすすめでやっと利用を開始したとの苦しい胸のうちを話してくれました。介助中に昔家族で行ったナイターのことをHさんに問いかけたところ、Hさんは精一杯の笑顔と大きな声をあげて、「行きたい」意思を表出しました。

　Gさんは、1週間後のモニタリング会議でこのエピソードを関係者に報告し、新たに外出支援などを活用し、プロ野球観戦が実現することになりました。その後、両親はHさんの大きな変化を見て喜びました。ホームヘルプサービスを利用することで家族の介護負担が軽減す

るとともにHさんの社会参加が広がりました。Hさんだけではなく関係するすべての人が幸せな気持ちになった瞬間でした。

## （5）本人・家族の強さ、地域とのつながりを見つけるために

　介護福祉職は、さまざまな支援場面において障害のある人だけでなく、家族のかかえる問題に出会います。それは、虐待、育児不安、障害者および家族の高齢化による介護負担の増加など、問題が複雑さを増しており、1人の専門職だけでは対応がむずかしい状況にあります。

　その結果、障害福祉サービスの事業所、児童相談所や保育所における障害児への援助、家族構成員の疾病にともなう入院など、事業所や機関、場面のいかんを問わずその対応は多方面にわたっています。

　介護福祉職はこのことを念頭におき、障害者や家族のアセスメント時や支援場面を通じて、自己の判断を常に点検する場が必要となっています。自己の力を過信せず、本人・家族・地域・関係者の可能性を信じて、日々の活動にあたりたいものです。

-----

◆ 参考文献

● チャールズ・A・ラップ、リチャード・J・ゴスチャ、田中英樹監訳『ストレングスモデル［第3版］──リカバリー志向の精神保健福祉サービス』金剛出版、2014年
● 小澤温監、埼玉県相談支援専門員協会編『相談支援専門員のためのストレングスモデルに基づく障害者ケアマネジメントマニュアル──サービス等利用計画の質を高める』中央法規出版、2015年
● 日本相談支援専門員協会編『障害のある子の支援計画作成事例集──発達を支える障害児支援利用計画と個別支援計画』中央法規出版、2016年
● 小口将典「ソーシャルワーク実践における家族への臨床的面接──生活課題への対処行動に注目して」愛知淑徳大学論集福祉貢献学部篇第1号、2011年

## 演習5-1　家族支援の基礎的な理解

次の文章について、正しいものには〇、誤っているものには×をしてみよう。

① (　　) 社会のなかには、障害者に対する否定的な価値観や差別的な意識が存在していると考えられる。
② (　　) 障害受容は、親が子どもの障害を受け入れる場合にはみられない。
③ (　　) 障害者の支援には、障害者本人のほかに家族のニーズもアセスメントする必要がある。
④ (　　) 知識不足、情報不足による障害者・家族の悩みやストレスは、当事者に代わり介護福祉職が全面的に解決する。
⑤ (　　) ライフステージの変化に対応できるよう、福祉サービスに自立生活援助が位置づけられた。

## 演習5-2　障害のある人の家族を支えるために必要なこと

次の事例を読んで、Jさんと母親を支えるためのそれぞれへのはたらきかけについてグループで話し合ってみよう。

> Jさん（19歳、男性、脳性麻痺、身体障害者手帳1級）は、特別支援学校高等部を卒業したところです。Jさんに知的障害はなく車いすを使用しています。働きたい希望をもっていますが、適した通所先が見つかっていません。母親は日々の介護で疲弊しており、Jさんの将来のことを相談する余裕もなく、1日1時間の居宅介護サービスを利用しながら、何とか生活を続けています。母親は、「疲労感が強まってきており、このままでは壊れてしまいそう」と介護福祉職に訴えてきました。

**1** Jさんへのはたらきかけ


**2** Jさんの母親へのはたらきかけ

# 索引

## 欧文

| | |
|---|---|
| ADHD | 201 |
| AIDS | 135 |
| ALS | 209 |
| ASD | 199 |
| B型肝炎 | 143 |
| CAPD | 115 |
| CD4陽性細胞 | 135 |
| Child-Pugh分類 | 147 |
| CKD | 113 |
| COPD | 104 |
| CRAFTモデル | 206 |
| C型肝炎 | 143 |
| DSM | 172 |
| GERD | 156 |
| Gowers徴候 | 213 |
| HIV | 135 |
| HOT | 106 |
| HPN | 131 |
| ICD | 98、172 |
| …の注意点 | 100 |
| ICF | 5 |
| ICIDH | 5 |
| ICT | 166、200 |
| IL運動 | 16 |
| IQ | 150、160 |
| LD | 200 |
| LGBTQ | 139 |
| MRC息切れスケール | 109 |
| MSM | 139 |
| NIPD | 115 |
| NPPV | 108 |
| TPN | 130 |
| TPPV | 108 |
| WHO | 5 |

## あ

| | |
|---|---|
| 悪性関節リウマチ | 211 |
| …の症状 | 212 |
| アスペルガー症候群 | 199 |

| | |
|---|---|
| アセスメント | 263 |
| アドボカシー | 24 |
| アドボケイト | 24 |
| 安静時狭心症 | 97 |
| 安静時振戦 | 210 |
| 安全欲求 | 49 |
| 暗点 | 70 |
| 医学的リハビリテーション | 16 |
| 医学モデル | 3 |
| 育成医療 | 31、66 |
| 医師 | 245 |
| 意思決定支援 | 24 |
| …の基本原則 | 24 |
| 意思疎通支援 | 80、95 |
| 意思伝達装置 | 108 |
| 胃食道逆流症 | 156 |
| 医療型児童発達支援 | 31 |
| 医療型障害児入所施設 | 31 |
| 医療受給者証 | 216 |
| 医療的ケア児 | 151 |
| 医療的ケア児及びその家族に対する支援に関する法律（医療的ケア児支援法） | 151 |
| イレオストミー | 123 |
| 胃ろう | 129 |
| インクルージョン | 17 |
| 陰性症状 | 176 |
| インターフェロン | 143 |
| インテグレーション | 17 |
| インフォーマルな社会資源 | 224 |
| ウイルス肝炎 | 143 |
| 植込み型除細動器 | 98 |
| …の注意点 | 100 |
| ウェルニッケ失語 | 82 |
| ヴォルフェンスベルガー, W. | 13、14 |
| うっ血 | 97 |
| うつ症状 | 178 |
| うつ熱 | 62 |
| うつ病 | 177 |

| | |
|---|---|
| 上乗せ支給 | 43 |
| 運転補助装置 | 65 |
| 運動機能障害 | 56 |
| 運動失調 | 62 |
| 運動性構音障害 | 83 |
| 運動性失語 | 82 |
| 壊死性腸炎 | 129 |
| 絵文字 | 85 |
| 遠視 | 69 |
| 援助機器 | 166 |
| エンパワメント | 18、225、269 |
| エンパワメント・アプローチ | 19 |
| 黄疸 | 144 |
| 大島の分類 | 150 |
| オストメイトマーク | 126 |
| 音声障害 | 82 |
| …の種類 | 83 |

## か

| | |
|---|---|
| 外因性精神障害 | 172 |
| 介護給付 | 28、227 |
| 介護支援専門員 | 42 |
| 介護の社会化 | 39 |
| 介護福祉士 | 247 |
| 介護福祉職の役割 | |
| …（肝臓機能障害） | 146 |
| …（呼吸器機能障害） | 112 |
| …（小腸機能障害） | 133 |
| …（心臓機能障害） | 103 |
| …（腎臓機能障害） | 119 |
| …（発達障害） | 207 |
| …（ヒト免疫不全ウイルスによる免疫機能障害） | 139 |
| 介護保険サービス | 40 |
| 介護保険制度 | 39 |
| 外傷性脳損傷 | 187 |
| 回腸導管 | 121 |
| ガイドヘルパー | 74 |
| 学習障害 | 174、200 |
| 家族会 | 225 |

家族
…の介護負担の軽減 260
…の介護力 263
…の心理（高次脳機能障害）… 190
家族への支援 252
…（きょうだい） 261
…（高次脳機能障害） 195
…（中途障害） 254
…（発達障害） 204
下腿義足 64
片麻痺 58
活動 6
寡動 210
仮面様顔貌 210
ガワーズ徴候 213
肝移植 144
感音性難聴 77
感覚障害 58
感覚性失語 82
肝がん 143
環境因子 6
環境調整 194
肝硬変 144
看護師 246
間質性肺炎 105
感情障害 177
…の症状 178
冠（状）動脈 96
関節リウマチ 211
…の症状 212
完全参加と平等 20
感染防御 141
完全麻痺 58
肝臓機能障害 142
…のある人の心理 145
…のある人の生活 145
…のある人への支援 145
…の原因 143
…の重症度分類 147
…の特性 144
浣腸 124
記憶障害 186
気管カニューレ 107
気管切開 107、153
気管切開下陽圧人工呼吸 108

基幹相談支援センター 229
…との連携 229
起座呼吸 97
義肢 64
義肢装具士 246
器質性音声障害 83
器質性構音障害 83
器質性精神障害 173
義手 64
義足 64
吃音症 201
機能障害 5
機能性音声障害 83
機能性構音障害 83
気分障害 177
…の症状 178
基本相談支援 28
救急救命士 247
急性灰白髄炎 15
急性肝炎 143
急性腎不全 113
キュード・スピーチ 91
教育的リハビリテーション 17
協議会 231
…との連携 231
…の機能 231
狭心症 96
胸水 144
共生型サービス 44
共生社会 223
共同生活援助 30、41
強度行動障害 199
強度行動障害支援者養成研修 200
虚血性心疾患 96
居宅介護 30
居宅訪問型児童発達支援 31
筋萎縮性側索硬化症 209
筋強剛 210
筋緊張亢進（重症心身障害）… 152
筋固縮 210
近視 69
筋ジストロフィー 62、213
…の症状 213
口すぼめ呼吸 109

クローン病 129
訓練等給付 28、227
ケアマネジメント 223
ケアマネジャー 42
ケアラー 264
計画相談支援 28、31、228
経管栄養の種類 130
経管栄養法 129
経済的虐待 36
形態障害 5
経鼻経管栄養法 129
血液透析 115
…のしくみ 114
…の特徴 116
欠乏欲求 49
限局性学習障害 200
言語障害 82
…のある人のコミュニケーション 85
…のある人の生活 84
…のある人への支援 84
…の特性 83
言語聴覚士 246
幻肢痛 63
抗HIV薬 135
構音障害 82、188
…の種類 83
光覚 69
光覚弁 72
口腔ケア（小腸機能障害）… 132
後見 38
高次脳機能障害 82、184
…のある人の心理 189
…のある人の生活 191
…のある人への支援 192
…の原因 186
…の原因（子ども） 188
…の症状 186
…の特性 188
高次脳機能障害支援拠点機関 195
高次脳機能障害支援モデル事業 185
高次脳機能障害診断基準 185
拘縮 59

更生医療 ……………………… 31、66
構造化 ……………………… 194
後天性難聴 ……………………… 77
後天性免疫不全症候群 ……… 135
行動援護 ……………………… 30
公認心理師 ……………………… 247
広汎性発達障害 ……… 174、199
合理的配慮
　……… 22、34、95、204、222
口話 ……………………… 80
誤嚥 ……………………… 156
誤嚥性肺炎 ……………………… 156
呼吸器機能障害 ……………… 104
…のある人の心理 ……………… 110
…のある人の生活 ……………… 110
…のある人への支援 ……………… 110
…の原因 ……………………… 104
…の特性 ……………………… 108
呼吸障害（重症心身障害）……… 153
国際疾病分類 ……………… 172
国際障害者年 ……………… 20、28
国際障害者年推進本部 ……… 20
国際障害分類 ……………………… 5
個人因子 ……………………… 6
ゴフマン, E. ……………………… 256
個別支援計画 ……………… 228
コミュニケーションエイド ……… 85
コロストミー ……………………… 123
混合性難聴 ……………………… 77
コンフリクト ……………………… 239
混乱期 ……………………… 52

## さ

サーカディアンリズム ………… 92
サービス管理責任者 ……… 228、270
サービス担当者会議 ……………… 32
サービス等利用計画 ……… 32、41
サービス等利用計画案 … 32、227
在宅酸素療法 ……………… 106
在宅中心静脈栄養法 ……… 130
埼玉県ケアラー支援条例 ……… 264
作業療法士 ……………… 246
錯語 ……………………… 82
参加 ……………………… 6
酸素カニューラ ……………… 107

…の管理 ……………………… 111
酸素供給装置 ……………… 106
シーティング ……………… 155
支援費制度 ……………………… 28
歯科医師 ……………… 245
歯科衛生士 ……………… 247
歯科技工士 ……………… 247
視覚
…の異常 ……………………… 69
…の機能 ……………………… 68
視覚失認 ……………………… 83
視覚障害 ……………………… 68
…のある人の心理 ……………… 72
…のある人の生活 ……………… 73
…のある人への支援 ……………… 73
…の原因 ……………………… 70
…の特性 ……………………… 72
視覚障害者安全つえ ……………… 74
視覚と知的の重複障害 ……… 92
色覚 ……………………… 69
色覚異常 ……………………… 69
自己決定 ……………………… 24
自己実現欲求 ……………… 50
自己導尿 ……………… 123
四肢欠損 ……………………… 59
四肢切断 ……………………… 62
四肢麻痺 ……………………… 58
自助グループ ……………… 182
姿勢障害（重症心身障害）……… 152
姿勢反射障害 ……………… 210
施設入所支援 ……………… 30
持続可動式腹膜透析 ……… 115
肢体不自由 ……………………… 56
…のある人の心理 ……………… 63
…のある人の生活 ……………… 63
…のある人への支援 ……………… 65
…の原因 ……………………… 57
…の原因となる疾患 ……………… 60
…の種類 ……………………… 56
…の特性 ……………………… 57
市町村地域生活支援事業 ……… 227
失語症 ……………… 82、186
失書 ……………………… 83
失聴 ……………………… 76
失読 ……………………… 83

失認症 ……………………… 186
指定特定相談支援事業 ……… 229
指定難病 ……………… 209
児童発達支援 ……………… 31
児童福祉法 ……………………… 11
視能訓練士 ……………… 246
自閉症 ……………………… 199
自閉症スペクトラム ……………… 199
視野 ……………………… 69
視野異常 ……………………… 69
社会資源 ……………… 224
…（肝臓機能障害）……………… 147
…（言語障害）……………………… 85
…（心臓機能障害）……………… 103
…（腎臓機能障害）……………… 120
…（精神障害）……………… 182
…（ヒト免疫不全ウイルスによる
　　免疫機能障害）……………… 141
社会的行動障害 ……… 186、194
社会的障壁 ……………… 203
社会的排除 ……………………… 17
社会的不利 ……………………… 5
社会的包摂 ……………………… 17
社会的リハビリテーション ……… 16
社会福祉士 ……………… 247
社会モデル ……………………… 3
視野狭窄 ……………………… 69
弱視 ……………………… 72
弱視手話 ……………………… 89
弱視難聴 ……………………… 88
弱視ろう ……………………… 88
遮光眼鏡 ……………………… 74
シャント ……………… 115
重症心身障害 ……………… 149
…に併発する二次障害 ……… 154
…のある人への支援 ……………… 155
…の原因 ……………………… 150
…の特性 ……………………… 152
重症心身障害児（者）……… 149
…の姿勢 ……………………… 153
重度障害者等包括支援 ………… 30
重度訪問介護 ……………… 30
就労移行支援 ……………… 30、37
就労継続支援（A型）……… 30、37
就労継続支援（B型）…… 30、37

就労支援（障害者雇用促進法）
………………………… 36
就労支援（障害者総合支援法）
………………………… 37
就労定着支援 …………… 30、37
手動弁 …………………… 72
手話 ……………………… 80
障害児相談支援 ………… 29、31
障害児の定義 …………… 11
障害者
…（障害者基本法による定義）
………………………… 4
…（障害者総合支援法による定義）
………………………… 9
…の概数 ………………… 7
…の定義 ………………… 8
障害者基本法 ……… 4、32、251
障害者虐待 ……………… 36
…の定義 ………………… 36
…の類型 ………………… 36
障害者虐待の防止、障害者の養護
者に対する支援等に関する法律
（障害者虐待防止法）……… 34
…の概要 ………………… 35
障害者権利条約 …… 3、22、32
…の目的 ………………… 22
障害者雇用促進法 ……… 34
障害者雇用納付金制度 ……… 37
障害者雇用率制度 ……… 37
障害者差別解消支援地域協議会
………………………… 34
障害者差別解消法 ……… 32、203
…の概要 ………………… 33
障害者就業・生活支援センター
………………………… 38
障害者自立支援法 ……… 28
障害者政策委員会 ……… 23
障がい者制度改革推進会議 …… 2
障害者総合支援法 ……… 27
障害者相談支援事業 …… 229
障害者に関する世界行動計画… 15
障害者の権利に関する条約 …… 22
障害者の雇用の促進等に関する法
律 ……………………… 34
障害者の日常生活及び社会生活を

総合的に支援するための法律
………………………… 27
障害者福祉制度と介護保険制度の
違い …………………… 40
障害受容 ………………… 51
…（家族）……………… 255
…（肢体不自由）……… 63
障害年金 ………………… 243
障害のある人の心理 …… 48
障害の告知 ……………… 54
障害福祉サービス ……… 226
…の支給決定プロセス …… 227
障害福祉サービス等の提供に係る
意思決定支援ガイドライン… 24
障害を理由とする差別の解消の推
進に関する法律 ……… 32、203
消化器ストーマ ………… 123
…の種類 ………………… 123
症状性精神障害 ………… 173
小腸機能障害 …………… 128
…のある人の心理 ……… 131
…のある人の生活 ……… 131
…のある人への支援 …… 132
…の特性 ………………… 131
小児慢性特定疾病 ……… 216
承認欲求 ………………… 49
職業的リハビリテーション … 17
触手話 …………………… 89
触読手話 ………………… 89
職場適応援助者 ………… 37、207
職場復帰支援 …………… 37
助産師 …………………… 245
所属・愛情欲求 ………… 49
ショック期 ……………… 51
ジョブコーチ …………… 37、207
自立訓練 ………………… 74
自立訓練（機能訓練）…… 30
自立訓練（生活訓練）…… 30
自立支援医療 ……… 28、31、66
自立支援給付 …………… 28、226
自立生活運動 …………… 16
自立生活援助 …………… 30、271
自立生活センター ……… 16
視力 ……………………… 68
腎移植 …………………… 115

心因性精神障害 ………… 172
心筋梗塞 ………………… 96
腎硬化症 ………………… 117
人工喉頭 ………………… 85
人工呼吸器 ……… 107、154
人工呼吸療法 …………… 107
人工内耳 ………………… 79
心身機能 ………………… 6
心臓機能障害 …………… 96
…のある人の心理 ……… 100
…のある人の生活 ……… 100
…のある人への支援 …… 102
…の原因 ………………… 98
…の特性 ………………… 99
腎臓機能障害 …………… 113
…のある人の心理 ……… 117
…のある人の生活 ……… 118
…のある人への支援 …… 118
…の原因 ………………… 116
…の特性 ………………… 117
身体構造 ………………… 6
身体障害者手帳 ………… 10
身体障害者の定義 ……… 10
身体障害者福祉法 ……… 10
身体的虐待 ……………… 36
心不全 …………………… 97
腎不全 …………………… 113
心理的虐待 ……………… 36
診療放射線技師 ………… 246
遂行機能障害 …………… 186
ズービン, J. ……………… 173
すくみ足 ………………… 210
スタンダードプリコーション
………………………… 141
スティグマ ……………… 256
ステップファミリー …… 273
ストーマ ………………… 67
…装具の交換 …………… 125
ストレス―脆弱性モデル …… 173
ストレス反応 …………… 174
ストレスモデル ………… 173
ストレングス …………… 19、269
…の理解 ………………… 20
ストレングスモデル …… 19、180
スプリング, B. …………… 173

280

生活介護‥‥‥‥‥‥‥‥‥ 30
生活機能‥‥‥‥‥‥‥‥‥ 6
生活機能障害度‥‥‥‥‥‥ 210
生活のしづらさなどに関する調査
　（全国在宅障害児・者等実態調
　査）‥‥‥‥‥‥‥‥‥‥‥ 56
生活不活発病‥‥‥‥‥‥‥ 92
精神作用物質‥‥‥‥‥‥‥ 175
…の種類‥‥‥‥‥‥‥‥‥ 176
精神疾患の診断と統計マニュア
　ル‥‥‥‥‥‥‥‥‥‥‥ 172
精神障害‥‥‥‥‥‥‥‥‥ 172
…のある人の心理‥‥‥‥‥ 178
…のある人の生活‥‥‥‥‥ 178
…のある人への支援‥‥‥‥ 179
…の原因‥‥‥‥‥‥‥‥‥ 173
…の種類‥‥‥‥‥‥‥‥‥ 174
…の特性‥‥‥‥‥‥‥‥‥ 175
精神障害者の定義‥‥‥‥‥ 10
精神障害者保健福祉手帳‥‥ 11
精神通院医療‥‥‥‥‥ 31、66
精神・発達障害者しごとサポー
　ター‥‥‥‥‥‥‥‥‥‥ 207
精神保健及び精神障害者福祉に関
　する法律‥‥‥‥‥‥‥‥ 10
精神保健福祉士‥‥‥‥‥‥ 247
精神保健福祉法‥‥‥‥‥‥ 10
成長欲求‥‥‥‥‥‥‥‥‥ 49
性的虐待‥‥‥‥‥‥‥‥‥ 36
性的マイノリティ‥‥‥‥‥ 139
成年後見制度‥‥‥‥‥‥‥ 38
成年後見制度の利用の促進に関す
　る法律（成年後見制度利用促進
　法）‥‥‥‥‥‥‥‥‥‥ 38
生理的欲求‥‥‥‥‥‥‥‥ 49
世界自閉症啓発デー‥‥‥‥ 197
世界保健機関‥‥‥‥‥‥‥ 5
脊髄小脳変性症‥‥‥‥‥‥ 62
脊髄損傷‥‥‥‥‥ 58、60、64
接近手話‥‥‥‥‥‥‥‥‥ 89
全失語‥‥‥‥‥‥‥‥‥‥ 82
洗腸‥‥‥‥‥‥‥‥‥‥‥ 124
先天性難聴‥‥‥‥‥‥‥‥ 77
全人間的復権‥‥‥‥‥‥‥ 15
全盲‥‥‥‥‥‥‥‥‥‥‥ 72

全盲難聴‥‥‥‥‥‥‥‥‥ 88
全盲ろう‥‥‥‥‥‥‥‥‥ 88
躁うつ病‥‥‥‥‥‥‥‥‥ 177
双極性障害‥‥‥‥‥‥‥‥ 177
躁症状‥‥‥‥‥‥‥‥‥‥ 178
相談支援‥‥‥‥‥‥‥‥‥ 28
相談支援事業‥‥‥‥‥‥‥ 228
…等との連携‥‥‥‥‥‥‥ 228
相談支援専門員
　‥ 32、42、224、227、229、270
ソーシャルインクルージョン
　‥‥‥‥‥‥‥‥‥‥ 17、222
ソーシャルエクスクルージョン
　‥‥‥‥‥‥‥‥‥‥‥‥ 17
咀嚼嚥下障害（重症心身障害）
　‥‥‥‥‥‥‥‥‥‥‥‥ 154

## た

ダイアライザー‥‥‥‥‥‥ 115
体性感覚‥‥‥‥‥‥‥‥‥ 73
多機能トイレ‥‥‥‥‥‥‥ 125
多職種連携‥‥‥‥‥‥‥‥ 240
タックマンモデル‥‥‥‥‥ 239
ダブルケアマネ‥‥‥‥‥‥ 42
短期入所‥‥‥‥‥‥‥‥‥ 30
断酒会‥‥‥‥‥‥‥‥‥‥ 182
痰の吸引‥‥‥‥‥‥‥‥‥ 213
単麻痺‥‥‥‥‥‥‥‥‥‥ 58
地域移行支援‥‥‥‥‥ 31、179
地域生活支援拠点‥‥‥ 230、233
…との連携‥‥‥‥‥‥‥‥ 233
…の機能‥‥‥‥‥‥‥‥‥ 234
地域生活支援事業‥‥‥ 29、226
地域相談支援‥‥‥‥‥ 28、179
地域定着支援‥‥‥‥‥ 31、179
地域のサポート体制‥‥‥‥ 222
地域包括ケアシステム‥ 216、235
チームアプローチ‥‥‥‥‥ 236
…（肝臓機能障害）‥‥‥‥ 146
…（呼吸器機能障害）‥‥‥ 112
…（視覚障害）‥‥‥‥‥‥ 75
…（肢体不自由）‥‥‥‥‥ 67
…（小腸機能障害）‥‥‥‥ 133
…（心臓機能障害）‥‥‥‥ 103
…（腎臓機能障害）‥‥‥‥ 119

…（直腸機能障害）‥‥‥‥ 127
…（発達障害）‥‥‥‥‥‥ 203
…（ヒト免疫不全ウイルスによる
　免疫機能障害）‥‥‥‥‥ 140
…（膀胱機能障害）‥‥‥‥ 127
蓄尿袋‥‥‥‥‥‥‥‥‥‥ 122
チック‥‥‥‥‥‥‥‥‥‥ 201
知的障害‥‥‥‥‥‥‥‥‥ 160
…のある人への支援‥‥‥‥ 162
…の原因‥‥‥‥‥‥‥‥‥ 162
知的障害者の定義‥‥‥‥‥ 10
知的障害者福祉法‥‥‥‥‥ 10
知能区分‥‥‥‥‥‥‥‥‥ 162
知能指数‥‥‥‥‥‥ 150、160
チャイルド・ピュー分類‥‥ 147
注意欠陥多動性障害‥‥‥‥ 201
注意障害‥‥‥‥‥‥‥‥‥ 186
中心静脈栄養法‥‥‥‥‥‥ 130
中毒性精神障害‥‥‥‥‥‥ 173
中途視覚障害‥‥‥‥‥‥‥ 70
中途障害‥‥‥‥‥‥‥‥‥ 254
聴覚障害‥‥‥‥‥‥‥‥‥ 76
…のある人のコミュニケーショ
　ン‥‥‥‥‥‥‥‥‥‥‥ 79
…のある人の生活‥‥‥‥‥ 78
…のある人への支援‥‥‥‥ 79
…の特性‥‥‥‥‥‥‥‥‥ 78
…の分類‥‥‥‥‥‥‥‥‥ 77
聴覚と知的の重複障害‥‥‥ 91
腸管穿孔‥‥‥‥‥‥‥‥‥ 129
腸管ベーチェット病‥‥‥‥ 129
重複障害‥‥‥‥‥‥‥‥‥ 87
…の原因‥‥‥‥‥‥‥‥‥ 88
…の種類‥‥‥‥‥‥‥‥‥ 88
重複障害（視覚と知的）‥‥ 92
…のある人の心理‥‥‥‥‥ 93
…のある人への支援‥‥‥‥ 93
…の特性‥‥‥‥‥‥‥‥‥ 92
重複障害児への支援‥‥‥‥ 93
重複障害（聴覚と知的）‥‥ 91
…のある人の心理‥‥‥‥‥ 91
…のある人への支援‥‥‥‥ 91
…の特性‥‥‥‥‥‥‥‥‥ 91
重複障害（盲とろう）‥‥‥ 88

…のある人のコミュニケーション 89
…のある人の心理 89
…のある人への支援 89
…の特性 88
腸ろう 129
直腸がん 121
直腸機能障害 121
…のある人の心理 125
…のある人の生活 125
…のある人への支援 126
…の原因 121
…の特性 125
対麻痺 58
低酸素脳症 187
ディスレクシア 200
手書き文字 90
適応 50
適応期 52
適応機制 50
適応への努力期 52
摘便 124
手先具 64
手継手 64
伝音性難聴 77
てんかん 174
同行援護 30、74
統合失調症 176
…の症状 177
統合モデル 3、7
透析療法 114
糖尿病（性）腎症 116
糖尿病網膜症 71
登はん性起立 213
頭部外傷 187
動脈硬化 96、98
トゥレット症候群 201
特定医療費助成制度 216
特定疾病（介護保険法） 216
特別支援学校 93
読話 80
都道府県地域生活支援事業 227

**な**

内因性精神障害 172

内部障害 96
難聴 76
難病 10、208
…のある人の心理 214
…のある人の生活 214
…のある人への支援 214
…の種類 209
…の定義 208
…の特性 213
難病情報センター 215
難病相談支援センター 216
難病の患者に対する医療等に関する法律（難病法） 208
ニィリエ，B. 13、14
日常生活用具
…（言語障害） 86
…（呼吸器機能障害） 113
…（視覚障害） 75
…（聴覚障害） 81
…（直腸機能障害） 128
…（膀胱機能障害） 128
尿管皮膚ろう 121
尿毒症症状 114
尿路ストーマ 121
任意後見制度 38
ネグレクト 36
脳炎 188
脳血管障害 60、186
脳性麻痺 60
…の分類 61
脳卒中 186
能動義手 64
能力障害 5
ノーマライゼーション 13、21、222
…の8つの原理 14

**は**

パーキンソン病 210
…の四大症状 210
肺気腫 104
背景因子 6
肺結核後遺症 105
肺線維症 105
肺臓炎 105

排尿障害 121
廃用症候群 92
白杖 74
バスキュラーアクセス 115
ばち状指 105
発声発語障害 82
発達障害 196
…のある人への支援 202
…の定義 197
…の特性 198
発達障害啓発週間 197
発達障害者支援センター 205
発達障害者支援法 203
バリアフリー 54、204
パルスオキシメータ 107
ハローワーク 38
バンク-ミケルセン，N.E. 13
半側空間無視 189
半盲 69
ピア 225
ピアサポーター 225
ピアサポート 54、182
ピークフローメータ 107
皮下結節 212
非侵襲的陽圧換気 108
筆談 79
ヒト免疫不全ウイルス 135
ヒト免疫不全ウイルスによる免疫機能障害 135
…のある人の心理 138
…のある人の生活 136
…のある人への支援 137
…の特性 136
否認期 51
病識欠如 189
病識低下 189
標準予防策 141
日和見感染 135
フォーマルな社会資源 224
不完全麻痺 58
福祉型障害児入所施設 31
福祉的就労支援 37
腹水 144
腹膜透析 115
…のしくみ 115

…の特徴 …………………………… 116
浮腫 …………………………………… 144
不整脈 ………………………………… 98
プッシュアップ ……………………… 65
フラッシュバック ………………… 176
ブリスタ ……………………………… 90
ブローカ失語 ………………………… 82
ペアレントトレーニング …… 205
ペアレントプログラム ……… 204
ペアレントメンター ………… 204
ベイトマン, N. ……………………… 24
ペースメーカ ………………………… 98
…の注意点 …………………………… 100
ヘルプマーク ………………………… 100
保育所等訪問支援 ……………… 31
防衛機制 ……………………………… 50
胞隔炎 ………………………………… 105
放課後等デイサービス ………… 31
放棄・放置 …………………………… 36
膀胱がん ……………………………… 120
膀胱機能障害 ……………………… 120
…のある人の心理 ………… 125
…のある人の生活 ………… 125
…のある人への支援 …… 126
…の原因 …………………………… 120
…の特性 …………………………… 125
膀胱留置カテーテル ………… 121
膀胱ろう ……………………………… 121
法定後見制度 ……………………… 38
ホーエン・ヤールの重症度分類
…………………………………………… 210
保健師 ………………………………… 245
保佐 …………………………………… 38
ポジショニング …………………… 155
補助 …………………………………… 38
補装具 ……………………………… 28、32
補聴器 ………………………………… 79
ポリオ ………………………………… 15

### ま

マズロー, A.H. …………………… 48
麻痺 …………………………………… 57
慢性肝炎 ……………………………… 143
慢性気管支炎 ……………………… 104
慢性糸球体腎炎 ………………… 117

慢性腎臓病 ………………………… 113
慢性腎不全 ………………………… 113
慢性閉塞性肺疾患 ……………… 104
ミクロ、メゾ、マクロ ……… 235
無動 …………………………………… 210
明暗順応 ……………………………… 70
盲 ……………………………………… 72
盲導犬 ………………………………… 75
網膜色素変性 ……………………… 71
盲ろう者 ……………………………… 88
盲ろう重複障害 …………………… 88
文字盤 ……………………………… 85、108

### や

夜間間欠式腹膜透析 ………… 115
夜間透析 ……………………………… 118
薬剤師 ………………………………… 245
ヤングケアラー …………………… 264
指点字 ………………………………… 89
指文字 ……………………………… 80、90
陽性症状 ……………………………… 176
横出しサービス …………………… 43
欲求階層説 …………………………… 48

### ら

ライフステージ ………………… 166
…（肢体不自由） ………… 67
…（腎臓機能障害） ……… 118
…（知的障害） ……………… 166
ラザルス, R.S. …………………… 173
ラップ, C.A. ………………………… 19
乱視 …………………………………… 69
ランドルト環 ……………………… 69
理学療法士 ………………………… 246
リカバリー …………………………… 20
離脱症状 ……………………………… 176
リハビリテーション ……… 14、21
…の定義 …………………………… 15
…の4つの領域 ………………… 16
療育手帳 ………………………… 10、161
利用者負担 ………………………… 32
療養介護 ……………………………… 30
緑内障 ………………………………… 70
リワーク支援 ……………………… 37
リワークプログラム …………… 37

臨床検査技師 ……………………… 246
臨床工学技士 ……………………… 246
レスパイトケア ………………… 260
ろう …………………………………… 76
労作性狭心症 ……………………… 97
老人性難聴 ………………………… 77
ロービジョン ……………………… 72
ロバーツ, E. ………………………… 16

## 『最新 介護福祉士養成講座』編集代表 （五十音順）

**秋山 昌江** （あきやま まさえ）
聖カタリナ大学人間健康福祉学部教授

**上原 千寿子** （うえはら ちずこ）
元・広島国際大学教授

**川井 太加子** （かわい たかこ）
桃山学院大学社会学部教授

**白井 孝子** （しらい たかこ）
東京福祉専門学校副学校長

# 「14 障害の理解 （第2版）」 編集委員・執筆者一覧

## 編集委員 （五十音順）

**川井 太加子** （かわい たかこ）
桃山学院大学社会学部教授

**髙木 憲司** （たかき けんじ）
和洋女子大学家政学部准教授

**高木 直美** （たかぎ なおみ）
日本福祉大学中央福祉専門学校介護福祉士科学科長

## 執筆者 （五十音順）

**石渡 博幸** （いしわた ひろゆき） ………………………………………… 第2章第1節
社会福祉法人浴風会第二南陽園園長

**板部 美紀子** （いたべ みきこ） ………………………………… 第2章第2・3・5節
日本福祉大学中央福祉専門学校介護福祉士科専任教員

**伊藤 佳世子** （いとう かよこ） ………………………………………… 第4章第2節
社会福祉法人りべるたす理事長

**井上 洋士** （いのうえ ようじ） ……………………………………… 第2章第6節6
順天堂大学大学院医療看護学研究科特任教授

**岡 京子** （おか きょうこ） …………………………………………… 第2章第6節1・3
新見公立大学地域福祉学科教授

**川井 太加子** （かわい たかこ） ……………………………………… 第1章第2節4・5
桃山学院大学社会学部教授

**川手 信行**（かわて のぶゆき）・・・・・・・・・・・・・・・・・・・・・・・・・・・・・・・・・・・・ 第2章第7節
昭和大学医学部教授

**菊本 圭一**（きくもと けいいち）・・・・・・・・・・・・・・・・・・・・・・・・・・・・・・・・・・・・ 第5章第2節
社会福祉法人けやきの郷業務執行理事

**四ノ宮 美恵子**（しのみや みえこ）・・・・・・・・・・・・・・・・・・・・・・・・・・・・・・・・ 第3章第3節
東京リハビリテーションセンター世田谷　障害者支援施設梅ヶ丘自立訓練アドバイザー

**鈴木 智敦**（すずき ともあつ）・・・・・・・・・・・・・・・・・・・・・・・・・・・・・・・・・・・・ 第4章第1節
名古屋市総合リハビリテーションセンター副センター長

**曽根 直樹**（そね なおき）・・・・・・・・・・・・・・・・・・・・・・・・・・・・・・・・・・・・・・・ 第5章第1節
日本社会事業大学大学院福祉マネジメント研究科准教授

**髙木 憲司**（たかき けんじ）・・・・・・・・・・・ 第1章第1節、第1章第2節6〜8、第1章第3・4節
和洋女子大学家政学部准教授

**高木 直美**（たかぎ なおみ）・・・・・・・・・・・・・・・・・・・・・・・・・・・・・・・・・ 第2章第4・5節
日本福祉大学中央福祉専門学校介護福祉士科学科長

**武田 啓子**（たけだ けいこ）・・・・・・・・・・・・・・・・・・・・・・・・・・・・・・・・・・・・・ 第3章第5節
日本福祉大学健康科学部教授

**津田 理恵子**（つだ りえこ）・・・・・・・・・・・・・・・・・・・・・・・ 第2章第6節2・4・5・7
神戸女子大学健康福祉学部教授

**日詰 正文**（ひづめ まさふみ）・・・・・・・・・・・・・・・・・・・・・・・・・・・・・・・・・・・ 第3章第4節
国立重度知的障害者総合施設のぞみの園総務企画局研究部部長

**古川 和稔**（ふるかわ かずとし）・・・・・・・・・・・・・・・・・・・・・・・・・・・・・ 第1章第2節1〜3
東洋大学ライフデザイン学部教授

**山口 創生**（やまぐち そうせい）・・・・・・・・・・・・・・・・・・・・・・・・・・・・・・・・・ 第3章第2節
国立精神・神経医療研究センター精神保健研究所 地域・司法精神医療研究部精神保健サービス評価研究室長

**吉川 かおり**（よしかわ かおり）・・・・・・・・・・・・・・・・・・・・・・・・・・・・・・・・・ 第3章第1節
明星大学人文学部教授

最新 介護福祉士養成講座 14

# 障害の理解 第2版

| 2019年3月31日 | 初　版　発　行 |
|---|---|
| 2022年2月1日 | 第 2 版 発 行 |
| 2025年2月1日 | 第 2 版第 4 刷発行 |

| 編　　　集 | 介護福祉士養成講座編集委員会 |
|---|---|
| 発 行 者 | 荘村　明彦 |
| 発 行 所 | 中央法規出版株式会社 |
| | 〒110-0016　東京都台東区台東3-29-1　中央法規ビル |
| | TEL 03-6387-3196 |
| | https://www.chuohoki.co.jp/ |
| 印刷・製本 | サンメッセ株式会社 |

| 装幀・本文デザイン | 澤田かおり（トシキ・ファーブル） |
|---|---|
| カバーイラスト | のだよしこ |
| 本文イラスト | 川本満 |
| 口絵デザイン | 株式会社ジャパンマテリアル |

定価はカバーに表示してあります。
ISBN978-4-8058-8403-4

本書のコピー、スキャン、デジタル化等の無断複製は、著作権法上での例外を除き禁じられています。また、本書を代行業者等の第三者に依頼してコピー、スキャン、デジタル化することは、たとえ個人や家庭内での利用であっても著作権法違反です。
落丁本・乱丁本はお取り替えいたします。

本書の内容に関するご質問については、下記URLから「お問い合わせフォーム」にご入力いただきますようお願いいたします。
https://www.chuohoki.co.jp/contact/